Nalini Singh adore écrire. Même si elle a voyagé d'un bout à l'autre de la planète – des déserts de Chine aux temples du Japon –, c'est le voyage de l'esprit qui la fascine le plus. Elle est ravie aujourd'hui d'avoir réalisé son rêve de devenir écrivaine.

www.milady.fr

Nalini Singh

Esclave des sens

Psi-changeling - 1

Traduit de l'anglais (Nouvelle-Zélande) par Claire Jouanneau

Milady

Milady est un label des éditions Bragelonne

Titre original : *Slave to sensation*
Copyright © 2006 by Nalini Singh

Suivi d'un extrait de : *Visions of Heat*
Copyright © 2007 by Nalini Singh

© Bragelonne 2011, pour la présente traduction

ISBN : 978-2-8112-0626-0

1ʳᵉ édition : novembre 2011
2ᵉ tirage : avril 2013
2ᵉ édition : mai 2012

Bragelonne – Milady
60-62, rue d'Hauteville – 75010 Paris

E-mail : info@milady.fr
Site Internet : www.milady.fr

*Je dédie ce livre à ma merveilleuse éditrice Cindy Hwang
ainsi qu'à mon fantastique agent Nephele Tempest
qui m'ont soutenue avec enthousiasme depuis le début,
et bien sûr à ma famille, qui est toujours là pour moi.*

Prologue

Silence

A fin de freiner la multiplication des cas de folie et de meurtres en série au sein de la population Psi, le Conseil Psi décida en 1969 d'initier un programme rigoureux nommé « Silence ». Le but de Silence était de conditionner les enfants Psis dès leur naissance en leur apprenant à ne plus éprouver de colère.

Mais le Conseil constata rapidement qu'il était impossible d'isoler cette émotion des autres. En 1979, après avoir débattu dix ans du sort des millions d'esprits formant le PsiNet, l'objectif de Silence fut modifié. À compter de cette date, on amena les enfants Psi à ne plus rien ressentir du tout. Ni colère, ni jalousie, ni convoitise, ni joie, et encore moins amour.

Silence connut un succès retentissant.

En 2079, année qui voit le conditionnement de la cinquième ou sixième génération de Psis, tous ont oublié qu'ils ont pu un jour être différents. Les Psis sont réputés pour leur inébranlable maîtrise d'eux-mêmes, leur esprit pratique inhumain et leur résistance à toute incitation à la violence.

Excellant en politique et en affaires, ils font de l'ombre aux humains et aux changelings, espèces dominées par leur nature animale. Dotés de pouvoirs mentaux qui vont de la télépathie à la clairvoyance en passant par la télékinésie et la psychométrie, les Psis s'estiment un cran au-dessus sur l'échelle de l'évolution.

Fidèles à leur nature, chacune de leurs décisions repose sur des critères de logique et de rendement. Selon le PsiNet, leur taux d'échec est quasi nul.

Les Psis sont parfaits dans leur Silence.

CHAPITRE PREMIER

S ascha Duncan n'arrivait pas à lire la moindre ligne du rapport qui défilait sur l'écran de son agenda électronique. La peur troublait sa vue et l'isolait de l'atmosphère de froide efficacité du bureau de sa mère. Même la voix de Nikita au téléphone parvenait à peine jusqu'à son esprit engourdi.

Elle était terrifiée.

Ce matin-là, elle s'était réveillée prostrée dans son lit, en larmes. Un Psi normal ne pleurait pas et ne manifestait pas d'émotions ; il ne ressentait rien. Mais Sascha savait depuis son enfance qu'elle n'était pas normale. Alors qu'elle était parvenue à dissimuler sa déficience pendant vingt-six ans, la situation prenait désormais un tournant dramatique. C'était une véritable catastrophe.

Son esprit se détériorait à une vitesse exponentielle, au point qu'elle commençait à souffrir d'effets secondaires sur le plan physique : des crampes musculaires, des frissons, un rythme cardiaque irrégulier, et ces larmes que lui arrachaient des rêves dont elle ne se souvenait jamais. Il lui serait bientôt impossible de cacher sa psyché brisée. Et, si elle montrait son vrai visage, elle n'échapperait pas à l'incarcération au Centre. Bien sûr, personne n'appelait ça une « prison ». Qualifié de « complexe de rééducation », il s'agissait du moyen radical mis en place par les Psis pour se débarrasser des éléments les plus faibles.

Une fois qu'ils en auraient terminé avec elle, elle ne serait plus qu'une loque lobotomisée... et encore. Dans le pire des cas, ils lui laisseraient seulement assez de fonctions cérébrales pour devenir un drone dans les vastes réseaux d'affaires des Psis, un robot tout juste capable de trier le courrier ou de passer la serpillière.

Alors qu'elle serrait son agenda, elle revint brutalement à la réalité. S'il y avait bien un endroit où elle ne pouvait pas se permettre de craquer c'était dans ce bureau, assise en face de sa mère. Nikita Duncan avait beau être de son sang, elle était également membre du Conseil Psi. Sascha n'était pas certaine que, si on en arrivait là, Nikita ne sacrifierait pas sa fille pour conserver son poste au sein de l'organisme le plus puissant du monde.

Poussée par une sinistre détermination, elle entreprit de renforcer les boucliers mentaux qui défendaient les couloirs secrets de son esprit. C'était bien la seule chose à laquelle elle excellait ; lorsque sa mère raccrocha, Sascha laissait paraître autant d'émotion qu'une sculpture taillée dans la banquise.

— Nous avons rendez-vous avec Lucas Hunter dans dix minutes. Tu es prête ?

On ne discernait rien de plus qu'un intérêt détaché dans les yeux en amande de Nikita.

— Bien sûr, mère.

Sascha s'obligea à soutenir son regard insistant sans défaillir, essayant de ne pas se demander si le sien était tout aussi impénétrable. Contrairement à Nikita, elle était une Psi cardinale et pouvait compter sur l'absence d'expression de ses yeux de firmament, deux étendues infinies de ténèbres constellées de petits points de feu blanc et glacé.

— Hunter est un chef changeling, ne le sous-estime pas. Il raisonne comme un Psi.

Nikita se retourna et fit sortir l'écran plat de son ordinateur d'une fente dans son bureau.

Sascha ouvrit les fichiers correspondants sur son agenda électronique. Assez mince pour être glissé dans une poche, l'ordinateur miniature contenait toutes les notes dont elle pouvait avoir besoin pour la réunion. Si Lucas Hunter correspondait au profil de ceux de son espèce, il viendrait avec des exemplaires imprimés de chaque document.

D'après les informations dont Sascha disposait, Hunter était devenu à vingt-trois ans l'unique mâle dominant de sa meute de léopards. Au cours des dix années écoulées depuis, les prédateurs de DarkRiver avaient consolidé leur emprise sur San Francisco et ses environs jusqu'à dominer la région. Ceux d'autres meutes qui souhaitaient venir sur le territoire de DarkRiver – tant pour y vivre et y travailler que pour y passer leurs congés – devaient d'abord montrer patte blanche, sans quoi la loi territoriale des changelings s'appliquait et l'issue était brutale.

À la première lecture de ces documents, Sascha avait ouvert de grands yeux en apprenant que DarkRiver avait négocié un pacte mutuel de non-agression avec les SnowDancer, la meute de loups qui contrôlait le reste de la Californie. Les SnowDancer étant réputés pour leur cruauté et leur absence de pitié vis-à-vis de ceux qui osaient étendre leur influence sur leur territoire, elle s'interrogea sur l'image civilisée que DarkRiver cherchait à renvoyer. On n'amadouait pas les loups avec des courbettes.

Un carillon léger s'éleva.

—Nous y allons, mère ?

La relation que Nikita entretenait avec sa fille n'avait jamais rien eu de maternel, mais le protocole voulait que Sascha s'adresse à elle en employant sa désignation familiale.

Nikita acquiesça et se redressa, la surplombant avec élégance du haut de son mètre soixante-quinze. Vêtue d'un tailleur-pantalon noir et d'une chemise blanche, son apparence reflétait jusque dans les moindres détails la femme de pouvoir qu'elle était. Ses cheveux s'arrêtaient sous ses oreilles, une coupe stricte qui lui seyait à merveille. Elle était belle. Et dangereuse.

Sascha savait que, lorsqu'elles marchaient côte à côte comme en cet instant, personne n'aurait soupçonné leur lien de parenté. La ressemblance s'arrêtait à leur taille. Nikita avait hérité des yeux bridés, des cheveux raides et du teint de porcelaine de sa mère à moitié japonaise. Chez Sascha, le gène asiatique ne se retrouvait qu'à peine dans la forme de ses yeux.

Sa chevelure, plutôt que souple et noire aux reflets bleutés comme celle de Nikita, était d'une couleur ébène qui absorbait la lumière, et elle bouclait tellement que Sascha devait la natter tous les matins pour la maîtriser. Révélatrice des gènes de son père inconnu, sa peau se rapprochait davantage du miel que de l'ivoire ; le registre de naissance de Sascha mentionnait des origines indo-britanniques.

Alors qu'elles arrivaient à la salle de réunion, Sascha se mit en retrait. Elle détestait les entrevues avec les changelings, même si ça n'avait pas de rapport avec la répulsion habituelle des Psis pour les émotions que l'autre espèce exprimait librement. Elle avait l'impression que les changelings lisaient en elle, et que d'une manière ou d'une autre ils percevaient l'anomalie qui la rendait différente.

— Monsieur Hunter.

En entendant sa mère, Sascha leva les yeux… et découvrit devant elle, si près qu'elle aurait pu le toucher, le mâle le plus intimidant qu'elle ait jamais vu. Il n'y avait pas d'autre mot pour le décrire. Il devait mesurer près de deux mètres et avait la carrure de la machine de guerre qu'il était dans la nature, tout en muscles fins et en force brute.

Les cheveux noirs qui lui arrivaient aux épaules ne parvenaient pas à adoucir sa physionomie. Ils étaient au contraire la marque d'une passion débridée et de la faim obscure du léopard caché sous sa peau. Pas de doute, elle se trouvait bien en présence d'un prédateur.

Puis, lorsqu'il tourna la tête, elle vit le côté droit de son visage. Quatre lignes irrégulières, la griffure de quelque bête féroce, marquaient sa peau subtilement dorée. Malgré le vert hypnotisant de ses yeux, ce furent ces cicatrices qui retinrent l'attention de Sascha. Jamais elle ne s'était trouvée si près d'un Chasseur changeling.

—Madame Duncan.

Sa voix grave, un peu râpeuse, était à la limite du grondement.

—Voici ma fille, Sascha. C'est elle qui assurera la liaison sur ce projet.

—Enchanté, Sascha.

Il inclina la tête et laissa son regard s'attarder sur elle un peu plus que nécessaire.

—Moi de même.

Entendait-il les battements irréguliers de son cœur si, comme on le disait, les sens des changelings surpassaient de loin ceux de toutes les autres espèces ?

—Je vous en prie.

D'un geste, il les invita à s'asseoir à la table en verre et resta debout jusqu'à ce qu'elles l'eussent fait. Puis il prit place en face de Sascha.

Elle se força à lui rendre son regard même s'il faudrait plus que de la galanterie pour qu'elle baisse sa garde. Les Chasseurs étaient entraînés à débusquer les proies vulnérables.

— Nous avons étudié votre offre, commença-t-elle.

— Qu'en pensez-vous ?

Ses yeux étaient étonnamment clairs, et aussi calmes que l'océan le plus profond. Mais il n'y avait rien chez lui de froid ni de pragmatique, rien qui puisse faire revenir Sascha sur sa première impression de sauvagerie à peine contenue.

— Vous devez savoir qu'en affaires les alliances entre Psis et changelings fonctionnent rarement. Nous n'avons pas le même sens des priorités.

Comparée à celle de Lucas, la voix de Nikita paraissait totalement dénuée d'inflexions.

Le sourire qu'il lui décocha en réponse était si malicieux que Sascha ne parvint pas à détourner le regard.

— Dans le cas présent, je crois que si. Vous avez besoin d'aide pour concevoir et construire des logements qui plairont aux changelings, et moi je souhaite m'investir dans de nouveaux projets Psi.

Sascha se doutait que d'autres intérêts devaient motiver sa démarche. Ils avaient besoin de lui, mais le contraire n'était plus vrai à présent que le potentiel économique de DarkRiver rivalisait avec le leur. Le monde était en train de changer sous le nez des Psis ; les humains et les changelings ne se contentaient plus désormais de la seconde place. Que ce basculement progressif du rapport de force laisse son peuple indifférent en disait long sur leur arrogance.

À présent qu'elle voyait de ses yeux la fureur refoulée qui définissait Lucas Hunter, elle s'étonnait de l'aveuglement de ses pairs.

— En travaillant avec vous, nous nous attendons au même sérieux qu'avec une entreprise de construction Psi.

Lucas considéra la perfection glacée de Sascha Duncan et se demanda ce qui chez elle le perturbait à ce point. Sa bête grognait et tournait en rond dans la cage de son esprit, prête à bondir pour renifler le tailleur-pantalon anthracite de cette Psi.

— Bien entendu, dit-il, fasciné par les minuscules étincelles de lumière blanche qui allaient et venaient dans les ténèbres de ses yeux.

Il s'était rarement retrouvé si près d'un Psi cardinal. Ils formaient une élite qui n'avait aucun besoin de se mêler à la masse car ils accédaient à des postes influents au sein du Conseil Psi dès qu'ils atteignaient l'âge adulte. Quoique jeune, Sascha ne donnait nullement l'impression de manquer d'expérience. Elle paraissait aussi implacable, insensible et froide que tous ceux de son espèce.

Elle avait le potentiel d'un tueur en puissance.

Tout comme n'importe lequel d'entre eux. C'était pour cette raison que, depuis des mois, DarkRiver espionnait des Psis haut placés et cherchait le moyen d'infiltrer leurs défenses. Le projet Duncan représentait une occasion en or. En plus d'être puissante, Nikita appartenait au cercle le plus exclusif de son espèce : le Conseil Psi. Une fois qu'il aurait trouvé le moyen d'y accéder, Lucas allait devoir découvrir l'identité du Psi sadique qui avait pris la vie d'une des femmes de DarkRiver… et l'abattre.

Pas de pitié. Pas de pardon.

Face à lui, Sascha se pencha sur son agenda électronique.

— Nous pouvons vous proposer sept millions.

Lucas se serait contenté d'un centime s'il lui avait ouvert les portes du monde très secret des Psis, mais il ne pouvait pas se permettre d'éveiller leurs soupçons.

— Mesdames.

Il imprégna ce simple mot de toute la sensualité qui le caractérisait, lui autant que sa bête.

La plupart des changelings et des humains auraient réagi au plaisir implicite contenu dans le ton de sa voix, mais ses deux interlocutrices demeurèrent de marbre.

— Nous savons vous et moi que ce contrat ne vaut pas moins de dix millions. Évitons de perdre notre temps.

Il aurait pu jurer voir briller une lueur dans les yeux de firmament de Sascha, comme si elle lui signifiait qu'elle relevait le défi. Sa panthère gronda doucement.

— Huit. Et nous souhaitons valider nous-mêmes chaque étape du travail, de la conception à la construction.

— Dix, répliqua-t-il d'une voix enjôleuse. Vos exigences entraîneront un retard considérable. Je ne peux pas travailler efficacement si je dois revenir ici au moindre changement que j'envisage.

Des visites répétées lui permettraient peut-être de collecter des informations qui le mettraient sur la piste du meurtrier, mais il en doutait. Nikita n'était pas du genre à laisser traîner des documents compromettants.

— Accordez-nous un instant.

La femme plus âgée se tourna vers la plus jeune.

Comme chaque fois qu'il se trouvait en présence de Psis se servant de leurs pouvoirs, Lucas eut la chair de poule. La télépathie était l'un de leurs multiples talents, et il fallait avouer qu'il s'avérait très utile lors de négociations. Mais leurs pouvoirs les aveuglaient. Les changelings avaient depuis longtemps appris à tirer profit du sentiment de supériorité des Psis.

Presque une minute plus tard, Sascha s'adressa à lui.

— Nous tenons à contrôler chaque étape.

— C'est vous qui payez. Vous êtes libres de gérer votre temps comme vous l'entendez.

Il s'accouda à la table et constata que Sascha suivit son geste des yeux lorsqu'il joignit les mains. Intéressant. À sa connaissance, les Psis ne réagissaient jamais au langage corporel, comme s'ils n'étaient que purs esprits fermés sur eux-mêmes.

— Mais si vous tenez vraiment à un tel degré d'implication, je ne peux pas vous promettre que les délais seront respectés. Pour être franc, je peux même vous garantir qu'ils ne le seront pas.

— Nous avons une offre pour remédier à ce problème.

Il haussa un sourcil.

— Je vous écoute.

Sa panthère écoutait aussi. L'homme et la bête étaient captivés par Sascha Duncan, sans comprendre pourquoi. Une part de lui voulait la caresser… tandis que l'autre avait envie de la mordre.

— Nous aimerions travailler main dans la main avec DarkRiver. Afin de faciliter la tâche, je souhaiterais que vous mettiez un bureau à ma disposition dans votre immeuble.

Chaque fibre du corps de Lucas se raidit. Il venait d'obtenir l'accès quotidien à une Psi cardinale.

— Vous voulez rester près de moi, chérie ? Ça me va. (Il détecta un changement dans l'atmosphère, si subtil qu'il disparut avant qu'il puisse l'identifier.) Vous êtes en position de valider d'éventuelles modifications ?

— Oui. Même si je dois me concerter avec mère, je n'aurai pas besoin de quitter le chantier.

C'était une façon de lui rappeler qu'elle était Psi, membre d'une espèce qui avait sacrifié son humanité depuis longtemps.

— Sur quelle distance un Psi peut-il communiquer ?

— Une distance suffisante. (Elle toucha du doigt l'écran de son ordinateur.) Va pour huit ?

Il sourit à sa tentative de le prendre par surprise, amusé par sa sournoiserie presque féline.

17

—Dix, ou je sors de cette pièce et vous devrez vous contenter d'un produit de qualité inférieure.

—Vous n'êtes pas le seul expert en matière de goûts changelings sur le marché.

Elle se pencha imperceptiblement vers lui.

—En effet. (Intrigué par cette Psi qui semblait se servir de son corps autant que de son cerveau, il imita son geste exprès.) Mais je suis le meilleur.

—Neuf.

Il ne pouvait pas se permettre de passer pour faible… les Psis n'avaient de respect que pour ceux capables d'imposer leur volonté.

—Neuf et la promesse d'un autre million si tous les logements sont vendus avant l'ouverture de la résidence.

Le silence retomba, et Lucas eut de nouveau la chair de poule. Dans son esprit, sa bête donnait des coups de patte dans le vide comme pour attraper les étincelles d'énergie. La plupart des changelings ne percevaient pas les tempêtes électriques que généraient les Psis, mais ce don avait son utilité.

—Nous acceptons votre offre, dit Sascha. Je présume que vous avez les contrats imprimés ?

—Bien entendu.

Il ouvrit un classeur et fit glisser vers elles des copies du document affiché sur leurs écrans.

Sascha les ramassa et les tendit à sa mère.

—Un format électronique aurait été beaucoup plus pratique.

Les Psis lui avaient servi cette réplique des centaines de fois. Les changelings demeuraient réfractaires aux avancées technologiques en partie parce qu'ils étaient entêtés, mais aussi pour des raisons de sécurité ; l'espèce de Lucas piratait les bases de données des Psis depuis des décennies.

— J'aime les choses que je peux tenir, toucher et sentir, les choses qui parlent à tous mes sens.

Lucas ne doutait pas que Sascha comprenne son sous-entendu, mais il s'intéressait surtout à sa réaction. Rien. Sascha Duncan était aussi froide que tous les autres Psis qu'il avait rencontrés… Il allait devoir la cuisiner sérieusement pour découvrir si les Psis protégeaient un tueur en série.

Alors que jusqu'à cet instant il n'avait vu en ceux de cette espèce que des machines dénuées d'émotions, la perspective de côtoyer cette Psi plutôt qu'une autre avait le curieux effet de lui plaire. Levant les yeux, Sascha soutint son regard et la panthère de Lucas ouvrit la gueule pour pousser un rugissement inaudible.

La chasse était ouverte, et Sascha Duncan en était la proie.

Deux heures plus tard, Sascha refermait derrière elle la porte de son appartement. Elle balaya mentalement les alentours. Rien. Situé dans le même immeuble que son bureau, son logement bénéficiait déjà d'une sécurité excellente ; elle s'était servie de ses pouvoirs pour renforcer le niveau de protection autour des pièces. Le processus épuisait une bonne partie de ses maigres réserves d'énergie psychique, mais elle avait besoin d'un endroit où se sentir à l'abri.

Une fois assurée que personne ne s'était introduit chez elle, elle prit le temps de vérifier un à un les boucliers qui isolaient son esprit de l'immensité du PsiNet. Tous opérationnels. Personne ne pourrait s'immiscer dans sa tête à son insu.

Ce ne fut qu'ensuite qu'elle se laissa tomber sur le tapis bleu glacier. La couleur froide lui donna des frissons.

—Ordinateur, plus cinq degrés.

—Exécution.

La voix était monocorde, comme il fallait s'y attendre. Ce n'était que la réponse mécanique de l'ordinateur puissant qui alimentait l'immeuble. Les habitations qu'elle allait construire avec Lucas ne seraient pas équipées de systèmes informatiques de ce genre.

Lucas.

Elle expira brusquement et laissa libre cours aux émotions qu'elle avait dû refouler le temps de la réunion.

La peur.

L'amusement.

La faim.

L'envie.

Le désir.

Le besoin.

Elle détacha la barrette qui retenait sa natte, passa les mains dans ses boucles qui se déroulaient avant de se débarrasser de sa veste et de la jeter au sol. Ses seins étaient douloureux, à l'étroit dans son soutien-gorge. Elle n'avait qu'une envie, se déshabiller et se frotter contre le corps chaud et ferme d'un homme.

Un gémissement lui échappa ; elle ferma les yeux et se balança d'avant en arrière pour essayer de contrôler les visions qui l'assaillaient. Ça n'aurait pas dû se produire. Même si elle avait déjà perdu le contrôle auparavant, jamais ses hormones ne s'étaient emballées à ce point. À l'instant même où elle l'admettait, le déferlement d'images parut se calmer et elle puisa la force suffisante pour s'arracher à l'emprise de ses pulsions.

Se relevant, elle se dirigea vers la petite cuisine et se servit un verre d'eau. Alors qu'elle buvait, elle aperçut son reflet dans le miroir décoratif accroché au mur à côté de son réfrigérateur encastré. Il s'agissait du cadeau d'un conseiller changeling, offert à l'occasion d'un autre projet, qu'à la désapprobation de sa mère elle avait gardé. Sascha avait prétexté vouloir essayer de comprendre l'autre espèce. En vérité, le cadre aux couleurs vives lui plaisait.

Pourtant, à cet instant précis, elle regrettait de l'avoir conservé. Il lui renvoyait de façon trop évidente ce qu'elle refusait de voir. La masse sombre et indomptable de ses cheveux évoquait la passion animale et le désir, choses qu'aucun Psi ne devait connaître. Comme prise d'un accès de fièvre, elle avait le visage empourpré, les joues marbrées de rouge, et quant à ses yeux… Bon sang! ses yeux avaient viré au noir absolu.

Elle posa son verre et repoussa sa chevelure pour les examiner. Pas d'erreur: elle ne distinguait pas la moindre étincelle dans les ténèbres de ses pupilles. Un tel phénomène n'était censé se produire que lorsqu'un Psi libérait une importante quantité d'énergie psychique.

Ce qui ne lui était jamais arrivé.

Ses yeux avaient beau faire d'elle une cardinale, il lui coûtait d'admettre que les pouvoirs auxquels elle avait accès étaient ridicules. À tel point qu'elle attendait toujours de rejoindre les rangs de ceux qui travaillaient directement pour le Conseil.

L'absence chez elle de dons psychiques véritables avait laissé ses éducateurs perplexes. Tous soutenaient que son esprit renfermait un potentiel brut incroyable – bien suffisant pour un cardinal – mais que celui-ci ne s'était jamais manifesté.

Jusqu'à présent.

Elle secoua la tête. Non, elle n'avait pas libéré d'énergie psychique, il devait donc y avoir une autre explication. Quelque chose que les autres Psis n'avaient jamais expérimenté de par leur absence d'émotions. Elle reporta le regard sur le tableau de communication fixé au mur à côté de la cuisine. Une chose était sûre, elle ne pouvait pas sortir dans cet état. Si on la voyait, elle était bonne pour la rééducation.

Elle sentit la peur l'envahir.

Tant qu'elle resterait libre de ses mouvements, elle parviendrait peut-être à trouver un jour le moyen de s'échapper, de couper le lien qui la rattachait au PsiNet sans risquer la paralysie de son corps et la mort. Peut-être même découvrirait-elle comment remédier à la tare qui l'affligeait. Mais dès l'instant où elle mettrait les pieds dans le Centre, elle sombrerait dans les ténèbres. Des ténèbres infinies et silencieuses.

Avec précaution, elle retira le cache du tableau de communication et tritura les circuits. Elle ne composa le numéro de Nikita qu'une fois le cache remis en place. Sa mère occupait l'appartement terrasse, plusieurs étages au-dessus du sien.

Sa voix lui parvint au bout de quelques secondes.

— Sascha, ton écran est éteint.

— Je ne m'en étais pas aperçue, mentit Sascha. Attends une minute. (Marquant une pause pour ménager son effet, elle reprit lentement son souffle.) Je crois qu'il s'agit d'un dysfonctionnement. Je demanderai à un technicien de regarder.

— Que voulais-tu ?

— Je vais devoir annuler notre dîner. J'ai reçu des documents de Lucas Hunter que j'aimerais parcourir avant de le revoir.

— Il est rapide, pour un changeling. Je te verrai demain après-midi pour un briefing. Bonne nuit.

— Bonne nuit, mère.

Déjà, elle parlait dans le vide. Même si Nikita n'avait pas été davantage une mère pour elle que l'ordinateur qui contrôlait son appartement, Sascha souffrait de ce genre de détails. Mais, cette nuit-là, sa douleur était ensevelie sous des émotions autrement plus dangereuses.

Sascha commençait à peine à se détendre lorsque le dispositif sonna pour annoncer un appel entrant. Comme la fonction identification de l'interlocuteur avait été désactivée en même temps que l'écran, elle n'avait aucun moyen de savoir de qui il s'agissait.

— Sascha Duncan, dit-elle en essayant de ne pas paniquer à l'idée que Nikita avait pu changer d'avis.

— Bonjour, Sascha.

Elle manqua de défaillir en reconnaissant la voix suave du changeling, qui s'apparentait cette fois-ci davantage à un ronronnement.

— Monsieur Hunter.

— Lucas. Nous sommes collègues, après tout.

— Que vouliez-vous ?

Ce ne serait qu'en adoptant une attitude pragmatique qu'elle parviendrait à gérer ses émotions instables.

— Je ne te vois pas, Sascha.

— L'écran est en panne.

— Pas très efficace.

Était-ce de l'amusement qui perçait dans sa voix ?

— J'imagine que vous ne m'appelez pas pour bavarder.

— Je voulais t'inviter à une réunion avec l'équipe de design demain matin.

La voix de Lucas l'enveloppait comme de la soie.

Sascha n'aurait su dire si sa façon de parler sonnait toujours comme un appel à la luxure, ou bien s'il s'en servait pour la déstabiliser. Cette pensée la troubla. S'il soupçonnait seulement que quelque chose clochait chez elle, elle pouvait aussi bien signer son arrêt de mort… l'équivalent d'un internement au Centre.

— Quelle heure ?

Elle s'enserra les côtes et se força à parler d'une voix égale. Les Psis prenaient d'infinies précautions pour que le reste du monde ne s'aperçoive pas de leurs erreurs et de l'existence d'éléments défectueux au sein de leur espèce. Personne n'avait jamais réussi à s'opposer au Conseil et à obtenir gain de cause après avoir été condamné à la rééducation.

— Sept heures et demie. Ça te convient ?

Comment s'y prenait-il pour qu'une invitation strictement professionnelle prenne des allures de proposition indécente ? Peut-être se faisait-elle des idées… Elle perdait la tête.

— Et le lieu ?

— Mon bureau. Tu sais où c'est ?

— Bien entendu.

DarkRiver avait implanté son siège social dans le quartier animé de Chinatown, investissant un immeuble de taille moyenne.

— J'y serai.

— Je t'attendrai.

Les sens décuplés de Sascha lui soufflaient qu'il s'agissait davantage d'une menace que d'une promesse.

CHAPITRE 2

D' une démarche féline, Lucas s'avança jusqu'à la fenêtre de son bureau et regarda les rues étroites qui serpentaient à travers Chinatown, véritable feu d'artifice pour les sens. Les yeux de firmament de Sascha occupaient ses pensées. Son pendant animal avait perçu une anomalie chez elle… comme si quelque chose ne tournait pas rond. Et pourtant ce n'était pas l'odeur écœurante de la folie qu'il sentait, mais un parfum délectable qui le ravissait, à mille lieux de la puanteur métallique de la plupart des Psis.

— Lucas ?

Il n'eut pas besoin de se retourner pour savoir qui lui rendait visite.

— Qu'y a-t-il, Dorian ?

Celui-ci vint le rejoindre. Avec ses cheveux blonds et ses yeux bleus, on aurait pu le prendre pour un surfeur décontracté, prêt à s'élancer sur les vagues… si on ne tenait pas compte de l'éclat sauvage dans ses iris. Dorian était un léopard latent. Un problème avait dû survenir au cours de la grossesse et il était né changeling en tout point sauf un : il lui manquait la capacité de changer de forme.

— Comment ça s'est passé ?

— J'ai droit à une Psi qui va me suivre comme mon ombre.

Lucas regarda une voiture glisser sans bruit dans la rue qui s'assombrissait. Les cellules d'énergie qui la propulsaient ne laissaient aucune trace de son passage. Elles avaient été créées par des changelings. Sans eux, le monde aurait été depuis longtemps plongé dans un nuage de pollution.

Alors que les Psis se prenaient pour les maîtres de la planète, les changelings étaient à l'écoute de la Terre, ils comprenaient la façon dont s'articulaient ses flux vitaux. Les changelings, et quelques humains parfois.

— Tu crois pouvoir la soudoyer ?

Lucas haussa les épaules.

— Elle est comme les autres. Mais je vais tenter le coup. En plus, c'est une cardinale.

Dorian se balança d'avant en arrière.

— Si l'un d'eux sait pour le tueur, alors ils sont tous au courant. Ils sont tous liés sans exception par leur réseau.

— Ils appellent ça le PsiNet.

Lucas se pencha et appuya ses paumes sur la vitre, savourant la sensation de fraîcheur que cela lui procura.

— Je ne suis pas certain que ça marche comme ça, poursuivit-il.

— C'est un putain d'esprit collectif. Comment ça marcherait sinon ?

— Ils ont une conception de la hiérarchie très stricte… ça semble contradictoire que la masse ait le libre accès aux informations. S'il y a bien une chose qui ne les caractérise pas, c'est le sens de la démocratie.

Le monde des Psis, qui reposait sur une implacable logique du plus fort, surpassait en cruauté tout ce que Lucas avait pu observer.

— Mais ta cardinale doit bien savoir, elle.

En tant que fille de Conseillère et elle-même un esprit puissant, Sascha devait très certainement appartenir à l'élite.

— Oui.

Et Lucas avait bien l'intention de découvrir ce qu'elle savait.

— Tu as déjà couché avec une Psi ?

Lucas se tourna enfin pour regarder Dorian, amusé.

— Tu es en train de me dire que je devrais la séduire pour qu'elle parle ?

Alors que cette pensée aurait dû le révolter, elle l'intriguait autant lui que son fauve.

Dorian éclata de rire.

— J'avoue, ta queue risquerait de geler sur place. (Une lueur de colère intense passa dans ses yeux bleus.) Ce que j'allais dire, c'est que c'est vrai qu'ils ne ressentent rien du tout. J'en ai baisé une, à l'époque où j'étais jeune et stupide. J'étais saoul et elle m'a fait venir dans sa chambre d'étudiante.

— Pas courant.

Les Psis étaient plutôt introvertis.

— Je crois que c'était une sorte d'expérience pour elle. Elle étudiait les sciences. On a couché ensemble, mais j'ai eu l'impression de le faire avec un bloc de béton, je te jure. Il n'y avait pas de vie en elle, pas d'émotion.

L'image de Sascha Duncan flotta dans l'esprit de Lucas. Le félin en lui s'éveilla et examina le souvenir de la jeune femme. Elle était de glace, oui, mais pas seulement.

— On ne peut que les plaindre.

— Ils méritent nos griffes, pas notre pitié.

Lucas revint au spectacle de la ville. Même s'il la contenait mieux, sa colère égalait celle de Dorian. Ils avaient retrouvé ensemble le corps de la sœur de Dorian, six mois plus tôt. Kylie avait été massacrée, avec une froideur clinique et impitoyable. Son meurtrier avait versé son sang sans le moindre égard pour la femme magnifique et débordante de vie qu'elle avait été.

Ils n'avaient pas détecté d'odeur animale sur le lieu du crime, mais la puanteur caractéristique des Psis n'avait pas échappé à Lucas. Les autres changelings, eux, avaient remarqué l'efficacité du tueur dans son acte de cruauté et compris aussitôt de quel genre de monstre il s'agissait. Le Conseil Psi avait feint l'ignorance, et la Sécurité s'était si peu mobilisée qu'elle semblait ne pas vouloir retrouver le coupable.

Quand les léopards de DarkRiver avaient creusé davantage, ils étaient tombés sur plusieurs autres meurtres présentant les mêmes caractéristiques. Les dossiers avaient été enterrés si profondément qu'une seule organisation pouvait être tenue pour responsable : le Conseil Psi. Pareil à une araignée, ce dernier tenait dans sa toile chaque poste de Sécurité du pays.

Les changelings en avaient eu assez de l'arrogance des Psis, de leurs directives, de leurs manipulations. La rancœur et la colère accumulées depuis des décennies s'étaient muées en véritable bombe à retardement que les Psis venaient sans le vouloir de déclencher avec leur dernière atrocité en date.

À présent, la guerre était déclarée.

Et une étrange Psi allait se retrouver prise entre leurs deux camps.

Lorsque Sascha arriva devant l'immeuble de DarkRiver à 7 h 30 précises, elle vit que Lucas l'attendait près de l'entrée. Vêtu d'un jean, d'un tee-shirt blanc et d'une veste en similicuir noir, il ne ressemblait en rien à l'homme d'affaires qu'elle avait rencontré la veille.

— Bonjour, Sascha.

Il esquissa un sourire irrésistible.

Cette fois-ci, elle s'était préparée à leur confrontation.

— Bonjour. Nous allons à la réunion ?

Ce n'était qu'en conservant un ton strictement formel qu'elle parviendrait à tenir cet homme à distance… Elle n'avait pas besoin d'être un génie pour comprendre qu'il était habitué à obtenir ce qu'il voulait.

—Il y a eu un changement de programme. (Il leva les mains en signe d'excuse, sans rien perdre de son assurance.) Un membre de mon équipe n'a pas pu se rendre en ville à l'heure fixée, j'ai donc décalé la réunion à 15 heures.

Elle pressentit qu'il s'agissait d'un coup monté. Mais elle ne parvenait pas à déterminer s'il se comportait ainsi pour essayer de la charmer ou bien s'il mentait.

—Pourquoi ne pas m'avoir appelée ?

—J'ai pensé que, puisque tu étais déjà en chemin, on pourrait en profiter pour aller inspecter le site que j'ai repéré, dit-il en souriant. Comme ça, ce ne sera pas du temps perdu.

Elle savait qu'il se moquait d'elle.

—Allons-y.

—Dans ma voiture.

Elle ne protesta pas. Aucun vrai Psi ne l'aurait fait : puisque Lucas connaissait le chemin, la logique voulait qu'il conduise. Mais n'étant pas une Psi normale, elle avait envie de lui dire qu'elle n'avait pas d'ordres à recevoir de lui.

—Tu as déjà mangé ? lui demanda-t-il une fois qu'ils furent tous deux dans la voiture et qu'il eut activé les commandes manuelles.

Elle avait été trop angoissée pour manger. Elle se rendait compte que fréquenter Lucas Hunter précipitait sa chute dans la démence, sans parvenir à interrompre le processus pour autant.

—Oui, mentit-elle sans bien savoir pourquoi.

—Tant mieux. Je n'ai pas envie que tu t'évanouisses.

—Je ne me suis jamais évanouie de ma vie, aucun risque de ce côté-là.

Sascha regarda la ville défiler tandis qu'ils roulaient vers Bay Bridge. San Francisco était un joyau étincelant dans son écrin de mer, mais elle préférait les régions environnantes où la nature était prédominante. Certaines forêts s'étendaient même au-delà de la frontière du Nevada.

Le parc national de Yosemite constituait l'un des plus vastes espaces naturels de l'État. Quelques siècles plus tôt, la question de savoir s'il devait être restreint à une région à l'est de Mariposa avait été soulevée. Les changelings ayant eu gain de cause, Yosemite avait pu prendre de l'envergure jusqu'à se fondre dans plusieurs autres zones boisées, notamment les forêts d'El Dorado et de Tahoe, tandis qu'en parallèle la ville lacustre de Tahoe poursuivait son expansion.

Yosemite couvrait à présent la moitié de Sacramento et contournait la région viticole prospère de Napa pour englober Santa Rosa au nord. Au sud-est de San Francisco, il avait pratiquement englouti Modesto. Du fait de sa taille croissante, seule une partie avait désormais le statut de parc national. Le reste était en règle générale protégé de l'urbanisation, mais la construction de logements était autorisée à certaines conditions.

À la connaissance de Sascha, aucun Psi n'aspirait à une telle proximité avec la nature, ce qui la poussa à s'interroger sur le sort de cette terre verdoyante si son espèce en avait eu le contrôle exclusif. Il y avait de quoi douter que l'essentiel de la Californie aurait été constitué d'immenses parcs nationaux et de forêts.

Remarquant soudain le regard interrogateur de Lucas, elle s'aperçut que plus de quarante minutes s'étaient écoulées sans qu'elle ouvre la bouche. Heureusement pour elle, les Psis n'étaient pas réputés loquaces.

— Si nous acceptons d'acheter le terrain que vous avez sélectionné, combien de temps cela prendra-t-il pour finaliser le contrat ?

Lucas reporta son attention sur la route.

— Un jour. Le site se trouve sur le territoire de DarkRiver mais appartient aux SnowDancer par un hasard de l'histoire. Ils sont prêts à le vendre si l'offre leur convient.

— On peut compter sur votre impartialité ?

Elle profita de ce que Lucas était absorbé par la route pour observer à loisir les cicatrices sur son visage. Sauvages et primitives, elles éveillaient un sentiment enfoui en elle. Elle ne pouvait s'empêcher de songer qu'elles racontaient probablement la véritable histoire de sa nature ; le personnage lisse de l'homme d'affaires n'était qu'un masque.

— Non. Mais ils ne s'entretiendront avec personne d'autre que moi, alors il ne vous reste qu'à espérer que je ne vais pas vous rouler.

Elle n'était pas certaine de savoir si elle devait le prendre au sérieux.

— Nous connaissons bien la valeur des propriétés. Personne n'a jamais réussi à nous « rouler », jusqu'ici.

Un sourire étira les lèvres de Lucas.

— Il n'existe pas d'endroit qui corresponde mieux à vos critères. Rien que l'idée d'y vivre donne des orgasmes à la plupart des changelings.

Sascha se demanda s'il s'exprimait de façon aussi crue pour la mettre mal à l'aise. Ce léopard bien trop intelligent avait-il repéré sa déficience élémentaire ? Dans l'espoir de brouiller les pistes, elle adopta un ton monocorde.

— C'est très évocateur, mais leurs fantasmes ne m'intéressent pas. Je veux juste qu'ils achètent ces propriétés.

— Ce sera le cas. (Lucas n'en doutait pas une seconde.) Nous y sommes presque.

Il quitta la route de campagne qu'ils suivaient et bifurqua sur une autre avant de garer la voiture à côté d'une immense clairière agrémentée de quelques arbres. Situé non loin de Manteca, l'emplacement n'était pas particulièrement boisé mais ne manquait pas de verdure.

Il releva la portière et sortit du véhicule, agacé de ne pas réussir à percer la couche de glace dure comme de l'acier dont Sascha s'enveloppait. Il avait prévu de profiter de ce trajet et de cette visite pour commencer à lui soutirer des informations, mais obtenir les confidences d'une Psi s'avérait aussi difficile que changer un SnowDancer en léopard.

Pour ne rien arranger, elle le fascinait en tous points. Comme cette façon incroyable qu'avaient ses cheveux soyeux de s'assombrir davantage au soleil. Ou encore les tons miel de sa peau scintillante.

— Je peux te poser une question ?

La curiosité venait de sa panthère, mais l'homme entrevoyait l'intérêt de cette approche.

Sascha le regarda.

— Bien sûr.

— Ta mère a visiblement des origines asiatiques, mais tes prénoms sont slaves et ton nom de famille écossais. Ça m'intrigue.

Il vint marcher à son côté tandis qu'elle inspectait le site.

— Ce n'est pas une question.

Lucas plissa les yeux. Il avait l'impression qu'elle le taquinait, ce qui n'était bien sûr pas dans les habitudes des Psis.

— D'où te vient un métissage aussi intéressant ? demanda-t-il, loin d'être convaincu par cette Psi.

À son grand étonnement, elle lui répondit sans hésiter.

— Selon la structure familiale, nous prenons soit les noms du côté maternel, soit du côté paternel. Dans notre famille, le nom vient de la mère depuis trois générations. Mais mon arrière-grand-mère, Ai Kumamoto, a pris le nom de son mari. Il s'appelait Andrew Duncan.

— Elle était japonaise ?

Elle hocha la tête.

— Leur fille s'appelait Reina Duncan, ma grand-mère. Reina a eu un enfant de Dmitri Kukovitch, qui a choisi le prénom de leur fille : Nikita. Et comme nos psychologues pensent qu'avoir conscience de son héritage aide l'enfant à s'adapter à la société, ma mère a perpétué cette tradition.

— Ta mère ressemble beaucoup à une Japonaise, mais toi pas.

Les traits de Sascha étaient si uniques qu'il était impossible de les définir précisément. Rien chez elle ne disait qu'elle était issue de la même matrice que les autres Psis, des robots sans liens de sang.

— Les gènes du père semblent avoir pris le dessus chez moi, alors que chez elle ce sont ceux de la mère qui ressortent.

Il était tout à fait impensable pour Lucas de parler de ses parents avec un tel détachement. Ils l'avaient aimé, élevé, et étaient morts pour lui. Ils méritaient que leur mémoire soit honorée par l'expression de l'émotion la plus intense et la plus profonde.

— Et ton père ? Qu'a-t-il ajouté à ce mélange exotique ?

— Il était d'origine indo-britannique.

L'inflexion de la voix de Sascha alerta les instincts protecteurs de sa bête.

— Il ne fait plus partie de ta vie ?

— Ça n'a jamais été le cas.

Sans cesser de longer le chemin, Sascha s'efforça de refouler la douleur de cette vieille blessure. Ce n'était pas comme si ça changerait un jour. Son père était Psi tout autant que sa mère.

— Je ne comprends pas.

Elle ne le taquina pas cette fois-ci sur le fait que ce n'était pas une question.

— Ma mère a opté pour une méthode de procréation scientifique.

Lucas s'arrêta si brutalement que Sascha faillit exprimer de la surprise.

— Hein ? Elle est allée dans une banque de sperme pour se choisir un donneur avec de bons gènes ?

Il semblait stupéfait.

— Façon très crue de dire les choses, mais oui. C'est aujourd'hui la méthode de procréation la plus répandue parmi les Psis.

Sascha le savait, Nikita attendait d'elle qu'elle suive le même chemin. Peu d'individus de leur espèce recouraient encore à l'autre méthode, tombée en désuétude. Apparemment salissante, elle constituait une perte d'un temps susceptible d'être mieux rentabilisé et ne présentait aucun avantage sur la sélection médicalement assistée des Psis.

— Le processus est à la fois sûr et pratique.

Même si elle n'avait nullement l'intention de le subir un jour. Jamais elle ne prendrait le risque de condamner un enfant à vivre avec la tare qui l'entraînait elle à la limite de la folie.

— Nous pouvons éliminer les spermatozoïdes et les ovules défectueux. Grâce à cela, le taux des maladies infantiles chez les Psis est négligeable.

Ce qui, elle en était la preuve vivante, n'évitait pas toutes les erreurs.

Lucas secoua la tête en un mouvement si félin que le cœur de Sascha fit un bond dans sa poitrine. Il se montrait parfois si suave et si charmant qu'elle en oubliait sa nature animale. Mais alors il l'observait avec ce feu mis à nu dans son regard, et elle savait que ce qui se tenait tapi derrière cette civilité de façade était tout sauf apprivoisé.

— Tu ne sais pas ce que tu manques, dit-il, juste un peu trop près d'elle.

Elle ne bougea pas. Il avait beau être un mâle dominant habitué à ce qu'on lui obéisse, elle n'appartenait pas à sa meute.

— Bien au contraire. J'ai reçu un enseignement sur la reproduction animale dès mon plus jeune âge.

Il lâcha un petit rire qui la toucha comme une caresse au plus profond de son être, là où personne n'aurait dû pouvoir l'atteindre.

— « La reproduction animale » ? OK, appelons ça comme ça. Tu as déjà essayé ?

Elle avait du mal à se concentrer sur ce qu'il disait, alors qu'il se tenait si près… qu'elle aurait pu le toucher. Il émanait de lui un parfum de danger, de liberté sauvage et de passion, autant de choses auxquelles elle-même ne pouvait se laisser aller. La tentation ultime, en somme.

— Non. Pour quoi faire ?

Il se pencha vers elle de façon à peine perceptible.

— Parce que tu découvrirais peut-être que l'animal en toi aime ça, chérie.

— Je ne suis pas votre chérie.

À peine sa phrase prononcée, une froide appréhension lui étreignit le cœur. Un Psi digne de ce nom n'aurait jamais mordu à l'hameçon.

Un éclair de défi passa dans les yeux de Lucas.

— Je peux peut-être te faire changer d'avis.

Malgré son ton moqueur, Sascha savait qu'il avait remarqué son erreur et devait à l'instant même s'interroger sur sa signification. C'était trop tard pour réparer sa bourde, mais elle pouvait ramener la conversation sur un terrain strictement professionnel.

— Que vouliez-vous me montrer ?

Le sourire enjôleur de Lucas réduisit en miettes tout espoir qu'elle avait de reprendre le contrôle de l'entrevue.

— Des tas de choses, chérie. Des tas de choses.

Tandis que Sascha passait le terrain en revue, Lucas l'observait et se délectait de l'odeur chaude et exotique, à l'image de son héritage familial, qui flottait autour d'elle. Intriguée, la panthère qui tournait dans la cage de son esprit comptait bien la goûter de la langue pour voir si elle était aussi savoureuse que dans son imagination. Sa peau dorée aguichait la nature tactile de son âme de changeling, tandis que ses lèvres généreuses lui donnaient envie de mordre… de la plus érotique des façons. Tout en elle invitait à l'éveil des sens.

Seule la certitude qu'il devait s'agir d'une sorte de ruse Psi l'incitait à refréner ses ardeurs. Avaient-ils fini par trouver le moyen d'exercer une emprise mentale sur les changelings ? Jusque-là, les siens n'avaient rien eu à craindre des Psis, trop froids pour mettre le doigt sur ce qui les faisait vibrer. La vie, la faim, les sensations, le toucher, le sexe. Pas le sexe froid et ascétique décrit par Dorian, non… le sexe des bas instincts, moite, cru et passionné.

Lucas aimait l'odeur des femmes, humaines et changelings confondues, adorait leur peau douce et leurs gémissements de plaisir, mais il n'avait jamais éprouvé de désir pour une représentante de l'espèce ennemie auparavant. Il luttait contre cette attirance alors même qu'il suivait du regard les formes de Sascha.

Quoique grande, elle était tout sauf élancée. Une telle profusion de courbes vertigineuses aurait dû être illégale chez une Psi. Sous le tailleur-pantalon noir et la chemise blanche rigide qu'elle portait en guise d'armure communautaire, il devinait des seins qui déborderaient de ses mains s'il s'en saisissait. Lorsqu'elle se pencha pour examiner quelque chose au sol, il faillit s'abandonner aux pulsions de sa bête. L'arrondi de sa hanche avait une sensualité toute féminine et ses fesses en cœur un attrait irrésistible.

Elle tourna la tête vers lui comme en réponse à l'insistance de son regard, et malgré la distance qui les séparait il pouvait presque goûter l'érotisme naturel qu'elle tentait d'enfouir. À ces pensées, il fronça les sourcils et s'avança vers elle. Les Psis n'étaient pas sensuels. Impossible de ressembler davantage à des machines qu'eux tout en restant humains. Mais il trouvait à celle-ci quelque chose de différent, et il avait envie d'y mordre à pleines dents.

—Pourquoi avoir choisi cet emplacement? demanda-t-elle à son approche.

Ses yeux de firmament le regardaient fixement sans ciller.

—On dit que les étincelles de lumière blanche dans les yeux d'un cardinal peuvent adopter des milliers de couleurs différentes en certaines circonstances. (Il étudia son visage pour trouver une réponse à l'énigme qu'elle constituait.) C'est vrai?

—Non. Les yeux d'un cardinal peuvent virer au noir absolu, mais c'est à peu près tout.

Elle détourna le regard, et il voulut croire que c'était parce qu'il perturbait ses sens. Sa panthère était agacée de constater qu'elle l'hypnotisait alors que Sascha ne manifestait aucune émotion.

— Dites-m'en plus au sujet de ce terrain.

— C'est de l'immobilier changeling de premier choix ; situé à guère plus d'une heure de la ville, dans une zone suffisamment boisée pour se ressourcer.

Il baissa les yeux sur sa natte disciplinée. Son envie soudaine de tendre la main et de tirer dessus était si forte qu'il ne se donna pas la peine d'y résister.

Elle s'écarta vivement.

— Qu'est-ce que vous faites ?

— Je voulais sentir la texture de tes cheveux.

Les sensations lui étaient aussi indispensables que l'air qu'il respirait.

— Pourquoi ?

Jamais aucun Psi ne lui avait posé cette question.

— C'est agréable. J'aime toucher les choses douces et soyeuses.

— Je vois.

Avait-il perçu comme un tremblement dans sa réponse ?

— Essaie.

— Hein ?

Il se pencha légèrement pour l'encourager.

— Vas-y. Contrairement aux Psis, les changelings ne voient pas d'inconvénient à être touchés.

— C'est bien connu que vous tenez à votre territoire. Vous ne laissez pas n'importe qui vous toucher.

— Non. Seuls les membres de la meute, les compagnes et les amantes ont le privilège du contact rapproché. Mais on ne voit pas rouge comme les Psis dès qu'un inconnu nous frôle.

Pour une raison inexplicable, il voulait qu'elle le touche. Et ce n'était absolument pas pour en apprendre davantage sur le compte d'un meurtrier. Ce qui aurait dû suffire à le faire hésiter, mais à cet instant sa panthère avait pris le contrôle et elle voulait être caressée.

Sascha dressa la main et marqua un temps d'arrêt.

—Ça n'a aucun sens.

Il se demanda lequel des deux elle essayait de convaincre.

—Vois ça comme de la curiosité scientifique. Tu as déjà touché un changeling ?

Secouant la tête, elle parcourut la distance qui les séparait encore et glissa les doigts dans ses cheveux en une vague qui donna à Lucas envie de ronronner. Il s'attendait à ce qu'elle s'écarte après cette caresse mais elle le surprit en réitérant son geste. Une fois, puis deux.

—C'est une sensation inhabituelle. (Elle sembla s'attarder un moment, puis laissa retomber sa main.) Vos cheveux sont frais et lourds, et leur texture se rapproche de celle d'un satin de soie que j'ai déjà touché.

On pouvait compter sur les Psis pour analyser une chose aussi simple qu'un contact tactile.

—Tu permets ?

—Quoi ?

Il toucha sa tresse. Cette fois-ci, Sascha ne réagit pas.

—Je peux la défaire ?

—Non.

Décelant une pointe de panique dans sa voix, la panthère de Lucas se figea.

—Pourquoi ?

CHAPITRE 3

— **V**ous n'avez pas ce genre de privilège.
Lâchant un petit rire, Lucas laissa sa natte glisser entre ses doigts. Dès qu'elle fut retombée, Sascha s'écarta. La récréation était terminée.

— J'ai choisi ce terrain en raison de sa proximité avec la nature, dit-il en réponse à la question qu'elle lui avait posée plus tôt. Même si la plupart des changelings vivent de manière civilisée, nous sommes animaux et humains à parts égales. Ce besoin de nous immerger dans un milieu naturel coule dans nos veines.

— Comment vous percevez-vous ? demanda-t-elle. Comme des animaux ou comme des humains ?

— Les deux.

— Il doit bien y en avoir un qui prédomine.

Absorbée par ses réflexions, elle fronça les sourcils, ce qui eut pour effet de troubler la perfection de son visage.

Une Psi qui faisait la moue ? En l'espace d'une seconde, le visage de Sascha avait repris son apparence habituelle, mais le changement n'avait pas échappé à Lucas.

— Non. Les deux sont indissociables. Je suis autant panthère qu'humain.

— Je croyais que vous étiez un léopard.

— On retrouve la panthère noire dans différentes familles de félins. C'est la couleur de notre pelage qui indique que nous sommes des panthères, pas notre espèce.

Que Sascha ignore ce détail ne l'étonnait pas. Aux yeux des Psis, les changelings étaient tous des animaux, tous identiques. Ils avaient tort sur ce point : un loup n'était pas un léopard, un aigle n'avait rien d'un cygne.

Quant à une panthère en chasse, c'était un mélange de danger et de fureur.

Sascha observa Lucas tandis qu'il retournait à sa voiture pour prendre son portable et appeler les SnowDancer. Certaine qu'il avait le dos tourné, elle s'accorda le plaisir de contempler sa beauté de mâle à l'état pur. Il était tout simplement… délectable. Elle n'avait jamais employé ce mot auparavant, n'avait jamais rencontré rien ni personne qui y correspondait. Mais sa définition allait comme un gant à Lucas Hunter.

À l'inverse des hommes Psis et de leur approche froide et formelle, il était de nature joueuse et facile à aborder. Ce qui le rendait d'autant plus dangereux. Elle avait entrevu le prédateur tapi sous la surface… Lucas renvoyait peut-être une image aimable, mais lorsque viendrait le moment de mordre il se montrerait impitoyable. On ne devenait pas chef d'une meute de prédateurs si jeune si l'on ne se trouvait pas tout en haut de la chaîne alimentaire.

Sascha n'était pas effrayée pour autant ; peut-être parce que, comparée à la véritable terreur et aux abominations sans nom du PsiNet, la nature de prédateur assumée de Lucas était une pure bouffée d'air frais. Même s'il avait tenté d'exercer son charme sur elle, il n'avait jamais caché ce qu'il était : un Chasseur dans l'âme, un prédateur, et un mâle sensuel qui usait pleinement de ses talents de séducteur.

Lucas éveillait son désir, remuait en elle des sensations brutes et sauvages qui menaçaient de fissurer le masque de froideur Psi de plus en plus fragile qu'elle portait pour survivre. Alors que le plus sage aurait été de prendre la fuite, elle se surprit à marcher dans sa direction lorsqu'il revint vers elle. Il avait un téléphone fin et argenté collé à l'oreille, à des années-lumière de l'invention originelle de Bell.

— Ils acceptent de vendre pour douze millions.

Il s'arrêta à quelques mètres d'elle et lui indiqua d'un geste que la conversation était en cours.

— C'est le double de sa valeur sur le marché de l'immobilier, dit-elle, résolue à ne pas se laisser marcher sur les pieds. Je leur en offre six et demi.

Lucas rapprocha le combiné de son oreille ; voyant qu'il ne répétait pas son offre, Sascha comprit que le SnowDancer au bout du fil avait dû l'entendre. Preuve que, malgré la vision narcissique que les siens avaient d'eux-mêmes en se prenant pour les maîtres suprêmes de la Terre, les changelings détenaient de remarquables pouvoirs.

— Ils disent que ça ne les intéresse pas d'enrichir les Psis. Ils ne perdront rien si vous n'achetez pas le terrain. Ils n'hésiteront pas à le vendre à vos concurrents.

Sascha maîtrisait son sujet.

— Impossible. Les Rika-Smythe ont déjà injecté toutes leurs ressources disponibles dans une entreprise à San Diego.

— Les SnowDancer se moquent que le terrain reste inoccupé. C'est douze millions, à prendre ou à laisser.

Lucas l'observa de ses incroyables yeux verts au regard perçant, et elle se demanda s'il essayait de mettre son âme à nu. Elle aurait pu lui dire que ses efforts étaient vains. Elle était Psi : elle n'avait pas d'âme.

— Nous n'avons pas les moyens de mettre une telle somme dans ce projet. Jamais nous n'amortirons cet investissement. Trouvez-moi un autre site.

Elle s'efforçait de garder un ton calme et maîtrisé malgré l'effet déstabilisant qu'avait la présence de Lucas sur elle.

Cette fois-ci, il transmit ses dires à son interlocuteur.

— Ils restent sur leurs positions, dit-il après s'être tu un moment. Mais ils ont une nouvelle offre à vous soumettre.

— Je vous écoute.

— Ils céderont le terrain en échange de la moitié des bénéfices et de l'engagement par écrit qu'aucun des logements ne sera vendu aux Psis. Ils souhaitent également qu'une clause soit incluse dans tous les contrats de vente empêchant les futurs propriétaires de revendre aux Psis. (Il haussa les épaules.) Cette terre doit rester aux mains des changelings ou des humains.

C'était une chose à laquelle elle ne s'attendait absolument pas, mais elle vit au regard de Lucas qu'il le savait depuis le début. Et qu'il avait omis de la prévenir. Elle redoubla de méfiance. Essayait-il de la provoquer ?

— Accordez-moi une minute. Je n'ai pas le droit de prendre cette décision seule.

Elle s'éloigna un peu – même si ce n'était pas indispensable – et établit le contact avec sa mère par le biais du PsiNet. Elles communiquaient en général par simple télépathie, mais les pouvoirs de Sascha ne lui permettaient pas d'envoyer de messages sur une telle distance. Cette illustration humiliante de sa faiblesse l'incitait d'autant plus à rester sur ses gardes. Contrairement aux autres cardinaux, elle n'était pas irremplaçable.

Nikita lui répondit aussitôt.

— Qu'y a-t-il ?

Une partie de sa conscience se retrouva face à une partie de celle de Sascha, dans une pièce mentale hermétique quelque part dans l'immensité du PsiNet.

Sascha lui transmit l'offre des SnowDancer.

— C'est sans aucun doute un emplacement de premier choix si l'on prend en compte les besoins des changelings, ajouta-t-elle. Si les SnowDancer nous cèdent ce terrain, nos investissements seront divisés par deux, et partager nos bénéfices ne nuira pas à nos intérêts. Il se pourrait même que ça tourne à notre avantage.

Nikita ne répondit pas tout de suite, et Sascha sut qu'elle lançait une recherche.

— Ces loups ont la mauvaise habitude de vouloir diriger tout ce dans quoi ils sont impliqués.

Sascha soupçonnait la plupart des changelings prédateurs de se livrer à ce genre de pratiques. Il lui suffisait de regarder Lucas : il essayait d'avoir le dessus depuis qu'il avait posé les yeux sur elle.

— On ne leur connaît pas beaucoup d'investissements dans l'immobilier. Je dirais que c'est une réaction à chaud de leur part qui vise à empêcher les Psis d'envahir leur territoire.

— Tu as peut-être raison, dit Nikita avant de marquer une nouvelle pause. Rédige un accord spécifiant que nous garderons le contrôle sur tout, de la conception jusqu'à la construction en passant par le marketing. Si nous nous associons avec eux, ils n'auront pas leur mot à dire. Nous partagerons les bénéfices, mais rien d'autre.

— Et quant au fait qu'ils refusent de nous vendre ces logements ?

« Nous » : les Psis. Ce peuple auquel elle n'avait jamais réellement appartenu. Mais elle n'avait qu'eux.

— D'après les lois du développement privé, c'est légal, précisa Sascha.

— C'est toi qui diriges ce projet. Qu'en penses-tu ?

— Aucun Psi ne va vouloir vivre ici.

Autant d'espace effrayait la plupart des individus de son espèce. Ils préféraient habiter dans de petites boîtes carrées, aux limites bien définies.

—Ça ne vaut pas la peine de se battre sur ce point, et nous n'aurons pas à payer son dernier million à Lucas s'il ne vend pas tous les appartements, conclut-elle.

—Assure-toi que c'est bien clair pour lui.

—Je m'en charge.

Son instinct lui disait que la panthère avait déjà plusieurs longueurs d'avance. Lucas n'était pas du genre à se laisser rouler dans la farine.

—Appelle-moi en cas de problème.

La présence de Nikita s'éclipsa. Lorsque Sascha rejoignit Lucas, il se frottait la nuque comme si elle le démangeait. Elle suivit des yeux le mouvement de son bras, fascinée par les contours fins de ses muscles que sa veste en similicuir ne suffisait pas à cacher. Chacun de ses gestes était fluide et gracieux, comme ceux d'un félin en chasse.

Ce fut seulement lorsqu'il haussa un sourcil qu'elle se rendit compte qu'elle le dévisageait.

—Nous nous rendons à leurs exigences s'ils acceptent de ne pas intervenir par la suite, dit-elle en s'efforçant de ne pas rougir. En d'autres termes, nous n'accepterons aucune réclamation de leur part.

Il délaissa sa nuque et porta le téléphone à son oreille.

—Ils sont d'accord… Je vais établir le contrat.

Il rangea le petit appareil plat.

—Sans oublier que vous devez vendre toutes les habitations pour toucher le dernier million.

Il esquissa lentement un sourire suffisant.

—Aucun problème, chérie.

Ce ne fut qu'en regagnant la voiture qu'elle songea que ce contrat était, à sa connaissance, le premier qui associait à intérêt égal des Psis et des changelings. Elle ne s'en formalisa pas : son instinct lui soufflait qu'un tel partenariat leur serait très bénéfique. Dommage que la simple mention du mot « instinct » risque de la condamner à une lobotomie.

Lucas était au comble de l'agacement. Non seulement Sascha refusait de lui livrer la moindre information utile, mais en plus elle ne cessait de remarquer des caractéristiques changelings auxquelles aucun Psi n'aurait dû être sensible. Pire encore, il devait lutter contre l'envie de faire son éducation au lieu de lui poser des questions subtiles.

—Que penses-tu de ça ?

Il lui indiqua une phrase de la proposition de contrat. Ils étaient installés dans son bureau, au dernier étage de l'immeuble de DarkRiver. Il avait libéré une pièce pour Sascha juste à côté. Les conditions idéales étaient réunies… si elle acceptait de parler.

Elle regarda la feuille de papier et la refit glisser à l'autre bout du plan de travail en bois sombre.

—Si vous remplacez le mot « à » par « dans », ça me convient.

Il soupesa sa suggestion.

—D'accord. Les SnowDancer ne vont pas chipoter là-dessus.

—Parce que je dois m'attendre à ce qu'ils chipotent ?

—Pas si le contrat est équitable. (Il se demanda si un Psi était seulement capable de saisir le concept d'intégrité.) Ils me font confiance, et je leur dis la vérité. Du moment que vous ne tentez rien de sournois, ils tiendront leurs engagements.

—On peut se fier aux engagements d'un changeling ?

—Certainement plus qu'à ceux d'un Psi.

Il serra les dents, songeant à la suffisance avec laquelle les Psis proclamaient leur absence de colère et de violence alors qu'à l'évidence c'était un mensonge.

— Vous avez raison. Dans mon monde, on considère la malhonnêteté subtile comme un moyen de négociation efficace.

Lucas était plus que surpris de la voir confirmer ses dires.

— Subtile, c'est tout ?

— Certains vont peut-être un peu trop loin.

Il y avait quelque chose en elle de si figé qu'il eut envie de parcourir l'espace qui les séparait et de la caresser. Peut-être le contact physique réussirait-il là où les mots échouaient.

— Qui punit ceux qui vont trop loin ?

— Le Conseil.

L'affirmation de Sascha était sans appel.

— Et si le Conseil se trompe ?

Leurs regards se croisèrent. Celui de Sascha, d'une beauté inquiétante, demeurait imperturbable.

— Il est au courant de tout ce qui se passe sur le PsiNet. Comment pourrait-il se tromper ?

Ce qui, comme Lucas le déduisit, signifiait que l'accès aux secrets de leur réseau était restreint.

— Mais si personne d'autre n'a accès à toutes les informations, comment s'assurer qu'ils ont raison ?

— Et vous, qui vous demande des comptes ? rétorqua-t-elle au lieu de répondre. Qui punit le chef ?

Lucas aurait aimé se trouver de l'autre côté du bureau pour pouvoir la toucher et déterminer si elle était aussi impliquée dans le débat que lui ou bien si elle ne faisait que poser une question pratique.

— Si je brise la loi de la meute, les sentinelles me renverseront. Qui est en position de renverser ton Conseil ?

Il était sur le point de croire qu'elle n'allait pas lui répondre lorsqu'elle dit :

— C'est le Conseil. Il est au-dessus des lois.

Lucas se demanda si elle comprenait ce qu'elle venait d'admettre. Et surtout il voulait savoir si ça l'inquiétait. Pure folie de sa part ; après tout, les Psis ne se souciaient que de leur existence froide et aseptisée. Mais il sentait dans chaque fibre de son être que Sascha était différente.

Il lui fallait découvrir la vérité à son sujet avant de commettre un acte qu'il risquait de regretter. Et, pour percer la carapace impénétrable de cette Psi, la meilleure solution serait peut-être de l'arracher à la sécurité du monde qu'elle connaissait en la prenant au dépourvu.

— Si on déjeunait ?

— Je peux vous retrouver ici dans une heure, commença-t-elle.

— C'était une invitation, chérie.

Il utilisait cette marque d'affection pour la taquiner. Elle y avait réagi la fois précédente et il voulait voir si elle commettrait de nouveau la même erreur.

— À moins que tu aies un rendez-vous galant ?

— Nous n'avons pas l'habitude de ce genre de choses. Et j'accepte votre invitation.

Même sans réaction visible, il perçut son agacement.

Fier de lui-même, Lucas se leva : son piège venait de se refermer sur elle.

— Allons satisfaire nos appétits.

Il lui sembla que les yeux de Sascha, qu'elle avait à peine levés vers lui, s'étaient agrandis ; mais lorsqu'elle battit des paupières cette impression disparut. S'imaginait-il des émotions chez l'une de ces Psis sans pitié juste parce qu'il était attiré par elle ? Coucher avec l'ennemi ne faisait pas partie du programme. Hélas ! sa moitié panthère avait la manie de compromettre les projets les mieux planifiés lorsqu'il lui prenait l'envie de goûter quelque chose… ou quelqu'un.

Près de quarante minutes plus tard, Sascha sortait de la voiture de Lucas et découvrait ce qu'il lui avait dit être la demeure d'un membre de sa meute. Située dans une région où les constructions urbaines se raréfiaient à la lisière des forêts, la maison était isolée au bout d'une longue allée et semblait accolée à une réserve boisée.

Mal à l'aise, Sascha hésita. On ne lui avait jamais appris comment se comporter dans ce genre de situation… Les changelings invitaient rarement des Psis chez eux.

— Vous êtes sûr que ça ne la dérange pas ?

— Tammy sera ravie d'avoir de la compagnie, lui assura Lucas.

Il frappa à la porte, et lorsqu'une voix lui répondit de l'intérieur de la maison il entra sans hésiter.

Après avoir traversé le palier à sa suite, Sascha arriva dans une grande pièce qui réunissait cuisine et salle à manger. À sa droite se trouvaient une table rectangulaire et six chaises. Voyant que la surface du bois était couverte d'entailles, Sascha songea que des coups de griffe négligents avaient dû en être à l'origine. Les pieds massifs de la table présentaient des dégâts similaires.

Sous le mobilier, un tapis coloré recouvrait le sol sans parvenir à cacher les innombrables marques dans le parquet ciré. La plupart d'entre elles étaient fines et rapprochées, bien trop petites pour être le fait d'un léopard. Ce constat perturba son esprit analytique de Psi.

— Lucas !

Une belle femme à la somptueuse chevelure brune s'avança de derrière le comptoir.

Lucas la rejoignit au milieu de la pièce.

—Tamsyn.

Se penchant, il posa ses lèvres sur les siennes. La femme le retint une seconde avant de s'écarter.

Sascha fut choquée par la sensation désagréable qui la prenait au ventre tandis qu'elle observait leur démonstration d'affection. Entraînée à reconnaître les émotions afin de pouvoir les détruire, elle identifia celle-ci comme étant de la jalousie. Elle se caractérisait par de la colère et des tendances possessives, et rendait les gens particulièrement vulnérables. La formation de Sascha avait eu pour objectif de lui apprendre à profiter des faiblesses des changelings et des humains, mais elle s'était servie de ses connaissances pour masquer sa propre déficience.

—Qui est-ce que tu m'amènes? (La femme brune se rapprocha.) Bonjour. Je m'appelle Tamsyn.

Elle fit mine de tendre la main puis se reprit, se rappelant soudain l'aversion des Psis pour le contact physique.

—Je m'appelle Sascha Duncan.

Jetant un coup d'œil par-dessus l'épaule de Tamsyn, elle croisa le regard de Lucas. Il l'observait avec une telle intensité qu'elle en fut perturbée. Elle s'obligea à reporter son attention sur Tamsyn.

—Venez, dit la femme. Je viens de sortir du four des cookies aux pépites de chocolat absolument divins. Servez-vous avant que le reste de la meute les découvre à l'odeur. C'est fou, Kit et les autres jeunes savent toujours quand je fais des cookies.

Elle retourna de l'autre côté du plan de travail. Lorsqu'elle passa devant Lucas, il lui caressa la joue du dos de la main et elle s'y frotta doucement en réponse.

Le privilège du contact rapproché.

Réservé à sa compagne, à ses amantes et aux membres de sa meute.

—C'est votre compagne?

Sascha se rapprocha de Lucas en essayant de ne pas grincer des dents sous l'effet de la jalousie qui lui tordait le ventre.

À sa grande surprise, Tamsyn éclata de rire. Elle avait oublié que l'ouïe des changelings était bien plus fine que celle des Psis.

—Seigneur, non! Ne dis pas ça quand Nate est dans les parages; il pourrait vouloir provoquer Lucas en duel, ou une autre bêtise aussi vieux jeu et typique des hommes.

—Je m'excuse, lui dit Sascha, parfaitement consciente que Lucas l'observait avec un vif intérêt. J'ai mal interprété vos gestes.

L'autre femme fronça les sourcils.

—Hein?

Lucas répondit à sa place.

—Notre baiser, nos caresses.

—Ah! ça. (Tamsyn prit une assiette de derrière le comptoir et la posa sur le plan de travail.) C'est juste notre façon de saluer un membre de la meute.

Sascha se demanda s'ils se rendaient compte de la chance qu'ils avaient de pouvoir exprimer des émotions aussi intenses sans craindre l'internement et la rééducation. Une part d'elle-même voulait leur dire qu'elle aussi était affamée de caresses, que sa faim était telle qu'elle en mourait. Mais elle laissait trop parler sa folie. Les changelings méprisaient les Psis. Même s'ils parvenaient à compatir pour elle, qu'est-ce qu'ils pourraient bien y changer? Rien du tout. Personne n'avait jamais défié la toute-puissance du PsiNet… La seule échappatoire était la mort.

—Allez, l'encouragea Tamsyn. Ils sont à se damner.

Sascha n'avait jamais envisagé que de la nourriture puisse être qualifiée ainsi. Piquée par la curiosité, elle s'avança pour prendre un cookie encore chaud. Du chocolat. Une substance sucrée dont raffolaient les humains et les changelings. Le régime alimentaire des Psis n'en comportait pas, car il ne possédait pas de valeur nutritionnelle qui ne puisse se trouver ailleurs.

— Tu regardes ça comme si tu n'avais jamais goûté de chocolat de ta vie.

Lucas s'accouda au comptoir à côté d'elle. Impossible de se méprendre sur l'expression amusée de son visage.

Sascha mourait d'envie de toucher les cicatrices sur sa joue. Étaient-elles douces ou rugueuses, douloureuses ou non ?

— C'est le cas.

Elle se concentra sur son cookie pour oublier la chaleur qui se dégageait de Lucas. À présent qu'il avait retiré sa veste, elle voyait beaucoup trop sa peau de mâle dorée par le soleil.

Tamsyn ouvrit de grands yeux.

— Pauvre petite ! on t'a privée de ça.

— J'ai eu droit chaque jour de ma vie à un régime équilibré.

Même en sachant qu'ils se débarrasseraient d'elle sans y réfléchir à deux fois dès lors qu'ils auraient découvert sa tare, Sascha se sentait obligée de défendre les siens.

— « Un régime » ? (Lucas secoua la tête et sa chevelure sombre balaya ses épaules musclées.) Tu manges pour fonctionner ? (Il engloutit un cookie en deux bouchées.) Chérie, ce n'est pas une vie.

Ses yeux se firent rieurs, mais Sascha y décela aussi une expression plus brûlante qui lui chuchotait que Lucas saurait lui montrer ce qu'était la vraie vie.

Elle refoula la montée de désir qui menaçait d'anéantir sa maîtrise d'elle-même. Lucas Hunter était irrésistible. Et une folle partie d'elle voulait le goûter pour voir s'il était à la hauteur de ce qu'il promettait en paroles.

—Allez, dit Tamsyn, la ramenant brutalement à la réalité. Goûtes-en un avant que Lucas dévore toute la fournée. Ça ne va pas t'empoisonner.

Sascha prit une petite bouchée. Une sensation délicieuse l'envahit. Elle eut toutes les peines du monde à ne pas crier son plaisir. Rien d'étonnant à ce que l'Église ait autrefois qualifié le chocolat de « tentation du diable ». Se refrénant alors qu'elle mourait d'envie de se jeter sur le reste de l'assiette, elle termina lentement son cookie.

—Ça a un goût inhabituel.

—Mais tu as aimé ? demanda Tamsyn.

Lucas répondit avant qu'elle ait eu le temps de le faire.

—Les Psis ne savent pas ce que signifie « aimer » ou « ne pas aimer », pas vrai, Sascha ?

—En effet.

Pas s'ils étaient normaux, en tout cas. Elle se demanda si elle réussirait à prendre un deuxième cookie sans qu'on la remarque.

—On définit les choses en termes d'utilité. Les goûts n'ont rien à voir là-dedans.

—Tiens. (Lucas porta un autre cookie à ses lèvres.) Le chocolat t'aidera peut-être à changer d'avis.

Un sourire charmeur joua sur ses lèvres.

Sascha n'avait pas assez de volonté pour y résister.

—Puisque nous n'avons pas encore déjeuné, ceci fournira les calories dont nous avons besoin.

—Lucas ! tu as encore débordé sur la pause-déjeuner ? Asseyez-vous, tous les deux ! leur intima Tamsyn en indiquant la table. Personne ne sort de ma cuisine le ventre vide.

Le rapport de force qui venait de s'instaurer dans la pièce dérouta Sascha.

— Je croyais que Lucas était votre chef.

Lucas gloussa.

— Ouais, mais on est dans la cuisine de Tamsyn. Il vaudrait mieux qu'on s'asseye avant qu'elle nous jette une casserole à la tête. (Il se dirigea vers la table.) Tamsyn, je dois t'avouer que je suis venu pour que tu me nourrisses. Tu cuisines comme personne.

— Arrête de me passer de la pommade, Lucas Hunter.

Malgré le tranchant de ses paroles, la femme brune souriait.

Sascha essaya de terminer son cookie par bouchées mesurées plutôt que de l'engloutir. Elle allait devoir introduire du chocolat en douce chez elle. Pour la première fois, elle découvrait une chose qui lui permettait de satisfaire ses sens sans prendre trop de risques. Un péché de plus ne changerait rien pour elle qui vivait cachée depuis toujours.

Ils venaient de s'attabler lorsque deux petits léopards se ruèrent dans la pièce. Les yeux écarquillés, Sascha les regarda glisser sur le parquet ciré avant d'être freinés par le tapis. Plusieurs rayures longues et fines témoignaient de leur passage.

— Roman! Julian! (Tamsyn s'avança de derrière le comptoir et souleva les deux petits par la peau du cou.) Qu'est-ce que vous fabriquez?

Intimidés, les deux léopards levèrent la tête vers elle. Les miaulements de chaton qui montèrent de leur gorge clouèrent Sascha sur place.

Tamsyn partit d'un éclat de rire.

55

— Espèces de charmeurs ! Vous savez que vous n'avez pas le droit de courir dans la maison. J'ai déjà dû dire adieu à deux vases cette semaine.

Les petits commencèrent à s'agiter.

— Là. (Tamsyn marcha jusqu'à la table et les y laissa tomber sans ménagement.) Expliquez donc ça à votre oncle Lucas.

Les petits posèrent leur tête sur leurs pattes et regardèrent Lucas comme s'ils attendaient que le couperet tombe. Sascha mourait d'envie de passer les doigts dans le pelage soyeux du petit le plus proche. Ils étaient si beaux avec leurs regards malicieux, vert et or, que Sascha se sentit comme envoûtée.

Elle faillit sursauter sur sa chaise lorsque Lucas se mit à gronder à côté d'elle, un bruit sourd qui semblait avoir été émis par un fauve alors qu'il sortait d'une gorge humaine. Les petits se redressèrent aussitôt et grognèrent à leur tour. Lucas se mit à rire.

— Ils sont terrifiants, pas vrai ?

Des yeux, il invitait Sascha à plaisanter avec eux.

Elle ne put résister.

— De vraies bêtes féroces.

L'un des petits vint soudain se planter devant elle, si près qu'il lui touchait presque le nez de son museau. Alors que Sascha contemplait ses yeux, fascinée, il ouvrit la gueule et poussa un petit grognement chétif. Elle fut prise d'une soudaine envie de rire. Comment rester de marbre face à tant d'espièglerie ? Mais elle était Psi et n'avait pas le droit de rire. En attendant, elle n'allait pas se priver d'un autre plaisir des sens. L'occasion ne se présenterait peut-être plus jamais.

Tendant la main, elle imita le geste de Tamsyn et souleva le petit par la peau du cou. Sa fourrure était douce, son corps chaud. Il se trémoussa en grognant, et lorsqu'il essaya d'attraper ses mains du bout des griffes elle comprit qu'il jouait avec elle. Au même instant, l'autre petit sauta sur ses genoux et se mit à l'escalader.

Déroutée, elle se tourna vers Lucas, visiblement amusé par la situation.

— Ce n'est pas moi qu'il faut regarder, chérie.

Elle considéra ses deux petits compagnons de jeu en plissant les yeux.

— Je suis une Psi. Je peux vous changer en rats.

Les petits cessèrent de s'agiter. Soulevant celui sur ses genoux, elle les posa tous deux sur la table devant elle et se baissa à leur hauteur.

— Méfiez-vous des gens comme moi, les avertit-elle d'une voix douce et empreinte de sincérité. On ne sait pas être gentils.

S'avançant sur ses petites pattes, l'un des petits lui lécha vivement le bout du nez.

— Qu'est-ce que ça veut dire ? lâcha-t-elle sous le coup de la surprise.

— Ça veut dire qu'il t'aime bien, dit Lucas en tirant sur sa natte. Mais ça t'est égal, pas vrai ?

— En effet.

Elle aurait préféré qu'il cesse de la toucher. Non parce que ça lui déplaisait, mais au contraire parce que ça lui plaisait beaucoup trop. Son contact éveillait en elle des désirs qu'elle ne pourrait jamais satisfaire. Et lorsque la faim tenaillait une personne trop longtemps, elle commençait à dépérir. Et à souffrir.

CHAPITRE 4

— **J**e vous ai eu !

Tamsyn tendit les bras et ramassa les petits. Joueurs, ils se retournèrent pour la mordiller.

— Je vous aime aussi, mes bébés. Mais oncle Lucas et votre nouvelle amie vont manger, alors vous devez rester par terre.

Après un dernier câlin, elle les reposa.

Les petits se glissèrent sous la table et l'un d'eux se blottit contre les bottes en similicuir de Sascha. Lorsqu'elle sentit le poids et la chaleur du petit corps, les larmes lui montèrent aux yeux. Pour tenter de dissimuler sa réaction, elle baissa le regard sur la table et se concentra sur Lucas qui tenait toujours sa natte.

Il faisait glisser ses doigts de bas en haut, comme si le frottement de ses cheveux sur sa peau lui plaisait. Son geste lent et répétitif avait pour curieux effet d'exciter Sascha... Couvrirait-il d'autres parties de son corps de caresses aussi exquises ?

Elle ne se souciait pas que de telles pensées puissent lui valoir l'internement au Centre. Elle avait découvert plus de sensations en l'espace de quelques heures qu'au cours de sa vie entière. Alors même que cette idée la terrifiait, elle savait qu'elle en redemanderait le lendemain. Et ce jusqu'à ce que l'on découvre son secret. Puis elle livrerait un combat à mort. Elle ne se soumettrait pas à la rééducation, ne les laisserait pas transformer son esprit en l'ombre de ce qu'il était.

— Et voilà, dit Tamsyn en posant des assiettes devant eux. Rien d'extraordinaire, mais ça vous donnera des forces.

Sascha regarda son assiette.

— Des pitas farcies.

Elle connaissait les noms de beaucoup de choses. Comme la plupart des siens, elle exerçait son esprit afin qu'il reste alerte. L'un de ces exercices consistait à mémoriser les noms d'objets, et elle prenait un plaisir particulier à choisir des listes qui parlaient à ses sens. L'une d'elles portait sur la nourriture. Son autre liste de prédilection avait été dressée par l'ordinateur à partir d'un livre d'une autre époque sur les positions sexuelles.

— « Extra fortes », dit Tamsyn en lui adressant un clin d'œil. Un peu de piment n'a jamais fait de mal à personne.

Lucas tira sur la natte de Sascha, qu'il ne s'était toujours pas décidé à lâcher.

— Oui ?

Comment réagirait-il si elle abandonnait toute prudence et le touchait à son tour ? Le mâle qu'il était risquait de lui en réclamer davantage.

— Tu vas peut-être trouver ça désagréable si tu n'es pas habituée.

L'obstination de Sascha avait toujours été son talon d'Achille.

— Je survivrai. Merci, Tamsyn.

— De rien, répondit l'autre femme en tirant une chaise. Mange !

Sascha prit sa pita farcie et mordit à pleines dents. La sensation de brûlure faillit lui arracher la tête. Mais, grâce à son entraînement, elle ne laissa rien paraître de son inconfort à ceux qui la regardaient. Lucas avait enfin cessé de jouer avec ses cheveux et dévorait son propre repas à toute vitesse.

— Alors comme ça, demanda Tamsyn, tu pourrais vraiment changer mes bébés en rats ?

Sascha crut que Tamsyn était sérieuse jusqu'à ce qu'elle remarque l'étincelle malicieuse dans ses yeux couleur caramel.

— J'aurais pu leur faire croire qu'ils étaient des rats.

— Vraiment ? dit la femme brune en se penchant. Je croyais que les Psis n'arrivaient pas à agir sur les esprits des changelings.

Il aurait été plus exact de dire qu'ils n'arrivaient pas à les manipuler.

— Vos structures de pensée sont tellement inhabituelles qu'il nous est en effet difficile de les influencer. Je ne dis pas que c'est impossible, mais les résultats ne sont pas à la hauteur de la quantité d'énergie que l'on doit déployer pour vous contrôler.

C'était du moins ce qu'elle avait entendu dire, puisqu'elle-même n'avait jamais été confrontée à la situation.

— C'est une bonne chose qu'il soit si difficile de maîtriser notre esprit car sinon les Psis régneraient sur le monde.

Le ton de Lucas trahissait une satisfaction nonchalante tandis qu'il se reculait de la table et étendait le bras sur le dos de sa chaise. C'était peu dire qu'il aimait marquer son territoire.

— Mais nous régnons déjà sur le monde.

— Vous avez peut-être de l'influence en matière de politique et d'affaires, mais ce n'est pas le monde.

Elle prit une autre bouchée de sa pita, s'apercevant qu'elle aimait la sensation de brûlure qui l'accompagnait.

— C'est vrai, convint-elle après avoir dégluti.

Au même instant, elle se rendit compte que des crocs de petit léopard grignotaient le bout de sa botte.

Sascha savait que le plus logique de sa part aurait été de se baisser et de déloger le petit, mais elle n'en avait pas envie. Elle préférait de loin se gorger de sensations que devenir un pantin rigide. Une sonnerie discrète la tira de ses réflexions.

Il lui fallut une seconde pour comprendre qu'il s'agissait de son agenda électronique. Elle le prit dans la poche intérieure de sa veste, vérifia l'identité de son interlocuteur puis entra en contact avec l'autre Psi, qui se trouvait suffisamment près pour être joint par simple télépathie.

— Tu ne réponds pas ? lui demanda Tamsyn en la voyant ranger la fine tablette dans sa poche.

— C'est ce que je fais.

Répondre de cette manière sollicitait à peine le dixième de sa concentration. Si elle avait été une véritable cardinale, elle n'aurait pas eu besoin de plus du dixième d'un pour cent.

— Je ne comprends pas, dit Tamsyn en fronçant les sourcils. Si vous pouvez communiquer mentalement, pourquoi d'abord téléphoner ?

— Question de limites, répondit Sascha en terminant son repas. C'est comme frapper avant d'entrer chez quelqu'un. Seules quelques personnes ont le droit d'initier un contact mental avec moi.

Des personnes comme sa mère et le Conseil.

Lucas lui effleura l'épaule de la main.

— Je croyais qu'avec le PsiNet vous étiez tous connectés en permanence.

Même si l'existence du PsiNet n'était un secret pour personne, il n'était pas non plus question d'en parler en détail. L'essentiel du conditionnement de Sascha avait échoué, mais ce sens du devoir-là subsistait encore.

— On devrait peut-être se rendre à cette réunion, dit-elle.

Elle sentit Lucas se raidir, comme s'il devenait la bête féroce tapie en lui. Lucas Hunter n'avait pas l'habitude qu'on lui oppose un refus.

— Bien sûr.

Alors que Sascha aurait dû redouter cet aspect de sa nature, il la fascinait.

— Merci pour le déjeuner, dit-elle à Tamsyn.

Elle secoua le pied pour faire partir le petit léopard. Elle n'avait pas envie de le blesser ou de lui attirer des ennuis. Il tint bon.

Lucas recula sa chaise et se leva.

— Dis à Nate que je suis passé.

Tamsyn était sur le point de quitter la table à son tour. Consciente qu'elle ne pouvait pas rester assise, Sascha tenta le tout pour le tout. Projetant un mince faisceau télépathique, elle se mit à parler au petit léopard.

— *Lâche-moi, petit, ou tu vas t'attirer des ennuis.*

Alors qu'elle s'attendait à rencontrer des difficultés, la communication s'établit aussitôt, comme si elle s'était adressée à un enfant Psi. Elle aurait dû transmettre sa découverte au PsiNet immédiatement, mais elle n'en fit rien. C'était comme une trahison.

Même si le petit – Julian – ne pouvait pas répondre, il lâcha prise. Il était content qu'elle ne l'ait pas dénoncé, car à son âge il n'était plus censé mâchonner les chaussures des gens. Il était un grand garçon. Réprimant un sourire, Sascha se leva. Afin de cacher sa botte le temps d'aller à la porte, elle s'arrangea pour que Lucas et sa large carrure se retrouvent entre elle et Tamsyn.

— Repassez quand vous voulez, dit Tamsyn.

Elle posa les mains sur les bras de Sascha et l'embrassa sur la joue.

Sascha se figea net au contact de Tamsyn, abasourdie par la gentillesse de la femme brune. Elle qui s'était toujours imaginée capable de décrypter les émotions des autres, jamais ses illusions ne lui étaient apparues aussi amères. Il n'existait rien dans le monde des Psis à même de nourrir les fantasmes de son esprit morcelé.

—Merci.

À peine Tamsyn l'eut-elle relâchée qu'elle s'écarta et se dirigea vers leur véhicule. Elle souffrait trop de se trouver dans cette pièce emplie de rires et de caresses, de chaleur et de tentations, et de devoir refréner son désir d'en obtenir davantage… d'obtenir tout.

—Mince, dit Tamsyn en observant Sascha battre en retraite. Je n'aurais pas dû la toucher.

Lucas la serra contre lui.

—Bien sûr que si. Elle est peut-être Psi, mais nous pas.

Tamsyn se mit à rire.

—Tu as vu sa botte ?

—Oui.

Lucas était le mâle dominant de DarkRiver ; l'épisode avec Julian ne pouvait pas lui avoir échappé. Il n'arrivait en revanche pas à comprendre pourquoi Sascha avait laissé une telle chose se produire. Puis il y avait eu un pic d'énergie Psi. Peut-être à cause de son appel télépathique, ou parce qu'elle avait été occupée à autre chose… comme parler à un petit léopard.

—Je ne m'attendais pas à ce qu'un Psi puisse se montrer aussi doux avec des enfants.

Tamsyn posa la main sur le torse de Lucas.

—Moi non plus.

Pour dire les choses simplement, ce n'aurait pas dû être le cas. Jamais un Psi n'aurait permis à un enfant de grignoter ses chaussures. Il n'y avait aucune raison à cela, aucun profit à en tirer. Et pourtant cette Psi s'était comportée différemment.

— Préviens-moi si les petits t'apprennent quelque chose.

La guérisseuse de DarkRiver était loin d'être idiote.

— Toujours rien ?

— Pas encore.

Plaquant un baiser dans ses cheveux, Lucas prit congé.

Sascha se trouvait déjà dans la voiture lorsqu'il s'installa à la place du conducteur.

— C'est la première fois que tu vois des enfants changelings ?

— Oui.

Elle dissimula sa botte grignotée derrière sa jambe et, à cet instant précis, Lucas sut qu'il allait au-devant d'ennuis.

— Vous gardez toujours votre forme animale lorsque vous êtes enfant ? poursuivit-elle.

— Non.

Il mit la marche arrière et se désengagea lentement de l'allée de Tamsyn, puis fit demi-tour dans la rue.

— Nous développons notre capacité à changer de forme environ un an après notre naissance, expliqua-t-il. C'est aussi naturel pour nous que de respirer.

Elle garda le silence un moment, comme si elle méditait ses paroles.

— Et vos vêtements ? Qu'est-ce qui leur arrive lorsque vous vous transformez ?

— Ils se désintègrent. On préfère se transformer nus.

Tout en parlant, il surveillait attentivement les flux d'énergie dans l'air ambiant et constata qu'ils s'amplifiaient : Sascha Duncan réagissait à la pensée de lui dénudé.

Perturber les sens de cette curieuse jeune femme plaisait aux deux moitiés de sa nature mais, en tant que chef de meute, il devait tenir compte des implications plus profondes de ce qu'il avait appris… et trouver le moyen de s'en servir contre elle.

— Tamsyn… quel rôle joue-t-elle dans votre meute ? dit-elle, changeant de sujet si vite qu'il sut avoir vu juste. Je sais que votre organisation est hiérarchisée.

— Tout comme chez les Psis. Explique-moi votre fonctionnement, je t'expliquerai le nôtre.

Si elle se braquait face à une requête aussi simple, il allait devoir repenser sa stratégie. Il lui fallait entrer dans la tête d'un Psi pour infiltrer le PsiNet. Il n'existait pas d'autre façon de pister le tueur, pas si le Conseil Psi couvrait celui-ci.

— Le Conseil représente l'autorité suprême.

Il essaya de ne pas laisser éclater sa satisfaction.

— Nous n'avons pas d'autorité suprême. Chaque meute est autonome.

— Au sein de la structure d'ensemble, nous sommes organisés en groupes familiaux.

Jusque-là, les changelings avaient pu en douter, car aux yeux du monde le concept de famille chez les Psis ressemblait à n'importe quelle relation d'ordre professionnel.

— Les liens familiaux existent au sein de la meute, mais nous sommes avant tout loyaux à la meute elle-même.

— Et pour ce qui est des couples ? demanda-t-elle. J'imagine que la loyauté qu'ils se doivent l'un à l'autre prime sur le reste.

Elle démontrait une capacité à comprendre l'esprit des changelings qui surprit Lucas.

— C'est la seule exception. Comme les changelings léopards s'unissent pour la vie, il n'y a pas d'autre option envisageable.

Il se demanda ce que cette femme née de la médecine plutôt que de la passion allait penser de ça.

— Et pour les Psis ? Qu'est-ce qui passe en premier ?

— Le bien de notre peuple, dit-elle. En affaires, nous avons le droit de concurrencer d'autres familles, mais contre des étrangers nous sommes tous soudés.

— Pour assurer la pérennité de l'espèce Psi.

— Oui.

S'agitant sur son siège, Sascha lui posa de nouveau une question à laquelle il ne s'attendait pas.

— Vous vous mettez en couple pour la vie ? C'est un choix qui s'apparente au mariage des humains, alors ?

— À vrai dire, les changelings peuvent se mettre en couple avec des humains. C'est le cas de plusieurs membres de ma meute.

Les enfants nés de telles unions héritaient toujours de la capacité à se transformer.

— J'ai entendu dire que des unions entre Psis et changelings s'étaient formées autrefois.

— Mon arrière-arrière-grand-mère était Psi. (Lucas lui jeta un coup d'œil.) Tu penses que j'aurais fait un bon Psi ?

Sascha le dévisagea un instant avant de lui répondre.

— Vous devriez peut-être regarder la route.

Son ton froid, pragmatique et dénué d'émotion aurait été convaincant si un petit léopard n'avait pas rongé le bout de sa botte.

Lucas se résigna à lui obéir cette fois-ci.

— Pour répondre à ta question, non ce n'est pas un choix comme le mariage… en tout cas pas pour les léopards. Une fois qu'on a trouvé notre âme sœur, il ne nous reste plus qu'à décider de faire ou non le dernier pas. On ne peut plus revenir en arrière après ça.

— C'est quoi, le dernier pas ?

— Parle-moi du PsiNet.

Elle marqua une pause.

— C'est un secret ?

— C'est privé.

— Comment est-ce que vous trouvez votre âme sœur ? Qu'est-ce qui vous dit que c'est la bonne personne ?

Malgré le ton neutre de Sascha, Lucas percevait dans ses questions une grande curiosité.

Il se demanda si elle se montrerait aussi intéressée par les autres aspects de leur vie. Une amante curieuse, voilà qui achevait de séduire son âme de panthère.

— Je ne peux pas te répondre ; je ne suis pas en couple.

Il avait vu le cœur de son père se fendre à la mort de sa mère. Une part de lui-même ne voulait laisser personne le rendre aussi vulnérable.

C'était l'une des raisons pour lesquelles il n'avait jamais eu de relation suivie avec une femme, fût-elle humaine ou changeling. Ce n'était pas si simple d'agir sur le processus d'accouplement, mais il avait fait son possible pour éviter que son âme sœur le trouve.

Et si malgré ça elle parvenait jusqu'à lui, il l'accepterait pour ensuite ne plus jamais la quitter des yeux. Elle devrait renoncer à sa liberté ; il comptait la protéger à chaque instant de sa vie. Se garant dans le parking de l'immeuble de DarkRiver, Lucas coupa le moteur et releva la portière de sa voiture.

— Vous aimeriez l'être ?

À cette question, il se retourna et se retrouva face aux yeux de firmament de Sascha. Aucun Psi digne de ce nom n'aurait demandé une chose pareille. Et aucun Psi n'aurait dû percevoir ce que Lucas insinua ensuite par le ton de sa voix.

— Et toi ?

— C'est privé ?

Elle pencha légèrement la tête de côté. Un geste à peine perceptible, mais qui n'était pas dans la nature de son espèce.

Il tendit la main et caressa du doigt son visage, curieux de voir sa réaction.

— Je te donnerai la réponse à cette question lorsque tu auras le privilège du contact rapproché.

Elle se figea à son contact puis s'écarta brusquement pour sortir de la voiture. Lorsqu'il l'eut rejointe de l'autre côté, elle veilla à maintenir une distance d'au moins un mètre entre eux. Son envie de se rapprocher d'elle était si forte qu'il en fut presque effrayé. Il commençait à trouver cette ennemie bien trop alléchante. Toucher sa peau de miel, semblable à de l'or, chaude et douce comme du velours, avait électrifié ses sens.

La panthère mourait d'envie d'en obtenir davantage, tandis que l'homme… l'homme commençait à penser que Sascha Duncan était unique, une Psi à nul autre pareille. Il lui restait encore à déterminer si ce fait la rendait plus dangereuse ou non. Il était clair en revanche qu'elle fascinait la panthère aussi bien que l'homme.

Kit les attendait dans la salle de réunion.

— Bonjour, Lucas.

Mesurant à peine moins de deux mètres, l'adolescent était grand mais il lui manquait encore de la carrure. À son âge, ça n'avait pas vraiment d'importance. Avec son épaisse chevelure auburn et ses yeux bleu foncé, il ne manquait jamais de compagnie féminine. Mais Lucas savait que le jeune changeling n'était pas seulement beau garçon ; il avait l'odeur d'un futur chef.

— Sascha Duncan, voici Kit Monaghan.

Kit lui décocha un sourire chaleureux qui, il le savait, faisait chavirer la plupart des femmes en leur promettant monts et merveilles.

—C'est un plaisir.

Sascha hocha la tête.

—Vous avez les plans ?

Lucas eut envie de rire à l'expression dépitée du garçon.

—Kit travaille à mi-temps au poste d'assistant général. C'est Zara, l'architecte.

Il se débarrassa de sa veste.

À peine eut-il prononcé son nom qu'une petite femme à la peau café au lait et aux yeux gris comme un ciel d'orage s'avança dans l'encadrement de la porte derrière eux. Sascha se déplaça aussitôt pour éviter son contact, mais son geste avait été si discret que ni Zara ni Kit ne le remarquèrent.

—Excusez-moi pour ce retard, dit Zara. L'imprimante est tombée en panne.

Elle tenait plusieurs exemplaires de plans roulés sur eux-mêmes dans les bras. Lucas l'aida à les déplier sur la table circulaire et leur signifia à tous de s'asseoir.

Sascha prit place à sa gauche, Zara s'installa à côté d'elle, puis Kit se mit près de l'architecte. Lucas avait constaté que Sascha n'avait cessé de jeter des coups d'œil à la nouvelle venue depuis son arrivée, chose qui n'avait pas non plus échappé à Zara.

—Si travailler avec moi te pose un problème, j'aime autant que tu me le dises tout de suite.

La petite femme n'était pas du genre à garder son ressenti pour elle.

Même si Sascha n'en laissa rien paraître, Lucas eut la certitude qu'elle était déroutée.

—Pourquoi ça me poserait un problème ? Vous faites mal votre travail ?

— Je le fais très bien, lâcha Zara. Mais certaines personnes n'apprécient pas ma couleur de peau.

— Cette réaction n'est due qu'à des émotions humaines. Je ne suis pas humaine. (Sascha remonta la manche de sa veste.) Et si ça peut vous rassurer, ma peau est… foncée aussi.

Même sous l'éclairage artificiel, sa belle peau couleur miel semblait étinceler.

Lucas sentit Kit refréner les ardeurs de sa bête, mais il ne lui en voulut pas d'avoir envie de la toucher. La peau de Sascha invitait à l'éveil des sens et, à présent qu'il l'avait caressée, il mourait d'envie d'y goûter de nouveau.

Zara partit dans un éclat de rire.

— Si ce n'est pas ma couleur qui te dérange, pourquoi tu me regardes comme ça ?

— Je ne sais pas vraiment, mais j'ai l'impression que vous n'êtes pas un léopard.

Lucas se figea. Jamais de la vie un Psi n'aurait dû être capable de remarquer une chose pareille. Savoir reconnaître un autre animal était une capacité propre aux changelings. Quel genre de Psi était Sascha, au juste ? Avait-il introduit un espion dans son monde alors qu'il tentait d'infiltrer le sien ?

Zara ne répondit que lorsque Lucas lui eut adressé un léger hochement de tête.

— C'est exact. Je suis un cousin éloigné… un lynx.

— En ce cas, pourquoi travaillez-vous pour les léopards ?

— Parce qu'elle est la meilleure dans son domaine.

Lucas cherchait à ramener l'attention de Sascha sur lui, en partie parce qu'il la jugeait bien trop dangereuse pour la laisser à un autre… mais aussi parce qu'il n'aimait pas qu'un autre que lui la fascine. Ce qui, au vu de sa nature possessive, risquait de créer des problèmes. Et pas des moindres.

—Elle a dû obtenir votre permission pour travailler ici ?

Il n'y avait rien d'anodin à ce que les changelings ne communiquent pas d'informations importantes aux Psis ; c'était une question de survie. En revanche, ce détail particulier était largement connu.

—Après l'avoir convaincue de nous rejoindre, il a fallu que je veille à sa sécurité.

Pour ce faire, il l'avait « adoptée » au sein de DarkRiver pour la durée de son séjour. Elle portait son odeur et celle de ses sentinelles, de façon que leurs ennemis comme leurs amis sachent à qui elle appartenait.

S'il n'avait pas pris cette précaution… il suffisait de dire que ce n'était pas sans raison que les changelings évitaient de s'aventurer sur des territoires dominés par d'autres prédateurs. Comme il n'existait pas de législation pour régir les conflits entre changelings, leur espèce recourait parfois à des moyens radicaux pour régler leurs problèmes.

Ce qui les désavantageait parfois en affaires, car les Psis étaient bien plus réactifs. Mais, au bout du compte, les choses s'équilibraient : contrairement aux Psis, les frontières que les changelings fixaient entre leurs ennemis et leurs amis étaient très flexibles. Ils ne poignardaient jamais dans le dos. Leur espèce préférait attaquer de front.

—Voyons ces plans, Zara, dit Lucas pour détourner Sascha du sujet.

La majorité des siens considérait les changelings comme des êtres inférieurs ayant accédé de manière fortuite à un pouvoir qui leur permettait de tenir tête aux Psis. Jamais auparavant Lucas n'avait rencontré de Psis qui les respectaient assez pour vouloir connaître leurs traditions. Sascha était-elle simplement curieuse de nature, ou représentait-elle l'avant-garde d'une invasion subtile et allait-elle transmettre au PsiNet tout ce qu'il lui apprendrait ?

Zara déroula un plan.

— Voici le modèle pour la première maison.

— « La première » ? demanda Sascha. Elles ne seront pas toutes identiques ?

Kit la dévisagea.

— Bien sûr que non. Qui aurait envie de logements pareils ? Comme ces piles de cercueils dans lesquels vivent les Psis…

Se rappelant soudain l'identité de son interlocutrice, il vira au rouge tomate.

— Tourne ta langue dans ta bouche avant de parler, dit Lucas en réprimant un sourire. Les changelings sont différents des Psis, Sascha. On aime ce qui n'appartient qu'à nous, ce qui est unique.

Il aperçut une étincelle dans ses yeux de firmament et se demanda si elle ressentait la même chose que lui. C'était comme s'ils étaient reliés par un fil ténu qui vibrait sous l'effet de leur reconnaissance mutuelle et muette.

— Nous ne sommes pas prêteurs.

Dans ce domaine, Lucas les surpassait tous. Il signifiait clairement que ce qui lui appartenait n'était qu'à lui.

— Je vois. (Sascha se tut un moment.) Est-ce que ça va retarder l'échéance ?

— Non. Nous avons pris ce paramètre en compte.

D'un hochement de tête, Lucas invita Zara à poursuivre.

— Sachant que la région est contrôlée par des léopards et des loups, j'ai conçu ces maisons avant tout pour eux.

Zara leur montra les pièces à vivre, vastes et aérées, ainsi que les moyens d'accès adaptés tant aux humains qu'aux animaux.

— Mais j'ai également quelques modèles pensés pour les espèces non prédatrices, ajouta-t-elle.

— On peut envisager qu'ils voudront s'installer à côté des félins et des loups ?

Cette fois encore, la question de Sascha montrait l'étendue de sa connaissance des changelings.

— C'est justement le problème, dit Zara. Il y a peu de chances que ce soit le cas. Enfin, nous n'attaquons pas les changelings non prédateurs sans provocation mais, si tu étais un cerf, tu aurais envie d'avoir pour voisin un léopard qui pourrait tout d'un coup avoir un petit creux ?

C'était le summum de l'humour noir changeling.

Kit ricana.

— Miam ! J'adore le kebab de cerf.

Sascha le regarda comme si elle examinait un insecte à la loupe. Le jeune léopard eut le mérite de ne pas bouger d'un poil et retenta même son fameux sourire. Pour toute réaction, Sascha ferma les yeux trois secondes.

— On m'a donné l'autorité de refuser ou d'accepter des plans, dit-elle lorsqu'elle les rouvrit. Veuillez me montrer ceux qui selon vous conviendraient le mieux.

Avant que Zara ait pu ouvrir la bouche, Sascha lui posa une autre question.

— Les loups et les léopards sauront-ils cohabiter en paix ? Je ne veux pas gaspiller d'argent en construisant des maisons pour les loups s'ils refusent de côtoyer des léopards, et vice versa.

C'était plus qu'inhabituel. Lucas comprit qu'il allait devoir commencer à étudier de très près cette Psi dont le mode de pensée ressemblait de façon dérangeante à celui d'un changeling.

— Nous avons signé un pacte qui nous permet de vivre ensemble sans nous entre-tuer, dit-il. Les léopards formeront le gros des résidents, mais il y aura suffisamment de loups pour que ça vaille la peine de prévoir des plans pour eux. Les deux espèces souffrent d'une pénurie de logements.

La plupart des firmes immobilières appartenaient en effet aux Psis, qui construisaient les cercueils décrits par Kit : de petites habitations compactes dans lesquelles aucun prédateur digne de ce nom ne voulait s'installer. La famille Duncan avait été la première à comprendre la nécessité d'impliquer les changelings dès le début du projet. Pour appâter les Chasseurs, les prédateurs, il fallait penser comme eux.

Zara en profita pour prendre la parole.

— Voici le modèle qui me plaît pour les félins, et celui pour les loups. (Elle déroula deux plans plutôt rudimentaires sur la table.) J'ai l'intention de me servir de ces modèles comme point de départ et de les modifier en tenant compte du terrain, de la vue et des emplacements disponibles. Pour certains logements, je partirai de zéro pour me conformer à la personnalité du client.

Sascha étudia les plans.

— Mais il faudrait savoir qui seront les acheteurs.

— Nous avons déjà une liste d'attente d'acheteurs potentiels. Leur argent se trouve sur notre compte bancaire.

Lucas observa les yeux de Sascha alors qu'elle regardait dans sa direction et aperçut l'éclat momentané des étoiles qui les éclairaient de l'intérieur. *Surprise, bébé*, eut-il envie de lui dire.

— Quoi ?

— C'est le premier projet immobilier mené du début à la fin par des changelings.

Il haussa les épaules, pleinement conscient qu'il faisait saillir les muscles de ses épaules sous son tee-shirt. Comme n'importe quel félin, il aimait être admiré, mais cette fois il cherchait délibérément à obtenir une réaction de Sascha.

Elle détourna le regard.

— Vous saviez donc déjà que vous honoreriez votre part du contrat quand vous avez négocié le bonus.

— Bien entendu.

— Je m'avoue vaincue.

Mais, lorsqu'elle lui jeta un coup d'œil, Lucas n'y lut ni résignation ni soumission.

Ça tombait bien, il n'avait jamais aimé les proies faciles.

CHAPITRE 5

De retour à l'immeuble Duncan, Sascha fit un crochet par son appartement avant de se rendre auprès de sa mère. Elle avait commencé à colmater les brèches dans ses boucliers mentaux dès l'instant où elle avait quitté DarkRiver ; lorsqu'elle entra dans le bureau, son cœur était barricadé derrière tant de couches d'énergie psychique qu'elle ne trahit rien de ses émotions, pas même en découvrant Santano Enrique engagé dans une discussion avec Nikita.

— Entre, Sascha.

Occupée à montrer quelque chose à Enrique, Nikita leva les yeux de son écran d'ordinateur.

— Bonjour, Sascha. Cela fait un moment que je ne t'ai pas vue.

— Conseiller Enrique.

Respectueusement, Sascha courba la nuque pour le saluer. Les yeux de firmament de l'autre cardinal croisèrent les siens.

Contrairement à ce qu'évoquait son nom d'origine latine, c'était un homme blond et grand, à la peau presque translucide. Même s'il ne faisait pas ses soixante ans, Sascha savait très bien depuis combien de temps il affinait ses dons considérables.

— Nikita m'a dit que tu diriges ton propre projet.

Sascha ne s'étonna pas d'apprendre que sa mère avait communiqué cette information à l'autre Conseiller. Enrique était un universitaire, pas un concurrent en affaires. Ce qui ne le rendait pas moins dangereux. Il valait toujours mieux éviter de tourner le dos à un membre du Conseil.

—Oui, monsieur.

Elle se sentait toujours mal à l'aise lorsque Enrique se trouvait dans les parages. Peut-être parce qu'étant un Tk-Psi hors pair, il maîtrisait une puissance télékinétique suffisante pour la réduire en miettes sans bouger le petit doigt. Ou peut-être parce qu'il la regardait comme s'il était capable de lire en elle… et qu'elle ne voulait laisser personne accéder aux confins de son esprit.

—J'ai toute confiance en toi… Tu es la fille de Nikita, après tout. (S'avançant de derrière le bureau, il l'examina de la tête aux pieds.) Même si les gènes semblent avoir pris une direction inattendue.

—Elle ne présente aucune déficience génétique, affirma Nikita. J'ai choisi son père en accordant une attention toute particulière à la combinaison de nos gènes. Et j'ai produit une cardinale.

Sascha chercha à décrypter les sous-entendus de leur conversation, sans succès ; les Psis savaient garder leurs secrets mieux que quiconque, et elle avait affaire à deux experts en la matière.

—Bien sûr. (Enrique esquissa un sourire froid, typique des Psis.) J'ai une conférence à préparer, je ferais mieux d'y aller. J'espère avoir le plaisir de te revoir, Sascha.

—Oui, monsieur, dit-elle, veillant à conserver un ton aussi neutre que celui d'un robot.

Elle ne prononça pas un mot de plus avant qu'il fût sorti et qu'elle eût refermé la porte derrière lui.

—Ça ne ressemble pas au Conseiller Enrique de venir te voir ici.

—Il souhaitait me parler à l'abri des regards indiscrets.

Le ton de Nikita signifiait que le sujet était clos.

—Si je suis amenée à assumer plus de responsabilités, c'est important pour moi d'être au courant de ce qui se passe.

—Tu n'as pas besoin de savoir ça. (Sa mère posa les bras sur le bureau.) Parle-moi du changeling.

Sascha comprit qu'il valait mieux ne pas insister. La femme assise en face d'elle appartenait au Conseil Psi, la société secrète la mieux gardée du monde.

« C'est le Conseil. Il est au-dessus des lois. »

Il avait fallu un changeling pour que la vérité lui apparaisse enfin. Le Conseil se substituait à la loi. Lorsque ses membres prenaient la parole, le PsiNet tremblait. Et, lorsqu'ils condamnaient un individu à la rééducation, il n'y avait pas de recours possible.

Alors qu'elle observait les yeux bruns et froids de sa mère, Sascha se résigna à l'idée que, le moment venu, Nikita voterait pour l'internement de sa propre fille plutôt que de perdre son poste et son influence.

Ceux qui ressentaient des émotions étaient des ennemis… et les ennemis ne méritaient pas de pitié.

—Il est extrêmement intelligent, dit-elle.

Elle songea qu'elle était loin du compte. Lucas était l'un des négociateurs les plus fins et les plus assurés qu'elle ait jamais rencontré.

—Chaque logement jusqu'au dernier a été vendu, ajouta-t-elle.

—Il touchera donc son dixième million.

—Même avec ça, nos bénéfices vont être considérables… Il y a une énorme pénurie sur le marché.

—Tu suggères de conclure une autre affaire avec eux ?

— J'attendrais un peu. Nous ne savons pas encore si nous pouvons travailler avec eux sur le long terme.

Une chose était sûre : en fréquentant Lucas et les siens trop longtemps, elle finirait par se trahir. Pour commencer, elle avait dû changer de bottes. Par la suite, il lui faudrait peut-être aller jusqu'à changer de personnalité. Elle ne pouvait pas côtoyer les léopards et leur vitalité débordante sans avoir envie de partager leur mode d'existence.

Et puis il y avait Lucas.

C'était la première fois qu'un homme perturbait ses hormones à ce point. La proximité de Lucas réduisait à néant toutes ses années d'entraînement Psi. Et, le pire, c'était qu'elle s'en moquait.

— Je te rejoins sur ce point, dit Nikita. Voyons s'ils tiennent leurs engagements.

— Je ne doute pas que ça sera le cas. M. Hunter ne me semble pas être le genre d'homme à ne pas finir ce qu'il a commencé.

— J'ai découvert un détail très intéressant au sujet de nos nouveaux associés en ton absence. (Du bout de ses doigts fins, Nikita fit apparaître des données sur l'écran tactile de son ordinateur.) Il semblerait que le pacte entre DarkRiver et les SnowDancer les lie bien davantage que ce que l'on croyait. Les SnowDancer investissent à hauteur de vingt pour cent dans bon nombre des projets de DarkRiver.

La nouvelle ne surprit pas Sascha. En dépit de sa charmante nonchalance, Lucas avait une volonté de fer susceptible de tenir en respect les adversaires les plus impitoyables.

— C'est réciproque ?

— Oui. DarkRiver possède vingt pour cent d'un nombre équivalent de projets des SnowDancer.

—C'est donc une alliance qui repose sur des territoires et des bénéfices communs.

Une situation inédite pour des changelings prédateurs réputés plutôt pour leurs guerres intestines, une faiblesse qui les rendait faciles à manipuler. Pour déclencher un conflit, il suffisait aux Psis de créer de toutes pièces une violation territoriale. Mais Sascha pressentait un changement dans l'ordre des choses… que la plupart des siens, convaincus de leur supériorité, ne remarquaient pas.

—Ne baisse pas ta garde avec Hunter.

—Oui, mère.

Sascha avait la ferme intention de suivre le conseil de Nikita. Lucas était un chef léopard doublé d'un homme extrêmement sensuel. C'était ce dernier point qui la terrifiait. Son âme déficiente réagissait à son contact de la façon la plus viscérale qui soit.

Après avoir pesé le pour et le contre, elle avait décidé que la seule manière de se débarrasser de cette envie dévorante qui menaçait l'intégrité de ses boucliers était de s'y adonner en lieu sûr. L'acte en lui-même ne devait pas être bien compliqué : elle s'était renseignée, avait appris par cœur les positions et les aptitudes requises décrites dans plusieurs livres.

Son cœur s'emballa à la pensée de ce à quoi elle envisageait de se livrer, et le doute l'assaillit. Si son plan ne fonctionnait pas ? Si elle prenait goût à l'interdit au point de ne plus pouvoir s'en passer ?

Impossible, se persuada-t-elle. Elle n'avait pas dépassé les limites, elle n'était pas encore condamnée. Elle restait une Psi, une cardinale. Elle ne savait pas être autre chose.

Tard dans la nuit, Lucas accueillit ses sentinelles dans son repaire. Nate, Vaughn, Clay, Mercy et Dorian étaient les membres les plus puissants de la meute. Alors qu'en combat singulier aucun d'eux n'aurait eu le dessus sur lui, ensemble ils étaient redoutables. Comme Lucas l'avait expliqué à Sascha, s'il enfreignait les règles fondamentales de la meute, les sentinelles devraient l'abattre. En attendant, elles lui obéissaient au doigt et à l'œil.

Tous les chefs de meute ne bénéficiaient pas d'une loyauté aussi absolue, mais lui avait gagné la leur de la plus sanglante et terrible des façons. Son cœur se serra tandis que les souvenirs de ses parents lui revenaient en mémoire. C'était toujours pire à cette période de l'année ; les fantômes du passé chuchotaient sans cesse dans son esprit.

On leur avait ôté la vie avant qu'ils aient pu en profiter, et on avait obligé Lucas à regarder. Il avait grandi, comme tous les enfants ; mais contrairement à la plupart des jeunes hommes, il était devenu un Chasseur dominant capable de retrouver des meurtriers et suffisamment puissant pour réclamer justice. Certains crimes étaient impardonnables : ne restait que la vengeance pour seul remède.

— Commence, Nate.

Il adressa un hochement de tête à la sentinelle la plus expérimentée de son équipe. Nate occupait son poste depuis cinq ans déjà lorsque Lucas avait été désigné comme leur chef dix ans auparavant. Mais Nate n'avait pas attendu la reconnaissance officielle du statut de Lucas pour lui accorder sa loyauté. Il avait choisi de le suivre en enfer à l'époque où Lucas n'avait que dix-huit ans, obtenant ainsi son entière confiance.

— Nos soupçons au sujet des sept meurtres dans le Nevada, l'Oregon et l'Arizona ont été confirmés. Il n'y a plus le moindre doute possible. (La froideur des yeux bleus de Nate cachait une fureur contenue.) Il s'agit de toute évidence du même tueur.

— La mauvaise nouvelle, c'est que nous n'avons pas de pistes supplémentaires, poursuivit Mercy.

Cette femme de grande taille, à la chevelure rousse et aux formes galbées, pouvait infliger autant de dégâts au combat que la plus tranchante des lames. À vingt-huit ans, elle n'était sentinelle que depuis deux ans mais avait gagné le respect des cinq hommes.

— Les flics ne nous sont d'aucune utilité et refusent de parler de tueur en série. À croire qu'ils ne veulent même pas envisager cette possibilité.

Aucun d'eux n'avait besoin d'expliciter ce qu'un tel comportement pouvait cacher. Les Psis étaient parfaitement capables s'ils le souhaitaient de brouiller le raisonnement des humains et de modifier le cours d'une enquête. C'était certainement dans ce but précis que les Psis accaparaient les postes d'influence.

— D'après ce que j'ai soutiré à Sascha, je peux affirmer que le PsiNet n'offre pas les mêmes privilèges à tous, dit Lucas. La démocratie n'a pas survécu à la création de leur Conseil il y a quelques siècles.

Il songea à sa petite espionne et se demanda si elle avait accès au cœur du système et protégeait un meurtrier. Ça ne collait pas avec l'image de la femme qui avait laissé un petit léopard mâchonner sa botte. Sascha Duncan ne rentrait absolument pas dans le moule des Psis, ce qui la rendait unique. Être à la fois unique et Psi avait tout d'une contradiction.

— Je n'arrive pas à trouver davantage d'informations sur ce fichu esprit collectif, marmonna Dorian, assis par terre. Même les camés refusent de parler et pourtant être Psi ne les empêche pas de vouloir vendre leur mère en échange d'une dose.

Lucas hocha la tête. Les Psis avaient un sérieux problème avec la drogue. Tant qu'ils n'essayaient pas de rendre les siens dépendants, il se moquait bien de savoir combien d'entre eux se tuaient de cette manière.

—J'ai pisté la mère de ta Psi.

Vaughn traversa la pièce et s'adossa au mur près de la porte. Son épaisse chevelure ambre et or était retenue par un élastique à la base de sa nuque. Il avait tout du prédateur. Ce que la plupart des gens ne devinaient pas, c'est qu'il n'était pas un léopard mais un jaguar.

Adopté au sein de DarkRiver deux décennies plus tôt, à l'âge de dix ans à peine, il était le plus proche ami de Lucas et peut-être le seul individu capable de maintenir l'unité de la meute si leur chef mourait, même si pour les léopards il ne portait pas l'odeur d'un mâle dominant.

Les changelings jaguars étaient demeurés plus fidèles à leurs racines animales ; la plupart du temps, il s'agissait de vagabonds solitaires qui se passaient d'organisation hiérarchique. Mais Vaughn avait été élevé comme un léopard et Lucas voyait en lui un mâle dominant qui avait choisi de lui accorder sa loyauté. Il était également l'une des trois sentinelles présentes la nuit où la vengeance de Lucas avait teinté la lune en rouge sang. Le jaguar avait dix-sept ans à l'époque.

—Je n'aimerais pas croiser Nikita dans une ruelle sombre.

Le regard de Vaughn leur fit comprendre qu'il ne plaisantait pas.

Lucas haussa un sourcil.

—Qu'as-tu découvert ?

—Elle a conservé sa place au Conseil plus de dix ans car elle terrorise les autres Psis, même les cardinaux. Cette femme est une télépathe de haut niveau.

Il croisa les bras, un geste qui fit saillir le petit tatouage sur son biceps droit. Rappelant les cicatrices sur le visage de Lucas, c'était une manière discrète d'afficher sa loyauté. Bien que leur chef ne leur ait rien demandé, les autres sentinelles avaient suivi l'exemple du jaguar. Quant à Lucas, il portait au bras le dessin d'un léopard en chasse, symbole de la promesse d'un mâle dominant à sa meute.

— Ce n'est pas inhabituel au point d'effrayer les gens, souligna Dorian.

Rien chez lui n'indiquait qu'il était latent; ceux qui le connaissaient savaient qu'il ne fallait pas se frotter à lui car nul ne survivait à sa morsure.

— En effet, admit Vaughn. Mais ses talents ne s'arrêtent pas là. Elle est capable de contaminer les esprits d'autres personnes avec des virus.

— Tu peux répéter ça? « Des virus » ?

Mercy se redressa sur l'un des gigantesques coussins qui servaient de sofas à Lucas et repoussa l'épaisse chevelure qui lui arrivait à la taille.

— Apparemment, ça ressemble au virus d'un ordinateur mais ça affecte l'esprit de la personne qu'elle attaque. Le bruit court que Nikita est arrivée jusqu'au Conseil en se débarrassant dans l'ombre de ses concurrents.

L'apparence faussement décontractée de Vaughn cachait une poigne de fer.

— Plusieurs cardinaux ont été victimes de mystérieuses dépressions ou sont morts subitement à peu près au moment de son ascension. Il n'y avait aucun moyen de remonter jusqu'à elle et, de l'avis général, les autres Conseillers n'en ont été que plus respectueux à son égard. Il est établi que Nikita n'hésite pas à recourir au meurtre pour parvenir à ses fins.

Lucas tournait en rond dans la pièce.

— Depuis le début, nous partons du principe que tout le Conseil est au courant, mais quand bien même nous aurions tort et que certains membres ignoreraient ce qui se passe, avec ce que vient de nous apprendre Vaughn, il semble peu probable que ce soit le cas de Nikita.

Et, si cette hypothèse se confirmait, son héritière cardinale devait forcément savoir elle aussi. Lucas avait du mal à accepter la complicité de Sascha dans cette manigance… La jeune femme captivait sa panthère, et il refusait d'être captivé par de la cruauté.

— Sascha est notre atout.

Resté assis en silence sur le rebord d'une fenêtre, Clay prit enfin la parole.

— On peut la faire craquer ?

Lucas comprit le sous-entendu dans la question de la sentinelle. Personne dans le camp des changelings n'était disposé à prendre des gants avec les Psis, pas après le massacre révoltant de huit des leurs.

— On ne torture pas les femmes.

La voix de Lucas claqua comme un coup de fouet.

— Je parlais de sexe.

La sentinelle basanée de trente-quatre ans était le seul membre de la meute, Nate et Vaughn mis à part, à connaître les détails de cette nuit sanglante qui avait fait du jeune Lucas un chef avant même qu'on lui accorde ce titre.

— Les femmes tombent toutes sous ton charme. Tu pourrais te servir de ça contre elle, non ?

Dorian éclata de rire.

— C'est mal connaître les Psis, Clay. Le sexe a à peu près autant d'effet sur eux que la perspective de m'accoupler avec une SnowDancer en a sur moi.

Lucas s'accorda un instant de réflexion et fut surpris de constater que l'idée de séduire Sascha lui plaisait. Son corps l'attirait tellement qu'il devait redoubler d'efforts pour se retenir de la toucher. La panthère rêvait de la mettre dans son lit et de s'enivrer de cette quintessence de féminité, tandis que l'homme voulait briser la carapace dont elle se protégeait pour découvrir qui elle était vraiment. Lucas restait méfiant car il redoutait de découvrir que Sascha, la fille d'une femme capable d'assassiner de sang-froid, était corrompue jusqu'à la moelle.

— On va procéder en douceur. Ne leur mettez pas la puce à l'oreille, dit-il aux sentinelles. Laissez-les croire que nous ne sommes que des bêtes.

Et tant pis pour eux si les Psis avaient oublié que les bêtes possédaient des crocs... et des griffes.

Après le départ des sentinelles, Lucas se transforma en panthère et s'élança dans la forêt. Il n'était parti que depuis une seconde lorsqu'il sentit qu'on le suivait. Le rôle des sentinelles était de le protéger, mais ils n'étaient pas ses gardes du corps ; les léopards n'aimaient pas qu'on les surveille. Clay avait le talent nécessaire pour masquer son odeur si telle avait été son intention. En l'occurrence, il demandait la permission à son chef de se joindre à lui.

Lucas revint sur ses pas et, alors qu'il allait surprendre la sentinelle, celle-ci s'écarta juste avant qu'il saute de la branche d'arbre sur laquelle il était perché. Ils se saluèrent d'un grondement sourd puis détalèrent. Rien ne valait pour Lucas le plaisir de courir ainsi, de laisser l'air nocturne chatouiller son pelage, et de se fondre dans les ténèbres jusqu'à ce qu'il ne soit plus qu'une ombre et Clay un éclair roux et noir.

Courir avec ses sentinelles était un rituel que respectait tout mâle dominant pour renforcer les liens qui les unissaient. Avec Clay, c'était superflu. Lui, Vaughn et

Nate étaient liés à Lucas depuis cette nuit où, ensemble, ils avaient traqué et réduit en lambeaux tous les mâles d'une meute de léopards nomades. Ils avaient appliqué la justice des changelings. Œil pour œil ; la vengeance nécessaire pour que les âmes des parents de Lucas trouvent la paix.

Désormais, Lucas courait avec ses sentinelles car elles étaient assez endurantes, rapides et dangereuses pour le pousser à dépasser ses limites. Aucun chef ne pouvait se permettre de négliger ses aptitudes. Même s'ils étaient plus civilisés que leurs frères sauvages, les léopards ne respectaient l'autorité du mâle dominant que tant que sa force restait suffisante pour diriger la meute. Et il ne s'agissait pas seulement de force physique.

Les Psis jugeaient les changelings stupides de sacrifier la sagesse de leurs aînés au profit de sang neuf. Les Psis n'y comprenaient rien. Avec l'âge, les sentinelles renonçaient à leur statut car il exigeait d'elles qu'elles soient invulnérables sur le plan physique. Nate cherchait déjà un remplaçant. Lorsqu'il quitterait son poste, il deviendrait l'un des conseillers de Lucas, sans que son importance en soit diminuée.

Si en vieillissant Lucas ne perdait pas le respect des nouvelles recrues, ils assureraient à sa place le rôle physique qu'il jouait au sein de la meute : veiller à ce que la justice de la meute soit appliquée, et maintenir l'ordre. En de telles circonstances, ceux qui ne comprenaient pas leur mode de fonctionnement en arrivaient souvent à la conclusion que la sentinelle la plus puissante prenait la place du chef. Les changelings n'éprouvaient pas le besoin de les éduquer sur ce point.

Mais tout cela appartenait à un avenir incertain. Pour l'heure, Lucas devait se montrer le plus dangereux, le plus sauvage et le plus intelligent de tous, car sa meute mais aussi les SnowDancer l'observaient. Au moindre signe de faiblesse de la part de DarkRiver, les loups s'abattraient sur eux dans une déferlante de crocs et de griffes.

Lucas ne laisserait pas l'attraction inexplicable qu'une Psi exerçait sur lui le détourner de son objectif. Les enjeux dépassaient le simple besoin d'assouvir leur vengeance. Lorsque les léopards de DarkRiver avaient découvert qu'un tueur en série s'acharnait sur les femmes changelings, ils avaient averti toutes les autres populations de changelings installées sur le terrain de chasse du meurtrier. Tous les mâles dominants mouraient d'envie de lui sauter à la gorge ; les loups plus encore que les autres.

Lucas avait insisté pour être chargé de traquer le tueur ; malgré la perte de Kylie, il était le seul chef à garder les idées claires. Comme si le bain de sang qui lui avait servi de baptême lui avait également donné la capacité de voir au-delà de l'éclat rougeoyant de la fureur et du désir de vengeance.

Non sans réticence, les SnowDancer lui avaient laissé la voie libre car, contrairement à eux, la meute de Lucas avait perdu l'un des siens. Mais leur patience avait des limites. Les loups savaient que, tôt ou tard, le tueur allait aussi s'en prendre à eux. Et dès lors les règles voleraient en éclats : les SnowDancer se lanceraient dans le massacre des Psis et les Psis riposteraient, avec pour résultat une guerre sans précédent.

Lucas s'endormit profondément, fatigué par une course dont même Clay était sorti éreinté. Alors qu'il s'attendait à trouver des ténèbres, il fut accueilli dans ses rêves par le plus exquis des plaisirs.

Étendu sur le dos, il sentit des doigts fins glisser le long de son torse et l'explorer avec une telle minutie qu'il eut l'impression de leur appartenir. Aucune femme n'avait jamais réussi à posséder Lucas Hunter de près ou de loin, mais dans le monde de ses rêves il permit à celle-ci de s'amuser un peu avec lui. Au bout d'un temps infini, les caresses cédèrent le pas à une vague de chaleur humide sur son téton. Son amante imaginaire traçait des cercles du bout de la langue, sans se presser, et peu à peu son excitation monta. Il ouvrit les yeux et passa la main dans les boucles soyeuses qui se déroulaient sur son torse.

Elle leva la tête et le regarda de ses yeux de firmament.

Il ne s'étonna pas de la voir. Depuis le début, sa panthère trouvait Sascha Duncan attirante, et en rêve il n'y avait rien de mal à laisser libre cours à sa fascination et à satisfaire la curiosité féline que suscitait cette femme peu commune. En ce lieu, l'éventualité de la guerre n'existait pas, et Sascha n'était plus désormais une ambassadrice de l'ennemi.

— Tu fais quoi au juste, chaton ?

Il laissa son regard s'attarder sur sa peau nue couleur miel. Ses yeux de firmament s'agrandirent sous le choc.

— C'est mon rêve.

Il lâcha un petit rire. Même dans ses rêves, elle voulait tout régenter. Il commençait à soupçonner Sascha de ne pas toujours agir par souci d'efficacité. Non, parfois elle aimait simplement se faire les griffes sur lui.

— Je suis à ta merci.

Elle manifesta son agacement par un petit bruit et se redressa sur les genoux.

— Pourquoi tu parles ?

Il croisa les bras derrière la tête, ravi du spectacle de sa poitrine généreuse. Ce rêve lui plaisait. Même sa panthère était comblée.

— Tu n'en as pas envie ?

Il présentait la chose comme une tentation.

— Eh bien… (Elle fronça les sourcils.) Le but, c'est de te goûter. J'imagine que tu n'es pas capable de rester silencieux au lit.

— Bien vu.

Il la regarda l'observer. Les yeux de Sascha diffusaient une chaleur telle qu'il se sentit comme marqué au fer rouge. Le mâle dominant qu'il était avait envie de tendre la main et de glisser les doigts dans le triangle de boucles sombres que révélait sa position à genoux, mais il craignait de briser le charme de cet étrange rêve.

— Je peux ?

Se mordillant la lèvre inférieure, Sascha fit courir ses doigts le long des cicatrices de son visage.

— Tu sens ma caresse ?

Il eut envie de croquer cette bouche sensuelle qui le narguait.

— Dans les moindres détails.

Ses cicatrices étaient très sensibles et il ne laissait pas n'importe qui s'en approcher.

— J'ai eu envie de les toucher depuis notre rencontre.

Poussant un soupir, Sascha se pencha et déposa plusieurs baisers le long des marques irrégulières. Elle parut surprise par le ronronnement sourd de Lucas, mais pas en mal ; il sentit ses tétons durcir contre son torse. Après avoir exploré à loisir son visage, elle se redressa en lui griffant doucement le torse.

— Plus fort, chaton. Je ne suis pas en sucre.

Elle prit une inspiration mal assurée et obéit.

— Les félins aiment être caressés, murmura-t-il. Je t'ai dit qu'on ne laissait pas le premier venu nous toucher.

Il fit remonter sa main le long de sa cuisse.

Elle frissonna.

— Pourquoi je rêverais que tu me touches ? C'est moi qui veux te toucher.

— Mais, si tu rêves de moi, je vais forcément te toucher, non ?

Ce rêve étrange le ravissait. Il semblait presque réel, même si bien sûr la vraie Sascha n'aurait jamais laissé ses émotions s'exprimer aussi librement.

— Oui… tu aimes marquer ton territoire. (Une ride se creusa sur son front.) Tu aurais envie de me marquer moi aussi. Mon inconscient doit être en train de compléter les cases manquantes.

Lucas refréna un sourire.

— Qui est-ce que tu laisses te caresser ?

— Les Psis ne se font pas caresser.

Une lueur de tristesse brilla dans ces yeux qu'il commençait à savoir décrypter.

— Tu fréquentes peut-être les mauvaises personnes. (Il remonta jusqu'à la courbe de ses fesses, puis s'arrêta.) Je te caresserais avec grand plaisir.

Sascha laissa échapper un souffle.

— Moi d'abord, chuchota-t-elle en se penchant. C'est mon rêve. Juste pour goûter, répéta-t-elle. Goûter, c'est tout.

Jamais il ne refuserait une caresse de cette mystérieuse femme qui le captivait, surtout pas quand elle posait sur lui un regard qui n'était plus de glace mais de feu. Il lui agrippa les fesses d'une main tandis qu'elle mordillait, léchait et suçait son téton, attentive aux moindres détails. Elle ne l'arrêta pas lorsqu'il fit courir ses doigts sur sa cuisse, savourant sa peau couleur miel dont il avait envie de goûter la moindre parcelle.

Alors qu'elle s'apprêtait à s'occuper du téton qu'elle avait jusque-là délaissé, elle tendit la main pour lui griffer la cuisse. Un léger grondement monta dans la gorge de Lucas.

Elle leva la tête.

— Qu'est-ce que ça veut dire ?

Elle avait posé la main contre sa cuisse, à deux doigts de son sexe en érection.

Lorsqu'elle inclina légèrement la tête, les questions qu'elle lui avait posées dans la voiture revinrent en mémoire à Lucas. Il était étrange que son inconscient lui rappelle ce petit geste révélateur, mais ce rêve n'avait de toute manière rien d'ordinaire. Et il ne s'en plaignait pas.

— Ça veut dire que tu peux continuer à faire exactement ce que tu fais.

Il passa la main sur ses fesses puis descendit plus bas pour effleurer son sexe chaud et humide. L'odeur de son désir se répandit dans l'air.

Elle étouffa un cri et s'écarta.

— Pas encore.

Lucas avait l'habitude de prendre le contrôle, mais quelque chose dans les yeux de Sascha lui disait qu'elle risquait de disparaître s'il insistait davantage. Il cala de nouveau les mains derrière sa nuque, lui signifiant sans mot dire qu'elle pouvait jouer avec lui. Pour le moment. Comme si elle l'avait entendu, elle descendit plus bas sur le lit et enserra ses jambes entre ses cuisses.

Se délectant du spectacle de son corps voluptueux, il comprit que, lorsqu'il la prendrait, il la ferait sienne. Sans la blesser. Juste une morsure ou deux, un petit coup de dents ici et là, à des endroits où personne ne se méprendrait sur leur sens. Sascha Duncan appartiendrait à Lucas Hunter.

Elle écarquilla ses yeux de firmament et referma sa main fine sur son membre en érection. Il frissonna.

— Plus fort.

Elle le serra puis commença à bouger la main de bas en haut.

— Pourquoi ça me fait du bien ? (La voix de Sascha était chargée d'un désir ardent, sa respiration haletante.) Il n'y avait rien à ce sujet dans les manuels.

Retirant les mains de derrière sa nuque, Lucas l'attira vers lui en la tenant par les cuisses. Elle n'était pas assez près, tout en l'étant déjà trop.

— Quoi donc ?

— Je te caresse, et pourtant c'est moi qui ressens du… plaisir.

Le dernier mot de Sascha se mua en gémissement et Lucas durcit encore entre ses mains.

Il avait l'expérience du sexe et des femmes sensuelles qui maîtrisaient leur sujet, mais avec ses questions et sa curieuse innocence cette Psi attisait son désir au point qu'il n'arrivait plus à réfléchir normalement.

— Suce-moi, chaton. Goûte-moi.

Cette exigence à l'état brut venait de son cœur d'animal. À sa satisfaction, Sascha n'en fut pas effrayée.

— Te goûter ? Oui… il faut que je te goûte… que je satisfasse mon désir.

Elle se laissa glisser le long de son corps pour se mettre à quatre pattes, les genoux entre ses jambes et les mains posées sur ses hanches. Puis elle inclina la tête et commença à le goûter comme il le lui avait demandé.

Lucas resserra son étreinte sur sa chevelure et se concentra pour ne pas se libérer comme son corps le réclamait. La douce pression de la bouche de Sascha lui procurait un plaisir comme il n'en avait jamais connu. Lorsqu'il vit des lueurs étinceler derrière ses propres yeux, il sut qu'ils passaient d'humains à félins, puis de félins à humains. Seule une excitation portée à son comble pouvait lui faire perdre le contrôle à ce point.

Se servant de son autre main pour repousser les cheveux de Sascha, il la regarda monter et descendre le long de son sexe en érection, et cette vision l'excita tellement qu'il faillit devenir fou. L'envie de pénétrer le sanctuaire chaud et soyeux entre ses cuisses le taraudait, mais cette nuit-là il était à sa merci… et elle le voulait dans sa bouche. L'épaisse chevelure de Sascha serrée dans ses poings, il poussa un grognement de jouissance qui emplit toute la pièce.

— Merci, chaton, dit-il.

Il ne reçut pas de réponse.

Fronçant les sourcils, il ouvrit les yeux. Et se retrouva dans son repaire, vidé, comblé, et seul.

CHAPITRE 6

S ascha n'arrivait pas à regarder Lucas dans les yeux, effrayée qu'il devine les visions érotiques qui traversaient son esprit comme les séquences d'un film. Qu'est-ce qui lui prenait ? Après s'être immergée la nuit passée dans le rêve le plus délicieux de sa vie, elle s'était réveillée le souffle court et la peau moite de sueur.

Et Lucas avait été au centre de ses fantasmes.

Elle avait cherché à le chasser de ses pensées en programmant son cerveau pour rêver de lui. Alors qu'elle espérait parvenir à satisfaire ses sens en leur lâchant la bride dans la sécurité de son esprit, sa manœuvre s'était retournée contre elle. À présent qu'elle avait goûté au plaisir, elle s'apercevait qu'il lui en fallait plus. Les émois que Lucas avait provoqués en elle l'obsédaient comme une drogue dont elle n'arrivait plus à se passer.

— Je t'emmène voir Clay Bennett, notre chef de chantier, dans vingt minutes environ. Ensuite, j'aimerais te montrer les matériaux que nous allons utiliser pour la construction, puisque tu souhaites inspecter toi-même les moindres détails.

Dans ses yeux verts et perçants se lisait une pointe de raillerie.

Elle ne put s'empêcher de se rappeler la manière dont il l'avait regardée lorsqu'elle avait mis son sexe dans sa bouche pour le faire jouir. Ce dernier mot la ramena à la réalité. À cause de Lucas, ses boucliers se fissuraient de nouveau.

— Merci de m'en informer.

Elle essaya de noter les détails sur son agenda électronique, mais le bourdonnement dans sa tête troublait sa vision. La situation virait au drame. Au lieu de contenir les symptômes de sa folie, ses rêves semblaient les avoir renforcés.

— Tu n'as pas l'air d'avoir bien dormi.

Y avait-il comme un sous-entendu subtil dans sa phrase ? *Impossible*, se dit-elle. C'était elle qui avait rêvé. Lucas n'avait certainement pas besoin de se réfugier dans un monde imaginaire pour assouvir ses fantasmes… Elle avait bien vu comment les femmes le regardaient. Et pourquoi bouderait-il son plaisir ? Il n'hésitait pas à afficher sa sexualité, et même Sascha comprenait sans mal le désir primitif qu'un homme tel que lui pouvait susciter.

Cette fois encore, son esprit menaçait de basculer dans la démence. Un à un, elle renforça ses boucliers mentaux.

— J'ai eu un sommeil agité, mais je suis parfaitement capable de faire mon travail, dit-elle.

Dès qu'elle parviendrait à contrôler ses pensées débridées.

— Des cauchemars ?

Lucas l'observait avec la concentration d'un Chasseur guettant sa proie.

— Les Psis ne rêvent pas.

Il s'agissait en tout cas du consensus général. Puisque ce n'était qu'un mensonge, songea-t-elle, de quels autres mensonges encore l'avait-on abreuvée ? Sauf si c'était vrai pour tous les autres Psis et que, même dans leurs rêves, ils ne vivaient pas.

— Quel dommage, dit Lucas, sa voix rauque se parant de douceur. Les rêves peuvent être très… agréables.

Une vague de chaleur humide assaillit Sascha. Elle serra les cuisses de toutes ses forces, terrifiée à la pensée que son corps venait de réagir d'une manière susceptible d'alerter un changeling. Prise de panique, elle refoula ses émotions dans les recoins les plus secrets de son esprit.

Aux aguets, la panthère à l'intérieur de Lucas suivait les moindres gestes de Sascha. L'homme et la bête étaient déroutés : qu'est-ce qui chez cette Psi avait bien pu être à l'origine de la charge érotique de son rêve ? Dans la réalité, elle était froide comme de la glace et aussi impénétrable qu'un bloc de métal. Restait cet éclat de passion fugitive dans ses yeux de cardinale qu'il refusait d'attribuer à un tour de son imagination.

Détectant chez elle une infime odeur d'excitation, il se figea. La panthère se jetait contre les murs de son esprit, lui disait de la prendre, qu'elle était prête. L'homme, lui, n'en était pas convaincu. Et s'il s'agissait d'une ruse Psi… le moyen ultime pour s'infiltrer dans sa tête ? Tant qu'il n'en aurait pas le cœur net, il ne caresserait Sascha que dans ses rêves.

— Les Psis ignorent tout du plaisir, commenta-t-elle en baissant les yeux sur sa petite tablette électronique. Et nous n'avons pas l'intention que ça change. Si on allait voir votre chef de chantier ?

— Après toi. (Il s'avança vers la porte et l'invita d'un geste à sortir.) Comment se porte ta mère ?

Il était temps de commencer à creuser. Lucas ne pouvait pas se permettre de perdre de vue le but de ce petit jeu.

— Bien.

Parvenue à l'ascenseur de verre, Sascha attendit qu'il arrive à leur étage.

— C'est une femme extraordinaire, déclara-t-il. J'ai entendu dire qu'elle était devenue Conseillère à l'âge de quarante ans. C'est plutôt jeune pour accéder à un poste aussi important, non ?

Elle hocha la tête.

— Mais Tatiana Rika-Smythe était plus jeune qu'elle à l'époque de son ascension. Elle n'a que trente-cinq ans aujourd'hui.

— Les Rika-Smythe sont vos premiers concurrents ?

— Vous le savez déjà.

Il haussa les épaules et l'invita à passer devant lui dans l'ascenseur.

— Il n'y a pas de mal à s'en assurer.

Dans l'espace restreint, son odeur enivrait les sens primitifs de Lucas. Superbe et à peine éclose, Sascha était la quintessence de la féminité et elle l'intéressait au plus haut point. Sa panthère avait l'arrogance de croire que sa réaction n'avait pas été feinte. Lucas dut réprimer le grondement sourd qui lui montait dans la gorge. L'heure n'était pas encore venue de traquer cette proie.

— Ce n'est un secret pour personne que les Rika-Smythe et les Duncan ont des intérêts communs.

— Comment ta mère peut-elle travailler avec Tatiana alors qu'elle est sa rivale ?

Les portes de l'ascenseur s'ouvrirent sur le rez-de-chaussée.

Sascha sortit à son côté. Gracieuse et inquiétante, elle était belle avec ces yeux qui prenaient de court toutes les personnes qui les voyaient. Il était rare de croiser des cardinaux ailleurs que dans les quartiers généraux des Psis. Lucas devait à tout prix découvrir pour quelle raison on l'honorait de la présence de Sascha Duncan.

— Leurs responsabilités au sein du Conseil sont distinctes de leurs alliances commerciales.

— Les deux doivent bien se recouper d'une manière ou d'une autre. On trouve des cliques dans toutes les administrations.

En d'autres termes, les Conseillers ne partageaient peut-être pas tous leurs secrets entre eux.

Sascha lui jeta un regard méfiant.

— Le Conseil semble beaucoup vous intéresser.

— Tu peux difficilement me le reprocher. (Il poussa une porte vitrée.) Je doute avoir de nouveau l'occasion de parler avec un Psi aussi haut placé dans la hiérarchie.

Elle passa la porte avant de lui répondre.

— J'ai beau être une cardinale, je ne suis pas si haut placée que vous semblez le croire. Ce n'est pas parce que ma mère fait partie du Conseil que je rejoins automatiquement l'élite. Je suis une Psi comme les autres.

— Un cardinal n'est jamais ordinaire.

Pourquoi protestait-elle autant ? Que cachait-elle au juste ? Du sang, des morts, ou autre chose ?

— Il y a une exception à toutes les règles.

Sascha soupçonnait que l'insistance de Lucas n'était pas due qu'à de la simple curiosité. Elle se mit aussitôt sur la défensive, mais il était trop tard : elle venait de lui révéler qu'elle ne correspondait pas à la norme des Psis.

Elle allait devoir se souvenir que Hunter n'était pas simplement le nom de famille de Lucas, mais un rappel de son statut de Chasseur.

— Je peux vous poser une question ? lui demanda-t-elle avant de songer à s'abstenir.

Même en ayant conscience de la nature de Lucas, l'intérêt qu'elle éprouvait à son égard ne cessait de croître. Et, chaque fois qu'elle cédait à son désir, le mur déjà fragile de sa santé mentale s'effritait davantage. Pourtant, c'était plus fort qu'elle.

Il s'arrêta devant une porte qu'elle devina donner sur le bureau du chef de chantier.

— Vas-y.

— Quel est au juste le rôle d'un Chasseur ?

Elle avait entendu des rumeurs sur le PsiNet, mais les changelings étaient très réservés sur certains sujets.

— J'ai bien peur que tu doives m'apprendre quelque chose de vraiment spécial si tu veux que je te le dise.

Le sourire qu'il esquissa fit voler en éclats la concentration de Sascha.

— Qu'est-ce que vous voudriez…

Il l'interrompit avant qu'elle eût fini sa phrase.

— Quel est l'indice de violence de la population Psi ?

Même si elle ne s'attendait pas à ce qu'il l'interroge sur ce point, la réponse était à la portée de tous.

— Proche de zéro.

— Tu en es sûre ? (Sa question résonna dans le vide.) Pour ce qui est des Chasseurs, nous traquons les renégats.

— « Les renégats » ?

— Désolé, chérie, tu n'as payé que pour une réponse.

Il poussa la porte.

Frustrée, Sascha entra dans la pièce et se retrouva presque nez à nez avec un homme basané, aux yeux verts plus foncés que ceux de Lucas. Ce qui se dégageait de lui incitait à reculer d'un pas… et à s'enfuir.

— Voici Clay Bennett, notre chef de chantier.

Sascha sentit que le changeling devant elle était bien plus que ça.

— Monsieur Bennett.

Il y avait dans le regard de l'homme un calme qui aurait dû la mettre à l'aise, mais il lui évoquait plutôt un cobra qui endormait sa proie dans l'illusion de la sécurité ; dès l'instant où elle baisserait sa garde, il lancerait son attaque mortelle.

—Mademoiselle Duncan. C'est à moi que vous vous adresserez en cas de réclamations sur le matériel utilisé pour la construction, les ouvriers, ou d'autres détails de cet ordre.

—C'est noté.

Elle parcourut du regard l'immense pièce, qui accueillait plusieurs bureaux. En face d'elle, des portes vitrées tenaient lieu de mur, mais elle vit Zara à gauche et un homme aux cheveux blonds qu'elle ne connaissait pas assis derrière un bureau sur la droite. Alors qu'il ne la regardait pas, elle sentait confusément qu'il ne perdait pas une miette de leur conversation.

—Ces portes s'ouvrent?

—Bien sûr, dit Lucas d'une voix traînante. On est des animaux, au fond… On ne supporte pas d'être enfermés.

Sascha savait qu'il raillait la vision simpliste que les Psis avaient des changelings, et que par la même occasion il se moquait d'elle. Son mauvais génie lui soufflait de lui renvoyer une repartie cinglante ; dans sa folie, elle songea même à le faire pour le simple plaisir de voir sa réaction.

—Et les étages supérieurs ? (Elle trouva la réponse à sa question dès qu'elle regarda dehors.) Les arbres. Les léopards sont d'excellents grimpeurs.

Lucas s'immobilisa brusquement à côté d'elle.

—Tu t'es bien renseignée.

—Évidemment. Je suis Psi.

Quelques minutes plus tard, Sascha s'enfermait dans les toilettes et baissait le couvercle des cabinets pour s'y asseoir. Un frisson lui parcourut tout le corps. Quelle blague… elle n'avait rien d'une Psi. Elle n'était qu'une femme à deux doigts de basculer dans la folie, réduite à se cacher dans les toilettes pour réparer les murs lézardés de son esprit.

Alors qu'elle terminait à peine de rassembler les lambeaux de sa psyché, son agenda se mit à sonner. Santano Enrique voulait s'entretenir avec elle sur le PsiNet. Elle eut soudain l'impression qu'on venait de lui remplir la bouche de coton.

Enrique était un Psi trop puissant et avait trop d'années d'expérience derrière lui pour que le moindre faux pas lui échappe. Sascha ne devait en aucun cas se retrouver liée à lui. Jamais les autres Conseillers n'avaient tenté de la contacter par télépathie ou par le biais du PsiNet ; si nécessaire, ils préféraient une discussion face à face. Bien sûr, elle savait pourquoi. Ils redoutaient qu'elle ait hérité des talents meurtriers de sa mère.

Il n'était pas envisageable de refuser l'appel d'Enrique. Se hâtant de combler les brèches dans ses boucliers, Sascha ferma les yeux et s'avança dans les ténèbres. La plaine scintillante du PsiNet s'étendait devant elle, piquetée d'étoiles à l'infini, brillantes ou ternes, grandes ou petites, qui représentaient les esprits des Psis. Celle d'Enrique rayonnait, comme la sienne. Ils étaient tous deux des cardinaux, mais un détail crucial les opposait ; elle ne possédait pas de réels dons, tandis que lui était capable de la pulvériser d'une simple pensée.

Sa conscience l'attendait.

—Merci d'être venue, Sascha.

—Je ne peux pas rester longtemps, monsieur. Je suis dans une situation délicate qui requiert mon entière attention.

Tant qu'elle serait dans le Net, elle ne pourrait pas se permettre de penser qu'elle était en train de mentir. Elle devait croire de tout son être à ce qu'elle disait.

—Le contrat avec les changelings.

Comme il ne s'agissait pas d'une question, elle ne répondit rien.

— C'est un choix intéressant. Et inhabituel. Pourquoi avoir décidé de faire ce dont les autres familles se sont abstenues ?

— Veuillez m'excuser, monsieur. Je n'ai pas l'autorisation de divulguer nos pratiques commerciales. Voyez avec ma mère ; c'est elle qui dirige notre famille.

Nikita avait officiellement obtenu ce statut en 2075 à la mort de Reina, la grand-mère de Sascha. En réalité, à ce moment-là Nikita tirait dans l'ombre les ficelles du pouvoir depuis déjà près de dix ans.

— Il m'a semblé qu'on t'avait accordé davantage d'indépendance.

De la part d'un autre qu'un Psi, Sascha aurait pu croire que ces paroles visaient à flatter son ego et à lui délier la langue. Sauf si, bien sûr, c'était réellement l'intention d'Enrique. Voilà donc pourquoi il s'intéressait soudain autant à elle… parce qu'il la soupçonnait d'être anormale ?

Toutes ces pensées frénétiques bourdonnaient dans un recoin secret d'elle-même. Là où elle dissimulait aussi le cœur de sa personnalité, l'arc-en-ciel étincelant de son esprit. Protégé par de multiples boucliers qu'elle renforçait en permanence, personne ne pouvait s'y infiltrer à moins de recourir à une force si brutale qu'elle en mourrait.

— Souhaitez-vous que je vous mette en relation avec ma mère ?

— Non, Sascha. Je veux te demander un service.

La frayeur étreignit son cœur secret.

— De quoi s'agit-il, monsieur ?

Elle redoutait un piège. Pourquoi un Conseiller, un cardinal possédant des dons télékinétiques supérieurs à la norme, s'abaisserait-il sinon à faire appel à elle ?

—Tu vas souvent être en contact avec les changelings sur ce projet. J'aimerais que tu me communiques tout ce que tu apprendras de nouveau à leur sujet.

Elle s'était attendue à tout, sauf à ça.

—Je le ferais volontiers, monsieur, mais…

—Réfléchis bien, Sascha. Tu pourrais en tirer certains… bénéfices. Nous sommes plusieurs à songer qu'il est largement temps d'exploiter tes capacités comme il se doit.

Enrique cherchait à la soudoyer, ni plus ni moins. Son désir d'être acceptée par les siens et de voir enfin sa valeur reconnue en tant que cardinale la poussait à se plier sans hésiter à la requête d'Enrique. Pourtant, ce même désir l'aidait à comprendre qu'en dépit de tous ses efforts elle ne serait jamais normale. En se rapprochant du Conseil, elle ne parviendrait qu'à s'exposer davantage.

Les cendres de ses rêves envolés flottèrent à ses pieds, et dans les tréfonds de son âme elle pleura. Ce ne fut que grâce à ses années d'entraînement Psi et à sa volonté de dissimuler envers et contre tout la vérité sur son esprit brisé qu'elle parvint à formuler une réponse sensée.

—Ils se méfient de moi, ce qui peut se concevoir. Je ne garantis pas que j'apprendrai quoi que ce soit, mentit-elle.

Elle en savait déjà bien plus que n'importe quel Psi, mais se sentait incapable de trahir les secrets des changelings… et de Lucas.

—Ce sont des animaux. Traite-les bien et ils t'accorderont peu à peu leur confiance.

De toute évidence, la confiance était une faiblesse aux yeux d'Enrique.

Sascha, elle, y voyait une bénédiction.

—Je suis prête à coopérer, mais je dois d'abord…

—J'ai déjà réglé ça avec Nikita, l'interrompit Enrique.

—En ce cas, je vous transmettrai les informations.

—J'aimerais que l'on se voie pour un compte-rendu quotidien.

Sascha avait dépassé le stade de la simple peur. Il était hors de question qu'Enrique puisse l'évaluer tous les jours.

—Je suis désolée, monsieur, mais ça risque d'interférer avec mon travail et je suis certaine que ma mère ne le souhaiterait pas. Je vous contacterai dès que j'aurai des informations valables à vous communiquer.

C'était une déclaration osée de sa part, et si elle s'était accordé le droit d'exprimer ses émotions, elle se serait mise à trembler.

La présence d'Enrique sur le PsiNet dardait sur elle un éclat aveuglant, et si froid qu'il lui donnait envie de frissonner.

—Ne tarde pas trop.

—C'est tout, monsieur?

—Pour l'instant.

Sascha se déconnecta du PsiNet et contacta aussitôt la direction de sa maison comme tout bon Psi l'aurait fait. Elle pouvait se servir sans problème de la télépathie à cette distance, ce qui lui permettrait au moins de ne pas avoir à surveiller sa conscience pendant un moment. Lors d'un appel télépathique, aucun des deux interlocuteurs ne pouvait voir l'autre.

Dès que Nikita lui répondit, elle lui rapporta les requêtes d'Enrique, se comprimant la poitrine si fort qu'elle faillit se faire craquer les côtes. Si jamais sa mère exigeait d'elle qu'elle se rende à ces entretiens quotidiens…

—*Enrique ne peut pas en exiger autant.* (La voix mentale de Nikita était glaciale.) *Je lui ai donné la permission de te demander des informations, pas de t'obliger à respecter un emploi du temps.*

Sascha se crut sur le point de s'écrouler de soulagement.

— *Mère, je pense qu'il serait préférable que je te communique les informations pertinentes et que tu… en fasses part à Enrique.*

Son hésitation avait été calculée. Nikita aimait se sentir en position de force.

— *Tu diriges notre maison ; dans tous les cas, c'est à toi que je dois m'adresser en premier lieu.*

Nikita garda le silence quelques secondes.

— *J'y ai déjà songé. Malheureusement, Enrique est trop puissant. Lui tenir tête ne serait pas sans conséquences, et c'est à toi qu'il veut parler.*

— *Tu pourrais peut-être lui signaler que c'est le premier projet que je gère seule, et qu'être en contact avec lui mettrait trop de pression sur mes épaules.*

— *Tu raisonnes comme une Duncan.* (Nikita était visiblement satisfaite.) *Il n'aura pas d'argument à m'opposer si je lui dis que je veux protéger le contrat.*

Le contrat, songea Sascha, *pas sa fille.* Même si elle aurait dû être habituée à l'indifférence des Psis pour les avoir côtoyés toute sa vie, sa peine la transperçait comme un poignard.

— *En ce cas, je peux me concentrer sur l'avancement du projet et te tenir informée ?*

— *Oui.*

Sur ces mots, Nikita s'éclipsa. Sascha s'accorda le droit de pousser un grand soupir de soulagement et se prit la tête dans les mains. Quelque chose n'allait pas, et ce n'était pas de la paranoïa de sa part. Pourquoi Enrique se souciait-il soudain autant d'une cardinale ratée à laquelle la plupart des Psis n'accordaient pas la moindre attention ? Et constater jusqu'à quel point Nikita acceptait de coopérer avec l'autre Conseiller la préoccupait doublement.

Son estomac se noua. Elle avait le sentiment qu'on se servait d'elle comme d'un pion dans un jeu dont elle ne connaissait pas les règles. Plus inquiétant encore, elle ignorait ce qui l'attendait en cas d'échec et mat… et ce qu'elle devait faire pour éviter d'en arriver là.

S'apercevant alors qu'elle était restée assise les yeux dans le vague, elle se leva et le ridicule de la situation lui apparut. Elle venait de s'entretenir avec deux membres du Conseil, assise sur le couvercle des toilettes. À cette pensée, elle étouffa un rire, releva le couvercle et ouvrit la porte.

Lorsqu'elle alla vérifier son apparence dans le miroir au-dessus du lavabo, elle fut surprise de voir que rien ne trahissait la légère crise d'hystérie qu'elle venait de traverser. Ses masques physiques tenaient bon, même si ceux de son esprit tombaient peu à peu en morceaux. Jetant un coup d'œil au cadran de son ordinateur, elle constata qu'elle s'était absentée près d'une demi-heure. Les changelings auraient beaucoup de questions à lui poser, et elle ferait mieux d'avoir préparé des réponses.

Avant de sortir, elle s'assura qu'elle renvoyait l'image exacte de ce qu'elle devait être ; pas un cheveu ne dépassait de sa natte serrée, les manchettes de son tailleur anthracite étaient parfaitement alignées et son visage si calme qu'elle réussit presque à se convaincre elle-même qu'elle n'avait pas l'estomac retourné.

Elle ne croisa personne dans le couloir, mais toutes les têtes se tournèrent vers elle lorsqu'elle entra dans la pièce où travaillaient Clay Bennett et les autres. Une paire d'yeux verts en particulier suivit ses moindres mouvements.

— Je m'excuse de vous avoir fait attendre, dit-elle sans leur laisser le temps de parler. On m'a appelée pour une conférence.

Lucas se tapota la tempe du doigt.

— Ce genre de conférence ?

Il esquissa un sourire.

Sascha mourait d'envie de le taquiner à son tour.

— Oui.

— Drôle d'endroit pour une conférence, fit remarquer Kit avec humour.

Ce ne fut qu'au commentaire du jeune homme arrivé entre-temps que Sascha s'avisa de sa présence, ce qui en disait long sur l'état de sa concentration.

Elle ne résista pas à répliquer.

— C'est-à-dire ?

Kit cessa de feuilleter la pile de documents sur le bureau de Clay et la regarda. Voyant qu'elle le dévisageait à son tour sans broncher, il se mit à rougir et Sascha repensa aux deux adorables petits léopards qu'elle avait caressés.

— Euh, eh bien… vous… vous ne… il faut que j'apporte ça en haut.

Il s'empara au hasard d'un paquet de feuilles et courut presque hors de la pièce.

— Tu devrais faire preuve d'un peu plus d'indulgence, c'était encore un bébé il y a peu.

Lucas semblait réellement amusé.

Sascha dut lutter pour ne pas sourire.

— Je posais une simple question.

Il plissa les yeux.

— Bien entendu.

— À quel moment considérez-vous que vos enfants ont atteint l'âge adulte ? demanda-t-elle pour le détourner du fait qu'elle venait de taquiner Kit sur un coup de tête.

Une étrange tension sembla s'établir dans la pièce.

— C'est donnant, donnant, chérie.

Le calme de son visage mettait en valeur ses cicatrices de Chasseur.

— On nous considère adultes à l'âge de vingt ans.

Leur éducation s'achevait officiellement à dix-huit ans, même si en réalité la plupart des Psis étaient déjà totalement conditionnés à seize. Les deux années supplémentaires servaient à combler les lacunes éventuelles.

— Il y a une différence majeure entre être considéré comme adulte et l'être vraiment.

— Vous pensez que vingt ans ce n'est pas assez vieux ?

— Les jeunes léopards doivent prouver leur maturité pour qu'on leur accorde le statut d'adulte.

Lucas était convaincu que Sascha avait volontairement taquiné Kit, même si son expression n'en laissait rien paraître. Lui n'était pas Psi : quand son instinct lui soufflait quelque chose, il l'écoutait.

Comme il s'en doutait depuis le début, cette Psi était très différente des autres. Assez pour constituer une menace... sauf si les siens ignoraient qu'elle était unique. Ça n'avait rien d'impossible ; certaines choses échappaient entièrement aux Psis, aveuglés qu'ils étaient par la certitude de leur supériorité.

L'instinct de Lucas lui disait que Sascha était la clé. S'il perçait le mystère qui l'entourait, il parviendrait peut-être à abattre les murs de la plus inhumaine de toutes les espèces.

— C'est une règle impitoyable.

— Notre monde est impitoyable.

Surtout quand les Psis imposaient leur loi. S'il n'y avait pas eu les changelings et les humains pour y mettre du cœur et de la spiritualité, le monde aurait été un enfer.

Lucas appela Clay dans son bureau lorsque Sascha fut retournée au siège social des Duncan.

— Tes impressions ?

— Elle est intelligente. Rien ne lui échappe.

—C'est le cas de tous les cardinaux.

À son grand étonnement, Clay secoua la tête.

—Certains d'entre eux sont tellement focalisés sur le cérébral qu'ils ne remarquent presque rien du domaine physique.

—Tu as été en contact avec eux.

Lucas ne cherchait pas à obtenir davantage de détails pour le moment. Même si le passé de Clay comportait de nombreuses zones d'ombre, il ne doutait pas que le léopard lui dirait ce qu'il avait besoin de savoir en temps voulu.

—Avec certains, confirma Clay. Je ne suis pas un spécialiste, mais ce que je peux t'affirmer c'est que Sascha ne colle pas au profil.

Voir ses soupçons confirmés renforça la détermination de Lucas à résoudre le mystère de Sascha.

—Qu'ont donné les recherches sur son passé ?

—Elle est bien ce qu'elle semble être : une cardinale qui n'a pas été intégrée dans leur cercle de pouvoir. (Clay frotta sa barbe naissante.) Rien que ça, c'est assez bizarre pour la démarquer. Tous les autres cardinaux adultes que nous avons suivis travaillent d'une façon ou d'une autre pour le Conseil.

Lucas se balança d'avant en arrière, songeur.

—Ce qui signifie que tout ça est une mise en scène, et qu'elle espionne pour le compte du Conseil...

—... ou alors que quelque chose ne va pas chez elle, acheva Clay, mettant en mots ce que Lucas ne voulait pas admettre. Si elle a été écartée de l'élite, elle ne nous est d'aucune utilité.

La panthère de Lucas sortit les griffes : il n'y avait rien d'anormal chez la femme qui avait retenu son intérêt.

—Attendons encore quelques jours, dit-il en repoussant sa bête. Pour l'heure, c'est notre seule option. Les autres

Psis ne veulent même pas envisager de conclure des affaires avec nous.

— On pourrait laisser la voie libre aux SnowDancer.

— S'ils commencent à s'attaquer à des Psis influents, on perdra toutes nos chances de régler cette affaire sans bain de sang.

Pour leur soutirer des informations, les SnowDancer envisageaient de torturer ceux qu'ils accusaient de couvrir les meurtres, Nikita Duncan comprise.

— Les Psis se retourneront contre nous tous, et ils n'épargneront pas les petits.

Clay acquiesça. Ils avaient déjà eu cette conversation auparavant et en étaient arrivés aux mêmes conclusions. DarkRiver était une meute puissante mais encore jeune. Ils avaient beaucoup de petits et de jeunes léopards à protéger. Si les Psis ripostaient après une attaque des SnowDancer, l'intégralité de la nouvelle génération risquait d'être éradiquée. Même la soif de vengeance de Dorian ne faisait pas le poids face à l'instinct profondément ancré de protéger leurs enfants.

— On ne lâchera la bride aux loups qu'en tout dernier recours.

Lucas espérait bien ne jamais en arriver là, mais il n'était pas naïf au point de s'imaginer qu'ils éviteraient la violence. Trop de femmes changelings étaient mortes, et tous réclamaient du sang. Du sang de Psi.

CHAPITRE 7

Cette nuit-là, lorsqu'il alla enfin se coucher après une longue réunion avec ses sentinelles, des visions de mort hantaient l'esprit de Lucas. Sa soif de venger les femmes de sa meute s'opposait au tout nouveau besoin qu'il ressentait : protéger Sascha. Si folle que puisse être une telle idée, il commençait à penser que c'était d'abord à elle qu'il devait sa loyauté.

Il semblait donc légitime que ses rêves se fassent l'écho de son désir bien réel. Lorsqu'il « s'éveilla » dans le monde des songes, il se retrouva allongé sur le ventre tandis qu'une main de femme caressait sa cuisse nue. Ce contact était aussi familier et acceptable pour la panthère – l'autre moitié de lui-même – qu'il l'était pour l'homme. Elle avait le privilège du contact rapproché. Il la regarda par-dessus son épaule.

— Te revoilà.

Sascha s'écarta brusquement.

— Tu parles.

— Je croyais qu'on avait mis ça au clair la dernière fois, la taquina-t-il. Pourquoi es-tu habillée ?

Non qu'elle ne fût pas exquise vêtue de son soutien-gorge blanc et de sa culotte assortie, mais il la préférait nue, avec sa peau scintillante qui s'embrasait sous l'effet de son ardeur.

Dans ses rêves, elle lui apparaissait telle qu'il la voulait : brûlante, pleine de désir et d'audace, alléchante à souhait.

— Je me suis dit que ça aiderait à freiner les choses.

Sa voix était calme mais elle rougissait et ses muscles se tendaient d'anticipation.

Il se mit à rire.

— Désolé, chaton. Je suis allé trop vite la dernière fois?

— Comment tu peux te rappeler l'autre rêve?

Elle fronça les sourcils.

— Et pourquoi pas?

Il se tourna sur le côté et posa la main sur sa taille tandis qu'elle s'agenouillait à côté de lui.

— Parce que c'était mon rêve, mon fantasme.

Haletante et douce, sa voix flattait les sens de Lucas.

— Peut-être que le fait que je m'en souvienne appartient à ton fantasme. Comment les choses évolueraient-elles sinon? dit-il, décidé à jouer le jeu.

Était-ce ainsi que Sascha se serait comportée si elle n'était pas née Psi? S'il avait rencontré cette créature sensuelle et têtue dans la réalité, il se serait promis de la courtiser jusqu'à ce qu'elle lui appartienne totalement.

Se tapotant la lèvre inférieure d'un doigt, Sascha hocha la tête.

— Ça se tient.

Sans prévenir, Lucas tendit la main et l'attira sur le lit près de lui. Les yeux de firmament de Sascha s'agrandirent de stupeur lorsqu'il se redressa pour s'allonger sur elle et l'enlacer. Elle ne put retenir un cri en sentant son membre chaud et rigide se presser contre son nombril. Dans la mesure où elle avait imaginé Lucas nu, il lui était à présent difficile de ne pas remarquer son érection.

Avant qu'elle ait pu lui dire qu'il n'avait pas le droit d'interférer dans le déroulement de son rêve, il se pencha et enfouit le visage dans son cou pour inspirer son odeur.

—Je ne serai jamais un amant docile, ni dans tes rêves ni ailleurs.

Elle referma les mains sur ses biceps.

—Mais…

—Chuuut.

Il lui mordilla doucement le menton. Elle le serra davantage.

—Si tu veux fantasmer sur moi, n'essaie pas de me changer. Prends-moi tel que je suis, avec mes mauvaises manières, mon côté dominant et tout le reste.

Il fit courir ses lèvres sur la mâchoire de Sascha puis l'embrassa. Un baiser fougueux et rapide, à sa manière.

—J'adore ta bouche, murmura-t-il. Alors, tu en dis quoi?

Le souffle court, elle prit une inspiration.

—Je n'ai envie de fantasmer sur personne d'autre.

La panthère de Lucas poussa un grognement presque caverneux.

—Je suis possessif et je marque mon territoire, dit-il en suivant ses courbes de la main. Tu peux supporter ça?

Sous sa paume, la peau souple des fesses de Sascha invitait à la morsure.

—Je peux toujours me réveiller sinon. (Un éclat de feu étincela dans ses yeux.) N'essaie pas de m'intimider.

Il sourit et, l'embrassant, lui fit un suçon dans le cou.

—J'essaierai tout de même, mais ça ne serait pas drôle si tu ne m'opposais pas de résistance.

Il aimait son état d'esprit, son obstination et son refus de se soumettre à ses moindres exigences.

Sascha fit remonter ses mains jusqu'à ses épaules puis les passa dans ses cheveux, sans cesser d'onduler sous lui. Il s'appuya sur un bras afin de pouvoir la caresser de sa main libre. Alors qu'il arrivait au niveau de sa poitrine, il prit l'un de ses seins en coupe et commença à le masser.

—Arrête ! s'écria-t-elle soudain.

Percevant une réelle détresse dans sa voix, il s'immobilisa.

—Je t'ai fait mal ?

Il scruta son visage des yeux.

Elle secoua la tête.

—Je ne peux pas supporter autant de sensations à la fois.

Un éclair de panique passa dans le ciel nocturne de ses yeux, que Lucas commençait à prendre l'habitude de voir dans ses rêves.

—Tu n'as rien à craindre du plaisir, dit-il sans retirer sa main. Cesse d'y résister.

—J'ai peur, chuchota-t-elle d'une voix rauque.

—Au point de laisser ta peur te contrôler ?

Au bout d'un moment de silence, elle secoua la tête ; sa nature combative reprenait le dessus.

—Si je dois mourir, au moins je saurai pourquoi.

Les poils de Lucas se hérissèrent.

—De qui as-tu peur ?

—Non. (Sascha posa un doigt sur ses lèvres.) Dans ce rêve, il est question de plaisir. On parlera de la mort dans le monde réel. Montre-moi ce qu'est le plaisir, Lucas. Initie-moi à ces choses que je ne connais pas.

Partagé entre ses instincts protecteurs et son excitation, Lucas finit par choisir les deux. Si c'était ce qu'il fallait pour chasser la peur des yeux de Sascha, il l'inonderait de plaisir. S'emparant de sa bouche en un baiser qui révélait sa nature sauvage, il libéra sa panthère. Alors que le grondement dans sa gorge passait ses lèvres, il sentit Sascha vibrer de la tête aux pieds.

Le gémissement qu'elle poussa attisa autant son désir que son besoin de la protéger. Il la laissa reprendre son souffle avant de la goûter de nouveau – avec plus de douceur cette fois – puis de lier sa langue à la sienne. Prise de court, Sascha sursauta d'abord avant de s'abandonner avec enthousiasme quelques secondes plus tard.

Assuré qu'elle était prête à poursuivre leur danse, Lucas cessa de l'embrasser pour mordre sa lèvre inférieure et descendit le long de son cou gracile. À demi caché par la dentelle de son soutien-gorge, le doux renflement de ses seins éveillait ses pulsions de mâle et il se délecta de sa poitrine généreuse.

—Ronronne pour moi, chaton.

Il couvrit de baisers sa peau nue.

Sascha frissonna.

—Je ne… ne suis pas un chat.

En riant, il saisit un de ses tétons entre le pouce et l'index. Sascha enfonça les doigts dans ses cheveux. Il tendit le cou pour savourer son contact et, comprenant ce qu'il voulait d'elle, elle lui griffa le crâne comme il le lui avait montré la fois précédente.

—Tu te rappelles, toi aussi.

Il lâcha son téton et se mit à le sucer avec insistance à travers la dentelle.

—Oh! oui, oui!

Elle agrippa frénétiquement ses épaules, mais Lucas n'avait aucune intention de brûler les étapes. Il souhaitait voir le plaisir l'assaillir par vagues avant de la consumer, jusqu'à ce qu'elle ne soit plus que passion et chaleur, abandon et supplications.

Délaissant son téton, il lui vola un autre baiser tandis que sa poitrine se soulevait sous lui. Elle avait un goût plus aigre que la fois précédente, comme si le piquant de sa nature remontait à la surface.

—Tu aimes ça? lui demanda-t-il tout contre sa bouche.

Sans attendre de réponse, il redescendit titiller le sein qu'il avait négligé.

Sascha s'arc-bouta presque tandis que les sensations se diffusaient dans son corps. Le poids de Lucas sur elle l'empêchait de se redresser complètement, mais il ne suffisait pas à l'immobiliser. Soudain, son érection reposait entre ses cuisses, tout contre son sexe. Lucas n'aurait eu qu'à écarter sa culotte pour la prendre. La posséder. La marquer.

Il sentit les griffes de sa bête s'acharner contre son enveloppe humaine.

Serrant les dents, il essaya de s'éloigner, mais Sascha l'enserra de ses jambes fines pour l'empêcher de bouger.

— Lâche-moi.

Il était dans un tel état d'excitation qu'il commençait à voir avec les yeux de sa panthère.

— Je ne peux pas résister plus longtemps.

— Bien sûr que si.

Il dut mobiliser toute la force de sa volonté pour retenir l'animal qui ne demandait qu'à prendre Sascha ; elle n'était pas encore prête. Toujours en appui sur un bras, il frotta son sexe contre sa chair offerte et sensible.

— Lucas ! s'écria-t-elle.

Elle laissa retomber les mains sur les draps qu'elle serra furieusement tandis qu'elle essayait de dompter son plaisir.

— Chuuut, dit-il pour l'apaiser, s'interrompant pour lui témoigner un peu de tendresse. J'aime t'entendre crier mon nom.

Il lui embrassa le front, puis les paupières, le bout du nez, les joues et enfin les lèvres. Avec douceur et lenteur, sans rien exiger en retour. Jusqu'à ce que le souffle de Sascha retrouve sa régularité et que ses yeux de firmament ne soient plus aveuglés par le désir. Puis il recommença à bouger sur elle.

Les paupières de Sascha papillonnèrent mais elle s'obligea à rouvrir les yeux. La sueur perlait sur sa peau de miel. Puissante et entêtante, son odeur musquée conviait aux plaisirs de la chair. Elle résista plusieurs minutes cette fois avant qu'il doive s'arrêter pour la calmer et qu'elle puisse supporter de nouvelles caresses.

Alors qu'elle se contenait de mieux en mieux, Lucas peinait à rester maître de lui-même. Il désirait cette femme avec une intensité inédite. Il voulait la ravager, l'adorer, la marquer. Mais même sa panthère savait que Sascha devait venir à lui de son plein gré. Il ne pouvait subsister entre eux ni doutes, ni barrières, ni hésitations. Lorsque la panthère se libérerait de ses chaînes et que son désir animal prendrait le dessus, Sascha devrait lui accorder une confiance aveugle. Sans quoi ils se briseraient tous deux.

Il lui retira son soutien-gorge pour dévorer des yeux ses seins magnifiques. Ivre de plaisir, elle n'eut pas la force de refuser les baisers dont il honorait ses courbes, ni les caresses qu'il lui prodiguait d'une main. Sans la presser, il la laissa se familiariser avec sa propre sensualité.

Ce qui faillit le rendre fou.

Lucas savait prendre son temps avec ses partenaires, mais c'était en général après s'être rassasié de leur corps et abreuvé de leurs cris de jouissance. Sa panthère n'était pas égoïste ; elle voulait simplement étancher un peu sa soif avant de s'amuser. Mais, cette fois-ci, Lucas était avec une femme qui avait avant tout besoin qu'il joue avec elle.

— Ne t'avise pas d'arrêter cette fois-ci ! lança-t-elle alors qu'il ralentissait le rythme.

Elle referma les mains derrière sa nuque pour l'attirer à elle.

— Je suis trop lourd.

Il se pencha juste assez pour effleurer les seins de Sascha. Langues mêlées, ils échangèrent un baiser enfiévré.

— En plus, dit-il en se détachant d'elle, tu n'as pas enlevé ça.

Il suivit du doigt l'échancrure de sa culotte et en profita pour caresser sa peau douce.

Sascha se passa la langue sur ses lèvres sèches.

— Je ne sais pas si j'arriverai à résister au contact de ta peau nue contre la mienne.

— On termine comme ça alors.

C'était dans la nature de Lucas d'insister... mais pas de forcer les choses. Il pouvait lui donner du plaisir sans pour autant goûter à la douceur de soie du sanctuaire étroit, chaud et humide entre ses cuisses. Il se pressa contre elle et se mit à décrire de lents mouvements circulaires.

Elle poussa un cri de jouissance au bout de quelques instants seulement et les muscles de son cou se contractèrent. Sentant le plaisir inonder Sascha, Lucas dut lutter pour contenir son propre orgasme. À peine capable de formuler une pensée cohérente, il glissa une main sous sa nuque pour l'embrasser... et se figea.

Les yeux de Sascha n'avaient plus désormais l'apparence d'un ciel nocturne. Des étincelles de couleur jaillissaient à la place des étoiles blanches, tels de spectaculaires feux d'artifice en miniature. Ni l'homme ni la panthère n'avaient jamais rien vu de si beau.

Lucas s'éveilla envahi d'un sentiment de satisfaction suprême. Il se demanda ce que sa Psi si pragmatique dirait s'il lui apprenait qu'elle l'avait déjà fait jouir deux fois d'affilée. Il sourit. Elle l'interrogerait certainement sur les détails techniques pour les consigner dans ce petit ordinateur qu'elle emmenait partout avec elle. Pourquoi donc l'imaginer dans cette situation l'attendrissait-il à ce point ?

Après s'être douché, il revint à sa chambre en sifflotant et jeta un coup d'œil au calendrier accroché au mur. Soudain, toute musique déserta son âme.

Comment avait-il pu oublier ?

Pas une fois au cours des vingt dernières années sa mémoire ne lui avait fait défaut ; jamais rien ni personne ne l'avait obnubilé au point qu'il occulte cette journée.

Il enfila un jean et un tee-shirt blanc puis se rendit à son bureau. Il fut soulagé de constater que Sascha n'était pas encore arrivée ; il se sentait incapable de gérer ses réactions ambiguës vis-à-vis d'elle ce jour-là. Il avait besoin de toutes ses facultés pour panser une cicatrice qui s'obstinait toujours à saigner.

— Je serai revenu à la nuit tombée, annonça-t-il à Clay. Si Sascha vient, occupe-toi d'elle.

Clay acquiesça sans poser de questions. Il connaissait la raison qui poussait Lucas à s'absenter à un moment aussi crucial. D'autres devoirs plus urgents l'appelaient.

Laissant la responsabilité de la meute à la sentinelle, Lucas monta dans sa voiture et entama le trajet qu'il effectuait chaque année. Il passa d'abord chez la fleuriste.

— Bonjour, Lucas.

Une petite brune à lunettes lui sourit du fond de la boutique lorsqu'il entra.

— Bonjour, Callie. C'est prêt ?

— Bien sûr. Ne bouge pas, je l'ai laissé dans la remise.

Il suivit Callie des yeux tandis qu'elle allait chercher sa commande – la même que tous les ans – et songea à ce qui la différenciait de lui. La fleuriste avait à peu près son âge, mais il émanait d'elle une telle innocence qu'il lui semblait avoir cent ans de plus. Non pas parce qu'elle était humaine et lui changeling ; non, il devait son vieillissement prématuré au sang et à la mort.

Elle réapparut une minute plus tard, un gigantesque bouquet de fleurs sauvages dans les bras.

— Une commande spéciale pour une personne chère.

Lucas n'avait jamais mentionné à qui il destinait ces fleurs. Ses blessures étaient trop profondes pour qu'il les expose à n'importe qui.

— Merci.

— Je l'ai mis sur ton compte.

— À l'année prochaine.

— Prends soin de toi, Lucas.

À peine revenu à sa voiture, un sentiment de froid et de solitude l'envahit. Une ombre planait toujours sur cette journée, comme si le désespoir de son enfance surgissait du passé pour le tourmenter.

Il lui fallut plus de trois heures pour sortir de la ville et gagner le cœur de la forêt. Après avoir abandonné son véhicule dans un sentier à l'écart, il parcourut le chemin restant à pied. Rien ne marquait l'emplacement où sa mère et son père avaient été enterrés, mais il trouva leurs tombes avec autant de facilité que s'ils lui avaient envoyé des signaux de bienvenue. Il leur avait choisi pour dernière demeure un bosquet dissimulé par les arbres.

— Salut, maman.

Il déposa la gerbe sur l'herbe touffue. Il ne déblayait jamais les tombes, ne cherchait pas à freiner l'avancée de la forêt. Ses parents avaient été tous deux des léopards qui se plaisaient dans la nature.

— Je t'ai apporté les fleurs qui aidaient toujours papa à se faire pardonner.

En ce lieu, il redevenait l'enfant qu'il avait été, regardant vivre et rire les deux personnes qui comptaient le plus pour lui. Jamais il n'aurait dû avoir à les regarder mourir. Il serra le poing sur son cœur tandis que les souvenirs inondaient son esprit.

Le hurlement de sa mère.

Ses propres pleurs, sa souffrance et son impuissance.

Le cri de désespoir absolu de son père à la vue de sa compagne qu'on exécutait sous ses yeux.

Une part de Carlo était morte à cet instant-là, mais il s'était obstinément raccroché à la vie pour mettre son fils en sécurité. Seulement alors s'était-il accordé le droit de rejoindre sa compagne assassinée. Shayla, une panthère noire comme son fils, avait été la raison de vivre de Carlo.

— Tu me manques, papa.

Lucas posa la paume sur le sol à côté des fleurs. On avait trouvé et enterré sa mère la première, puis, au moment d'ensevelir Carlo, Lucas avait voulu procéder à une nouvelle cérémonie. On les avait installés dans les bras l'un de l'autre. Au fond de lui, il espérait qu'ainsi ils s'étaient retrouvés.

— J'ai besoin que tu me guides.

Jamais il n'aurait dû devenir chef à vingt-trois ans à peine, mais la chose avait été inévitable. Lorsque Lachlan, le précédent mâle dominant, était mort brusquement deux ans après avoir cédé sa place, Lucas avait vu disparaître son dernier appui.

— Il faut que je sache si je prends les bonnes décisions. Et si tout ça ne débouchait que sur des morts supplémentaires ? Les Psis ne vont pas nous laisser annoncer au monde entier qu'ils ont brouillé les pistes pour couvrir un immonde meurtrier.

Alors qu'il parlait, les branches des arbres s'agitèrent en bruissant sous le souffle du vent, et il se plut à y voir le signe que ses parents l'écoutaient. Ils étaient seuls ; aucune de ses sentinelles ne le suivait jusque-là. Et personne ne lui posait de questions sur l'endroit où il se rendait.

Lucas resta des heures à parler à ces deux êtres extraordinaires qu'on avait privés de leur amour et de leur vie de la façon la plus atroce, et qui pourtant ne s'étaient jamais rendus. Carlo et Shayla s'étaient battus jusqu'au bout, fidèles aux courageux changelings qu'ils avaient été de leur vivant. Pas pour eux-mêmes, mais pour leur fils. Pour lui.

—Je ne vous décevrai pas.

Il essuya ses larmes, venues du cœur du petit garçon qui avait failli mourir avec ses parents. Seule sa soif de vengeance lui avait permis de survivre alors que tous le croyaient condamné.

Ce jour sanglant et les suivants l'avaient façonné, marqué à vie et endurci. Personne ne s'attaquait aux êtres qui lui étaient chers. Personne ne touchait à ceux qui lui appartenaient. Lucas avait prouvé qu'il était prêt à tuer quiconque osait essayer… sans exception.

Depuis son réveil, Sascha ne se sentait pas dans son état habituel. De crainte que les changelings remarquent l'étrange tristesse qui pesait sur elle, elle avait annulé ses réunions avec DarkRiver et trouvé de quoi s'occuper au siège social des Duncan, essayant de faire profil bas pour ne pas qu'Enrique vienne la trouver.

Elle fut soulagée lorsqu'elle put enfin rentrer chez elle, à l'abri des regards inquisiteurs des autres Psis. La noirceur qu'elle portait en elle avait empiré au cours de la journée jusqu'à étreindre douloureusement son cœur. Comme elle ignorait si c'était la conséquence de son état mental de plus en plus catastrophique ou un mal physique, elle avait envisagé d'aller consulter l'équipe médicale.

Elle y avait presque aussitôt renoncé. Elle ne savait pas ce que les M-Psis voyaient lorsqu'ils auscultaient un organisme. Et si ses processus mentaux étaient si aberrants que son corps en pâtissait, et que les médecins exigent qu'elle se soumette à d'autres tests ? Dormir lui semblait la meilleure solution. Si elle ne se sentait pas mieux le lendemain, elle essaierait de trouver un remède sans courir le risque de s'exposer à des examens approfondis.

Une nouvelle vague de douleur lancinante déchira son corps. Elle frémit et se massa les tempes. Elle posa les yeux sur son tableau de communication. Lucas connaissait peut-être un médecin qui ferait preuve de discrétion. Presque aussitôt, elle secoua la tête. Qu'est-ce qu'elle s'imaginait ? De toute évidence, Lucas considérait les Psis comme des automates sans cœur… Pourquoi lui viendrait-il en aide ?

Et pourquoi ne parvenait-elle pas à s'empêcher de penser à lui ?

Lucas ne croisa personne sur le chemin du retour. Après avoir garé son véhicule sur une place à l'écart, il courut le reste du trajet sous sa forme de panthère. La terre sous ses pattes résonnait comme un second battement de cœur. Escalader l'arbre qui menait à son repaire était aussi facile pour lui que de respirer.

Ce n'était pas aussi simple d'abandonner sa forme animale. Il voulait se terrer dans l'esprit de sa panthère et effacer la douleur de l'être humain. Une telle tentation était dangereuse car, si séduisante qu'elle fût, elle pouvait se révéler fatale. Il prenait le risque de devenir un renégat sans le moindre souvenir de son humanité, mais qui conserverait tout de même assez d'intelligence humaine pour occasionner bien plus de dégâts qu'un léopard normal. C'était pour cette raison que Lucas traquait les renégats. Ils étaient trop dangereux pour rester en liberté. Bien souvent, ils prenaient pour cible les membres de leur propre clan, comme si une part meurtrie d'eux-mêmes gardait le souvenir de ce qu'ils avaient été… et ne seraient plus jamais.

Poussé par l'instinct de protéger les siens, Lucas refusa d'écouter les sirènes du désespoir accumulé toutes ces années et donna l'ordre à son corps de se transformer.

Extase et agonie.

À la fois pur plaisir et douleur foudroyante, le changement ne prenait que quelques secondes mais semblait durer une éternité. Si quelqu'un avait assisté au processus, il aurait vu le corps de Lucas se désintégrer en milliers de particules lumineuses avant d'adopter une nouvelle forme. Un spectacle magnifique.

Mais, de l'intérieur, Lucas avait l'impression qu'on lui arrachait la peau tandis qu'émergeait une nouvelle silhouette. Une chaleur insoutenable le traversait du bout des doigts jusqu'aux pieds. Lorsqu'il ouvrit les yeux, il avait repris forme humaine et emprisonné sa bête derrière les murs de son esprit.

Nu, il entra dans la douche et ouvrit le robinet d'eau froide. La soudaineté du jet qui le transperça parvint à balayer de son esprit les derniers vestiges de la tentation. En règle générale, passer de l'animal à l'être humain ne lui posait aucun problème, mais il n'était pas dans un bon jour.

Il en arrivait presque à comprendre ce besoin qu'avaient les Psis de bannir leurs émotions. S'il ne ressentait rien, il ne se souviendrait de rien. Il n'aurait pas à faire son deuil. Et il ne souffrirait plus à chaque battement de son cœur bien trop humain.

CHAPITRE 8

Lucas avait pris peu à peu l'habitude de la voir surgir dans ses rêves. Lorsqu'elle lui toucha l'épaule, il roula sur lui-même pour la regarder. Il avait été sur le point de lui dire qu'il ne se sentait pas de jouer avec elle cette nuit-là, mais se reprit en la voyant. Vêtue d'une sorte de vieux pyjama en coton, les cheveux attachés en deux nattes, elle ressemblait à une adolescente de seize ans.

Il remarqua alors qu'il portait un pantalon de survêtement gris foncé identique à son pantalon préféré.

— Qu'est-ce qui se passe, chaton ?

Elle lui jeta un regard apeuré et perdu.

— Je ne sais pas.

Elle s'enserra de ses bras.

— Viens là, dit-il en l'invitant contre lui.

Après une courte hésitation, elle appuya la tête sur son torse et étendit les jambes à son côté.

— Je me sens si… lourde.

Elle avait posé sa main fine à côté de sa tête, sur l'épaule de Lucas.

— Moi aussi.

Le poids qui lui comprimait la poitrine aurait disparu le lendemain matin, mais son souvenir persisterait.

Elle le caressa là où battait son cœur.

— Pourquoi tu es triste ?

— Parfois je me rappelle que je ne peux pas protéger ceux que j'aime.

Sous ses doigts, les cheveux de Sascha étaient doux et soyeux.

Elle n'essaya pas de lui dire qu'il n'était pas Dieu, qu'il ne pouvait pas protéger tout le monde. Il le savait déjà, sauf qu'il y avait une différence entre le savoir et l'accepter. Ce qu'elle lui confia en revanche lui porta un coup au cœur.

— Je voudrais tellement que tu m'aimes.

— Pourquoi ?

— Parce qu'alors tu pourrais peut-être me protéger moi aussi.

Sa voix vibrait d'un chagrin glaçant.

— Pourquoi as-tu besoin qu'on te protège ?

Ses instincts de mâle reprenaient peu à peu le dessus sur le sinistre fardeau de ses souvenirs.

Elle se blottit contre lui et il resserra son étreinte.

— Parce que je suis détraquée. Et les Psis éliminent tout ce qui ne fonctionne pas parfaitement.

Elle lui caressait toujours le torse et il sentit une chaleur intense lui inonder le corps.

— Tu m'as pourtant l'air parfaite.

Elle ne répondit pas et se contenta de réitérer ses caresses. À son contact, il se sentit peu à peu apaisé. Un nouveau poids s'abattit sur lui, une sensation étrange, comme s'il allait se rendormir. Les ténèbres l'enveloppèrent tandis que la déclaration silencieuse de Sascha tournait dans son esprit comme un fleuve sans fin.

« Parce que je suis détraquée. Et les Psis éliminent tout ce qui ne fonctionne pas parfaitement. »

Sascha l'attendait lorsqu'il arriva au bureau le lendemain. Perturbé par l'inquiétante intensité de son rêve, il voulut entamer une conversation avec elle mais se heurta à un mur de briques. Elle lui semblait s'être terrée au plus profond d'elle-même, au point de pratiquement cesser d'exister.

— Tu vas bien ?

Il arrivait à sentir les ombres autour d'elle, à la sentir elle… comme si elle appartenait à sa meute.

— J'aimerais suggérer des matériaux différents de ceux que vous prévoyez d'utiliser, dit-elle au lieu de lui répondre. Mes recherches m'ont appris que ce type de bois réagira mieux à l'environnement du site.

Elle lui tendit un échantillon et un rapport d'un centimètre d'épaisseur.

Lucas palpa le morceau de bois, frustré par son intransigeance.

— Ce truc est moins cher.

— Ça ne veut pas dire que ça ne vaut rien. Je vous invite à lire le rapport.

— Je le ferai. (Il le mit de côté.) Tu as une mine affreuse, Sascha chérie.

Il était hors de question qu'il la laisse le repousser, pas après les événements de la nuit précédente. Elle était Psi et les rêves de Lucas n'avaient rien d'ordinaire. Il pouvait faire le rapprochement.

Elle serra son agenda électronique avant de reprendre son calme.

— J'ai mal dormi.

Chaque fibre de son être disait à Lucas qu'il était temps de la pousser dans ses retranchements.

— Ce sont tes rêves qui te tiennent éveillée ?

— Je vous ai déjà dit que les Psis ne rêvent pas.

Elle refusait de le regarder en face.

— Mais toi si, n'est-ce pas, Sascha ? dit-il d'une voix douce. Qu'est-ce que ça fait de toi ?

Elle releva brusquement la tête, et un court instant Lucas lut dans ses yeux la confusion la plus totale ; puis son agenda électronique – qu'elle traînait partout comme un doudou – sonna.

— Excusez-moi.

Elle sortit de la pièce et il sut que c'était à cause de lui, pas de son appel. Il avait été sur le point de l'atteindre. Si cet appel ne les avait pas interrompus…

— Merde !

Ses griffes transpercèrent la peau de ses mains, indiquant à quel point il avait perdu le contrôle de lui-même. Après les avoir rétractées, il partit sur les traces de sa proie fuyante.

Elle avait disparu.

Ria, son assistante administrative, lui transmit son message.

— Elle a dit devoir régler un détail mais qu'elle serait de retour pour la réunion de 14 heures avec Zara.

À cette nouvelle, Lucas cacha mal son mécontentement.

— Merci, dit-il sur un ton qui laissait entendre le contraire.

— Désolée. J'ignorais qu'il ne fallait pas la laisser partir. (L'humaine fit une moue qui déforma son joli visage.) Tu es censé m'avertir de ce genre de choses.

En couple avec un léopard de DarkRiver depuis sept ans, elle ne mâchait pas ses mots avec Lucas.

— Ce n'est pas un drame. Elle reviendra.

Où aurait-elle pu aller sinon ? S'il avait vu juste à son sujet, son propre peuple risquait de la rejeter.

Ce qui l'inquiétait, c'était qu'au lieu de réfléchir à la manière dont il pourrait exploiter la faiblesse de Sascha pour servir ses fins il se faisait du souci pour elle. La tournure inattendue des événements avait de quoi perturber l'homme et la bête… Comment une ennemie était-elle parvenue à obtenir sa loyauté ?

Elle ne se présenta à la réunion qu'une minute avant l'heure fixée.

— On y va ? dit-elle à Lucas pour toute entrée en matière.

Vêtue d'un tailleur-pantalon noir et d'une chemise blanche, son ton était aussi glacial et aussi cassant que du givre.

Même si les sentiments qu'elle éveillait en lui le préoccupaient, Lucas avait envie de la prendre dans ses bras et de l'embrasser jusqu'à ce qu'elle ronronne. À présent qu'il savait à quoi elle ressemblait sous sa carapace, jamais il ne l'aiderait à enterrer la femme qu'il avait entrevue. Sascha Duncan avait beau être une Psi, lui était un Chasseur.

— Bien sûr.

Il fit un geste du bras, résolu à lui laisser croire qu'elle avait gagné. Les embuscades sournoises fonctionnaient parfois mieux que les attaques de front.

— Zara se trouve sûrement à l'intérieur avec Dorian, l'un des autres architectes. Kit souhaite assister à la réunion. Tu n'y vois pas d'inconvénient ?

— Pas du tout. C'est aussi comme ça que j'ai appris le métier.

À peine entré dans la salle de réunion, Lucas comprit qu'ils allaient au-devant de problèmes. Dorian était debout dos à la fenêtre, les lèvres pincées et les muscles des épaules bandés au point qu'ils vibraient presque.

— Kit.

Lucas choisit de saluer d'abord le jeune léopard à côté de Dorian afin de laisser à la sentinelle le temps de se ressaisir.

— Salut, Lucas. J'ai les plans.

133

Kit lui indiqua une pile de tubes à documents sur la table, jetant un regard furtif à Sascha.

—Où est Zara?

Lucas ne lâchait pas Dorian des yeux; la sentinelle dévisageait Sascha depuis qu'elle était entrée dans la pièce. À côté de lui, comme si elle comprenait la gravité de la situation, Sascha restait murée dans un silence absolu.

Kit tira sur les manches de son pull marron et se passa la main dans les cheveux.

—Elle a été retenue.

Le ton de sa voix comportait un sous-entendu subtil… Il n'avait pas envie de discuter des affaires de la meute avec une étrangère dans la pièce.

Lucas prit la parole sans se détourner de Dorian et de la furie meurtrière qu'il contenait à peine.

—Tu veux bien nous laisser une minute, Sascha?

—Je vais attendre dehors.

Elle tourna les talons, passa la porte et la referma derrière elle.

—Qu'est-il arrivé? demanda Lucas.

L'autre homme montra les dents.

—Les SnowDancer ont perdu une de leurs femmes aujourd'hui.

Lucas sentit la fureur couler dans ses veines.

—Quand?

Kit répondit à sa place.

—Dorian dit que c'était il y a deux heures. L'un des lieutenants de Hawke vient de l'appeler.

—Ce qui veut dire qu'il nous reste une semaine avant de retrouver le corps.

La voix de Dorian était râpeuse et il serrait les poings si fort que les muscles de son cou saillaient.

— Il la gardera cette semaine et, lorsqu'il aura terminé son sale boulot, il la découpera en morceaux et l'abandonnera dans un endroit qui était sûr jusque-là.

Lucas n'essaya même pas de réconforter l'autre homme.

— Ils savent quelque chose ?

Même s'il refusait de recourir à la torture pour obtenir l'identité du tueur, une colère tout aussi intense que celle de Dorian rongeait le cœur de Lucas depuis le meurtre de Kylie. Guère plus âgée que Kit, la jeune femme avait été sous sa protection. Ce qu'on lui avait infligé était inhumain et sa panthère réclamait justice.

— Non.

Dorian se passa les mains dans les cheveux.

— Pourquoi tu ne ramènes pas ta Psi apprivoisée ici, qu'on la force à nous dire qui c'est ?

Voyant son regard lourd de menaces, Lucas comprit qu'il ne pourrait pas le laisser s'approcher de Sascha.

— Il est possible qu'elle ne sache rien, lui fit-il remarquer. Kit ?

— Oui.

— Va dire à Zara qu'on a besoin d'elle.

Ses yeux lui transmirent un message différent. Ce n'était pas de la femme lynx dont ils avaient besoin, mais de leur guérisseuse. Le sens de son regard aurait échappé à la plupart des autres jeunes, mais Kit avait déjà entamé sa formation de soldat… C'était la seule solution pour éviter à un futur chef de s'attirer des ennuis.

Le garçon hocha la tête.

— Je m'en occupe, dit-il avant de sortir de la pièce en courant.

Par chance, la guérisseuse faisait justement des emplettes en ville avec ses petits. Sa présence à leurs côtés était vitale : Dorian était à deux doigts d'exploser. Jusqu'à cet instant, Lucas ignorait à quel point sa maîtrise de lui-même était fragile. Il distinguait presque derrière ses yeux bleus de surfeur la rage qui cherchait à s'échapper. Le léopard était prêt à passer à l'attaque, à torturer et à tuer.

—Ce n'est pas en séquestrant une Psi que l'on obtiendra quoi que ce soit. Ils ne sont pas comme nous… Ils n'hésiteront pas à sacrifier un membre de leur famille.

Il s'avança pour se placer devant Dorian et l'empêcher de rejoindre la sortie.

—Elle appartient à leur fichu esprit collectif! Oblige-la à nous dire où se trouve la louve avant qu'il soit trop tard, bordel!

Sa voix vibrait de colère mais il n'avait pas encore totalement perdu le contrôle. Pour l'instant.

Lucas n'eut pas besoin de se retourner pour savoir que Sascha se tenait sur le pas de la porte… Il reconnaissait son odeur.

—Va-t'en, Sascha.

Sa panthère voulait l'attraper par la peau du cou et l'éloigner du danger.

—Non.

Dorian le poussa si fort que, si Lucas avait été humain, il lui aurait brisé les côtes. Même privé de la faculté à se transformer, le léopard latent n'était en rien diminué sur les autres plans.

—Dis-lui ce que fait ce taré. Dis-lui ce que son précieux Conseil lui cache.

Sascha s'avança dans la pièce et ferma la porte.

—De quoi est-ce qu'il parle? demanda-t-elle d'une voix ferme et glaciale.

D'une démarche résolue, elle vint se placer à moins d'un mètre d'eux. Ses yeux de firmament ne trahissaient aucune peur.

Lucas se dressait toujours entre elle et Dorian.

— Un tueur en série s'attaque aux femmes changelings depuis plusieurs années.

Il n'était plus temps de recourir à des subterfuges. Une vie était en jeu.

L'expression de Sascha ne changea pas.

— Nous n'avons pas de tueur en série au sein de notre population.

— Foutaises ! cracha Dorian. Le tueur est Psi et ton Conseil le sait. Vous êtes une race de psychopathes !

— Non, c'est faux.

— Pas de conscience, pas de cœur, pas de sentiments ! Tu as une autre définition de « psychopathe » ?

— Comment savez-vous que c'est l'un de nous ? l'interrogea-t-elle en essayant de contourner Lucas.

Il la repoussa d'une main.

— Ne t'approche pas trop. Dans son état, Dorian n'hésiterait pas à t'égorger à la place du meurtrier. Sa sœur est l'une des victimes.

Il lui adressa un regard lourd de sens afin de s'assurer que Sascha comprenait bien le message.

Après s'être tue un instant, elle recula d'un pas et laissa Lucas tenir Dorian à distance.

— Comment savez-vous que c'est un Psi ? répéta-t-elle.

— On a senti la trace d'un Psi sur le lieu du meurtre de Kylie.

Jusqu'à sa mort, Lucas se souviendrait de ce miasme qui l'avait pris à la gorge.

— Pour les changelings, vous avez une odeur reconnaissable entre toutes. Contrairement à nous et aux humains, vous ne dégagez que de la froideur et une puanteur métallique repoussante.

C'était pour cette raison que tant de changelings refusaient de travailler avec des Psis ou de vivre dans les bâtiments qu'ils avaient construits. D'après certains, on ne parvenait jamais à se débarrasser des relents.

Il crut voir le visage de Sascha s'assombrir, mais elle prit la parole d'une voix posée.

— Si c'est un tueur en série, pourquoi n'en avons-nous pas été informés ? Je n'ai rien entendu à ce sujet sur le Net ou par le biais des médias changelings et humains.

Dorian se retourna et frappa la vitre du plat de la main. Le verre se fissura.

— Ton Conseil a enterré les rapports, tout comme il a enterré les enquêtes. Les changelings et une poignée d'humains ont bien essayé d'exiger que les cas soient reconnus comme étant le fait d'un tueur en série, mais on n'a pas arrêté de leur mettre des bâtons dans les roues.

Lucas croisa le regard intense de Sascha et prit une décision qui, il le savait, pouvait s'avérer une erreur. Ils n'avaient plus le temps de procéder en douceur. Soit son intuition au sujet de Sascha se vérifiait, soit il s'était trompé sur toute la ligne.

— Des détectives travaillent en secret sur leur temps libre et les meutes de changelings divulguent les informations aux régions où il y a eu des victimes. Si on persévère, on trouvera le tueur.

Il n'avait aucun doute à ce sujet. Tous les changelings prédateurs avaient une chose en commun : si l'on s'attaquait à l'un des leurs, ils traquaient le coupable avec une détermination à toute épreuve, même si ça leur prenait des années.

— Qu'est-ce qui a changé ? Pourquoi êtes-vous en colère à ce point ? demanda-t-elle à Dorian.

Il y avait dans la voix de Sascha des accents qui ressemblaient à de la douleur.

Tête courbée, paumes appuyées contre la vitre, la sentinelle ne répondit pas. Lucas comprit que, pour éviter de laisser libre cours à sa fureur, il se repliait sur lui-même. C'était inacceptable. Dorian appartenait à la meute, et en aucun cas il ne devrait porter sa souffrance seul.

Lucas posa la main sur l'épaule de Dorian. Grâce aux liens de la meute, ce simple geste suffirait à contenir sa colère jusqu'à l'arrivée de Tamsyn.

— Les SnowDancer ont perdu une louve il y a deux heures. Si on ne la retrouve pas dans les prochains jours, elle réapparaîtra mutilée à un point qui donnerait la nausée même à un Psi.

Ils entendirent de l'agitation dans le couloir et Tamsyn se précipita dans la pièce, suivie de Kit et de sa sœur aînée Rina, une femme soldat sensuelle aux formes généreuses. Lucas se tourna vers Sascha.

— Attends-moi dehors.

Cette histoire ne regardait que leur meute. Même si Lucas désirait Sascha, elle restait une étrangère. Il avait pris le risque de lui révéler la vérité alors qu'elle était peut-être une ennemie.

Sascha regarda Dorian un long moment, puis tourna les talons sans mot dire et sortit de la pièce. Rina ferma la porte derrière elle pour l'exclure définitivement.

Sascha se rendit au salon public situé au rez-de-chaussée de l'immeuble. L'angoisse de Dorian résonnait toujours en elle. Jamais elle n'avait été en proie à une agonie aussi atroce. Elle dut user de toute sa volonté pour ne pas hurler sa souffrance avec lui. C'était presque comme si elle attirait la douleur et l'aspirait en elle jusqu'à ce qu'elle se fonde avec son propre insupportable fardeau.

« … *vous ne dégagez que de la froideur et une puanteur métallique repoussante…* »

Elle ne parvenait pas non plus à oublier les paroles de Lucas et la haine que les léopards avaient manifestée à son égard. Dorian, Kit, la belle blonde et même Tamsyn, tous l'avaient regardé comme si elle était l'incarnation du mal. Peut-être était-ce le cas. S'ils avaient raison, elle appartenait à une espèce prête à accepter le meurtre pour protéger son Silence.

Une vive douleur lui transperça le cœur comme un poignard. En haletant, Sascha essaya de l'étouffer mais celle-ci ne fit qu'empirer. Il fallait que ça s'arrête, qu'elle trouve le moyen d'aider Dorian avant qu'il la tue. Elle n'eut aucun mal à localiser le léopard. Il vibrait de colère et de rage, et le vide autour de lui s'emplissait de ténèbres absolues qui charriaient à l'infini l'écho de sa souffrance.

Sur le plan psychique, Sascha ne savait pas ce qu'elle faisait. On ne l'avait pas préparée à une telle épreuve ; elle ignorait même ce qu'elle essayait au juste d'accomplir. Elle s'avança vers les ténèbres qui encerclaient Dorian et prit sa douleur dans ses bras. Il y en avait tellement qu'elle débordait. Déterminée, Sascha continua à la regrouper jusqu'à ce que les ombres autour de lui se dissipent et que l'agonie qu'elle portait dans son cœur devienne plus facile à endurer.

Elle avait du chagrin plein les bras et ne voyait qu'une seule manière de s'en débarrasser, comme si un instinct enfoui dans son esprit lui dictait la marche à suivre. Mais elle ne pouvait pas rester là où elle se trouvait. À peine capable de voir devant elle, elle sortit de l'immeuble, tenant toujours sa récolte insensée.

Elle monta dans sa voiture, programma sa destination et passa en mode automatique. La souffrance devenait de plus en plus lourde à porter. Elle devait regagner son appartement où elle serait en sécurité avant que son esprit se fende sous la pression. Déjà, sa déficience était visible à travers le tremblement de ses doigts et les battements sourds de son cœur.

Elle fit appel à l'essentiel des forces qui lui restaient pour renforcer les boucliers mentaux qui la protégeaient du PsiNet. L'énergie qui la maintenait en vie était liée à ces défenses. Elles ne tomberaient que si elle mourait. Son seul espoir était d'atteindre son appartement avant de ne plus pouvoir porter les ténèbres et qu'elles la détruisent de l'intérieur.

Lucas sentit la douleur quitter Dorian.

— Tamsyn, qu'est-ce que tu as fait ? demanda-t-il alors qu'il serrait le corps de l'autre homme contre lui.

La guérisseuse passa les mains sur le visage de Dorian.

— Je viens à peine de commencer. Ce n'était pas moi. Dorian, qu'est-ce que tu as ressenti ?

— Comme si quelqu'un drainait ma douleur et que j'étais… apaisé.

Il secoua la tête et se redressa en position assise. Il n'avait pas honte d'avoir dû se reposer sur sa meute. C'était leur rôle ; s'il arrivait malheur à Lucas, Dorian lui viendrait en aide de la même manière.

Rina posa les doigts sur ceux de Dorian.

— Tu sembles…

Ne trouvant pas les mots, elle se tourna vers Tamsyn.

— … stabilisé, acheva Tamsyn alors que Lucas se remettait debout.

Dorian fronça les sourcils et repoussa ses cheveux.

— C'était un truc insensé. J'ai eu comme une impression de chaleur qui se diffusait en moi et balayait toute ma rage. J'ai de nouveau les idées claires. Pour la première fois depuis qu'on nous a pris Kylie, j'ai les idées claires.

Il laissa Rina le serrer dans ses bras et poser la tête sur sa poitrine.

Dorian fit courir sa main sur le bras nu de Rina et Lucas sut qu'il se rassurait au contact de sa peau et de son odeur, celle de la meute. Son attitude ne s'apparentait en rien à celle d'un homme envers son amante ; c'était une façon pour les membres de leur meute de se guérir mutuellement.

— Si ce n'était pas toi, qui alors ?

Le cœur de Lucas battait la chamade. Il venait d'être pris d'un doute si incroyable qu'il peinait à y croire lui-même. Mais, sur ce point précis, son instinct ne le trompait jamais, et il avait senti de l'énergie psychique se propager autour d'eux.

— Je ne connais personne capable d'accomplir ce que décrit Dorian. (Tamsyn marqua une pause.) J'ai entendu des rumeurs, mais rien de fondé.

Dorian regarda Lucas.

— Ça n'a pas d'importance, pour l'instant. Il faut qu'on retrouve cette femme avant que les loups deviennent fous. Ils sont encore sous le choc mais leur rage ne va pas tarder à prendre le dessus.

— On la retrouvera.

C'était la promesse d'un chef.

— Je vais demander à Sascha de nous aider.

— Une Psi ? répliqua Rina sèchement. Ils n'aident même pas leurs propres enfants.

— On n'a pas le choix.

Il n'existait pas d'autre moyen d'infiltrer le PsiNet.

Sascha était partie. D'après la réceptionniste du rez-de-chaussée, elle n'avait pas eu l'air dans son assiette.

— Elle a pris sa voiture et est partie. (La femme haussa les épaules.) Je voulais lui demander si elle se sentait bien, mais comme c'est l'une « d'eux » je me suis dit qu'elle ne voudrait pas que je la dérange.

— Merci.

Lucas fourra les mains dans ses poches.

— Tu crois qu'elle est allée tout raconter à son Conseil ? demanda Rina, descendue avec lui.

Même si les soupçons de la jeune femme étaient légitimes, une part de Lucas refusait d'y croire. Il sortit son portable, composa le numéro de Sascha et attendit. Pas de réponse.

— J'imagine qu'on le saura bientôt. Dis aux sentinelles de prévenir la meute.

Si le Conseil apprenait que DarkRiver complotait contre lui, il lancerait une attaque préventive.

Les Psis n'étaient peut-être pas capables de manipuler les esprits des changelings sans déployer une puissance considérable, mais ils pouvaient tuer s'ils le voulaient vraiment. Les petits léopards étaient les plus vulnérables ; il leur manquait encore les défenses naturelles qui rendaient les changelings plus âgés bien plus difficiles à atteindre.

Lucas regarda Rina s'éloigner tandis qu'il composait un autre numéro. D'ici à dix minutes, tous les membres de DarkRiver auraient été alertés. Les plus faibles seraient rapatriés dans les refuges, là où les soldats de la meute pourraient les protéger. Les changelings bénéficiaient au moins du fait que les Psis devaient les approcher de très près pour lancer une attaque psychique. Jamais un Psi n'était parvenu à tuer un changeling à distance.

Pourtant, quelqu'un venait de toucher Dorian à distance.

CHAPITRE 9

L'interlocuteur de Lucas décrocha.

— Hawke.

— Il se peut qu'il y ait eu des fuites au sujet de notre traque et que le Conseil soit au courant. Mets ta meute en sécurité.

— Si quelqu'un touche à un autre des miens, je l'étripe. (L'impitoyable chef des SnowDancer ne plaisantait pas.) Je déclare la chasse aux Psis ouverte.

La vision du corps ensanglanté de Sascha traversa l'esprit de Lucas. Il serra son téléphone.

— C'est possible qu'on retrouve votre louve à temps.

— Tu es sûr de ce que tu avances ?

— La probabilité est faible, mais on a une chance. Si vous passez à l'offensive maintenant, elle nous échappera et nos deux meutes en subiront les conséquences.

Les Psis savaient se montrer aussi sanguinaires que les SnowDancer, et en cas d'affrontement les deux camps subiraient des pertes considérables.

Il y eut un moment de silence. La colère du loup était palpable.

— Je ne pourrai plus contrôler les miens lorsqu'on retrouvera le corps.

— Et ce n'est pas ce que je souhaite.

Lucas n'était parvenu qu'à grand-peine à retenir les léopards de DarkRiver après le meurtre de Kylie. Les siens ne l'avaient écouté que parce que trois de leurs femmes venaient d'accoucher, et qu'aucun d'eux ne voulait laisser les nouveau-nés à la merci de l'ennemi. Dès que les mâles dominants et les soldats auraient eu le dos tourné, les petits et leurs mères auraient été exterminés sans autre forme de procès. Les Psis ignoraient le sens du mot « pitié ».

— Si vous déclarez la guerre, nous serons à vos côtés.

Lucas l'avait promis aux siens. Les mois suivant l'enterrement de Kylie, ils s'étaient arrangés avec d'autres meutes pour qu'elles accueillent leurs petits. Si le pire devait survenir, ces clans rattachés à DarkRiver élèveraient les enfants des léopards comme les leurs.

Nouveau silence. Même si les SnowDancer n'étaient pas en très bons termes avec les autres changelings, Lucas espérait que Hawke entendrait la voix de la raison et saurait se reposer sur leur alliance. Dans le cas contraire, ils allaient au-devant d'un carnage sans précédent depuis des siècles.

— Tu me demandes d'attendre alors que Brenna est en train de mourir.

— Sept jours, Hawke. C'est assez pour la retrouver.

Il se fiait à son instinct. Sascha ne les trahirait pas… ne le trahirait pas lui.

— Tu sais que j'ai raison. Lorsque les Psis verront qu'on les attaque, ils la tueront, c'est une certitude. Ils sont prêts à tout pour couvrir leurs arrières.

Hawke cracha un juron.

— Il vaudrait mieux pour toi que tu aies raison, panthère. Si tu me ramènes ma louve vivante, tu n'auras plus jamais à te soucier que l'on menace ton territoire. Si on retrouve son corps… on réclamera du sang.

— Du sang.

Sascha fut tirée de son sommeil par la sonnerie de son tableau de communication. Elle s'était effondrée dans le hall de son appartement et s'éveilla avachie contre la porte fermée, les jambes étendues devant elle. Il ne lui restait aucun souvenir de ce qui lui était arrivé après qu'elle fut sortie de l'ascenseur pour rentrer chez elle.

S'obligeant à se relever, elle se servit de la porte puis des murs comme appuis et s'avança tant bien que mal jusqu'au tableau. Le nom de Nikita apparut sur l'écran. Épuisée, Sascha se contenta de rester là où elle se trouvait et d'attendre que sa mère lui laisse un message. Elle consulta sa montre : 22 heures. Elle était donc restée inconsciente plus de sept heures. Terrifiée, elle vérifia l'état de ses boucliers. Ils avaient tenu bon. Son soulagement lui fit prendre conscience d'un autre détail : la douleur engendrée par le chagrin et la rage qui l'avait vidée de ses forces s'était envolée. Elle ne parvenait pas à se rappeler par quel moyen elle s'en était débarrassée, et ne voulait d'ailleurs pas y penser. Elle ne voulait penser à rien du tout.

Une longue douche l'aida à se vider la tête quelques minutes. Elle resta ensuite assise sans bouger et essaya par la méditation d'accéder à un état de transe. Elle refusait d'admettre ce qu'elle avait découvert ce jour-là. C'était la goutte de trop ; son cerveau ne pouvait pas en supporter davantage. Elle enchaîna les exercices d'échauffement mental.

Lorsque enfin elle se décida à rappeler Nikita, elle était parvenue dans une certaine mesure à reprendre contenance. Le visage de sa mère apparut à l'écran.

— Sascha. Tu as eu mon message.

— Je suis désolée de ne pas avoir été joignable, mère.

Elle ne lui expliqua pas pourquoi elle n'avait pas répondu. En tant que Psi adulte, elle avait droit à sa vie privée.

— Je voulais savoir où tu en étais avec les changelings.

— Je n'ai rien à signaler, mais je suis sûre que ça ne va pas durer.

Pour l'heure, seul un fil ténu l'empêchait de sombrer dans la folie et elle ne savait pas qui elle devait croire.

— Ne me déçois pas, Sascha. (Nikita scruta son visage de ses yeux marron.) Enrique est mécontent de toi… On doit lui donner du nouveau.

— Pourquoi est-ce qu'on devrait lui donner quoi que ce soit ?

Nikita se tut, puis hocha la tête comme si elle venait de prendre une décision.

— Rejoins-moi à mon appartement.

Dix minutes plus tard, Sascha se tenait à côté de sa mère et regardait par la fenêtre les ténèbres scintillantes de la ville sur le point de s'endormir.

— Qu'est-ce que ça t'évoque ? demanda Nikita.

— Le PsiNet.

La ressemblance était très approximative.

— Des lumières ternes. Des lumières aveuglantes. Des lumières vacillantes. Des lumières mortes.

Nikita croisa les mains devant elle.

— Oui.

Sascha sentait quelque chose cogner au niveau de sa nuque, plus agaçant que douloureux. Une réminiscence des événements de l'après-midi ? S'ils avaient bel et bien eu lieu. Et si elle s'était inventé de toutes pièces ce scénario psychique ? Il fallait peut-être y voir le signe que sa démence gagnait du terrain. Rien ne prouvait qu'elle ne s'était pas simplement évanouie.

Plus elle y songeait, plus elle était convaincue d'avoir élaboré cette histoire pour tenter de justifier la fragmentation de sa psyché. Elle ne voyait pas d'autre explication valable. Ce qu'elle s'était imaginé accomplir ne ressemblait à aucun don psychique connu.

— La lumière d'Enrique est très vive.

Elle se força à écouter ce que disait sa mère.

— La tienne aussi. Vous appartenez tous deux au Conseil.

Tout comme Enrique, Nikita était dangereuse ; le poison de son esprit était aussi mortel que le plus redoutable des virus biologiques.

— Bien des Conseillers se réjouiraient de ma mort.

— Pas que des Conseillers.

— Oui. Il y a toujours des aspirants, dit Nikita sans cesser de contempler la nuit. Il est indispensable de pouvoir compter sur des alliés.

— Enrique est ton allié ?

— En quelque sorte, oui. Il suit ses propres ambitions, mais il surveille mes arrières et je surveille les siens.

— Ce qui signifie qu'on ne peut pas se permettre de le contrarier ?

— Ça compliquerait les choses.

Sascha savait lire entre les lignes. Si Enrique n'obtenait pas ce qu'il voulait, la vie de Nikita pourrait être menacée.

— Je trouverai des informations à lui donner. Mais dis-lui que, si j'insiste trop, nous risquons de ne rien obtenir du tout.

— Tu sembles sûre de toi.

— Tu peux déjà lui dire que, contrairement à ce que les Psis croient en général, les changelings ne sont pas stupides.

Lorsque, comme elle, on avait vu l'incroyable éclat d'intelligence dans les yeux de Lucas, on ne pouvait plus admettre une idée aussi ridicule.

— Ils ne se confieront pas à une Psi qui est de toute évidence venue les espionner. Si j'y vais en douceur, ils m'en livreront davantage. Nous avons des mois devant nous.

Elle ne pouvait pas en dire autant pour elle-même. Elle en était arrivée au point où elle se disloquait et tombait en morceaux ; cette journée en avait été la preuve flagrante. Désormais, le sens de ses propres actes lui échappait. Même à cet instant précis, elle mentait à sa mère de manière éhontée et gardait pour elle tout ce qu'elle savait, sans comprendre pourquoi.

— Je le lui dirai. Bonne nuit, Sascha.

— Bonne nuit, mère.

Sascha n'arrivait pas à trouver le sommeil. Elle avait testé toutes les astuces possibles et imaginables pour s'endormir, sans succès. Après les rêves délicieux des derniers jours, le retour à la réalité était rude. Depuis sa rencontre avec Lucas, les symptômes physiques de sa désintégration mentale s'étaient stabilisés. Elle avait pris l'habitude de goûter un sommeil paisible, sans terreurs nocturnes ni douleurs musculaires.

Elle finit par abandonner et se mit à déambuler dans sa chambre, d'un coin à l'autre, d'un mur à l'autre, de gauche à droite et de droite à gauche. Encore et encore.

Un tueur en série… des femmes changelings… une puanteur métallique… le Conseil… un psychopathe…

Dans les heures qui avaient suivi sa conversation avec Nikita, elle s'était servie de tous les appareils électroniques à sa disposition pour mener en douce quelques recherches sur le réseau Internet des humains et des changelings. On avait bien signalé les meurtres mais, au lieu de faire la une des journaux et des revues les plus influents, ils n'avaient été rapportés en détail que sur des sites obscurs que personne ne prenait vraiment au sérieux. Ce qui n'empêchait pas que ces meurtres avaient eu lieu et qu'ils n'étaient pas passés inaperçus.

Pour ensuite se volatiliser mystérieusement.

« Le tueur est Psi et ton Conseil le sait. »

Les paroles haineuses de Dorian résonnaient encore dans sa tête.

—Non, murmura-t-elle tout haut.

Il avait forcément tort ; ses émotions devaient avoir pris le pas sur sa raison. Les Psis n'éprouvaient ni rage, ni jalousie, ni envies de meurtre. Les Psis n'éprouvaient rien du tout. Il n'y avait pas à revenir là-dessus.

Sauf que Sascha était la contradiction vivante de cette certitude.

—Non, répéta-t-elle.

Oui, elle ressentait des émotions… mais un tueur en série, lui, n'aurait pas pu cacher une déficience aussi énorme alors que le protocole Silence était en place. Personne ne détenait un tel pouvoir.

« C'est le Conseil. Il est au-dessus des lois. »

Ses propres mots revenaient la hanter. Et si… ?

—Non.

Elle regarda le mur blanc devant elle, refusant de croire si vite sa mère coupable d'aider un meurtrier à échapper à la justice.

Même si Nikita n'avait jamais eu l'instinct maternel, Sascha restait aussi attachée à elle qu'un enfant pouvait l'être à ses parents. Sa mère était la seule présence stable dans sa vie. Elle ne connaissait pas son père, sa grand-mère s'était montrée distante, et elle n'avait ni cousins ni frères et sœurs. Certes, en avoir n'aurait pas changé grand-chose. Ils n'auraient pas été moins froids que la femme qui l'avait mise au monde.

151

Elle devait en apprendre davantage.

Sa décision prise, elle commençait à composer un numéro sur le tableau de communication lorsqu'elle se ravisa. Depuis qu'Enrique s'intéressait à elle d'un peu trop près, elle craignait d'avoir été mise sur écoute. Elle prit un blouson en similicuir qu'elle passa par-dessus sa chemise noire et son jean, puis alla à sa voiture.

Ce ne fut qu'en vue de l'immeuble de DarkRiver qu'elle se mit à réfléchir.

Il était 2 heures. Elle n'y trouverait personne.

Encore moins l'homme à qui elle voulait parler. Mains crispées sur le volant, elle gara sa voiture dans le parking désert et se laissa retomber sur son siège. C'était son instinct qui l'avait poussée à venir, à chercher Lucas.

Lucas.

Tandis qu'elle restait là à regarder les ténèbres, elle repensa à la manière dont son regard s'était durci lorsqu'il avait mentionné la « puanteur métallique » des Psis. Elle sentit les larmes lui monter aux yeux. Quelle idée avait-elle eu de s'inventer de tels rêves ? Même si elle n'avait pas risqué la rééducation pour ça, ils étaient irréalisables. Pire encore, elle les avait élaborés en parfaite connaissance de cause.

Elle s'était accordé ces moments, cachée au plus profond de son subconscient, pour explorer ses envies, ses appétits, et elle avait été pleinement consciente de ce qu'elle faisait. Elle se souvenait de Lucas, de la sensation sous ses doigts de sa peau si chaude et si réelle ; du moindre son qui était sorti de sa bouche, de l'éclat de ses yeux merveilleux ; de chacune de ses exigences, de chacun de ses désirs.

Des mensonges, rien de plus. Elle avait inventé les réactions de Lucas de toutes pièces, comme le reste. Ces rêves n'étaient que le fruit de ses propres fantasmes. Elle l'avait imaginé la serrant dans ses bras, allant jusqu'à éprouver des sentiments pour elle… C'était pathétique. Elle frappa le volant du plat de la main puis ouvrit la portière pour étendre les jambes hors de la voiture et respirer l'air de la nuit.

S'extirpant du véhicule, elle s'appuya contre la partie du capot la plus proche du siège conducteur et regarda le ciel. Des diamants sur du velours, voilà à quoi il ressemblait. Elle savait que ce n'était pas grâce aux Psis qu'il était si dégagé, mais aux humains et aux changelings – surtout aux changelings –, qui luttaient contre la pollution pour que leur monde ne perde pas sa beauté.

C'était un peu à eux qu'elle devait de ne pas avoir complètement perdu l'esprit.

Même lorsqu'elle réintégrait cette cage qu'était le monde des Psis, le firmament scintillant lui offrait un spectacle dont personne ne pouvait la priver. On ne pouvait pas lui reprocher de contempler le ciel.

Elle perçut un mouvement à sa gauche.

Sascha fit volte-face mais ne trouva que les ténèbres silencieuses ; la haie qui délimitait le parking l'empêchait de voir plus loin. Avec prudence, le cœur battant si fort qu'elle sentait ses moindres vibrations, elle sonda mentalement les alentours.

Et frôla une chose si chaude et si vivante que son contact lui fit l'effet d'une brûlure.

Elle se rétracta aussitôt. Quelques secondes plus tard, une main se posa sur son épaule. Si elle n'avait pas reconnu son empreinte émotionnelle avant qu'il l'atteigne, elle aurait sursauté de terreur et réduit en cendres toutes ses sécurités.

Se retournant, elle se retrouva nez à nez avec l'homme qu'elle cherchait.

— Vous êtes habillé, lâcha-t-elle sans réfléchir.

Même s'ils ne le couvraient guère, il portait bien des vêtements : un jean taille basse et un vieux tee-shirt blanc qui mettait en valeur chaque muscle de son superbe torse. Les hormones de Sascha s'éveillèrent aussitôt et son corps tout entier se tendit vers lui malgré les graves préoccupations qui pesaient sur sa conscience.

Il se mit à rire.

— Je laisse toujours des vêtements à portée de main aux endroits où je risque de me transformer souvent.

— Qu'est-ce que vous faites là ?

Le silence enveloppa la nuit, créant entre eux une dangereuse intimité.

— Tu ne la détaches jamais ? dit-il en tirant sur la natte qui retombait sur la poitrine de Sascha.

— Parfois, quand je dors.

Elle ne se dégagea pas, et parvint presque à se convaincre qu'elle ne lui cédait que parce que c'était dans la nature des changelings de toucher à tout, et que ça n'avait aucun rapport avec ses propres désirs.

Il esquissa lentement un sourire qui illumina la beauté sauvage de ses traits.

— J'aimerais bien voir ça.

— Je croyais qu'on sentait mauvais ?

L'insulte continuait à la faire souffrir.

— La plupart des Psis, oui. Mais ce n'est pas ton cas. (Il se pencha vers son cou et huma sa peau.) À vrai dire, je trouve ton odeur plutôt… enivrante.

Elle dut mobiliser toute sa concentration pour ne pas trahir le trouble que lui causait une telle proximité.

— Tant mieux, ça rendra notre collaboration plus facile.

— Chérie, ça va rendre toutes sortes de choses plus faciles.

La chaleur que dégageait son corps était comme une caresse, intime et exquise.

Elle était suffisamment intelligente pour comprendre qu'il flirtait avec elle. Elle l'avait observé avec Tamsyn et Zara. Il ne touchait aucune de ces femmes comme il la touchait elle. Mais pourquoi se comportait-il ainsi ? La soupçonnait-il de cacher sa véritable personnalité, ou bien se contentait-il de s'amuser à ses dépens ?

— Vous n'avez pas répondu à ma question.

— Ça devrait être à moi de te la poser, non ?

Il lâcha sa natte et s'appuya contre la voiture en posant un bras sur le toit. Il se tenait beaucoup trop près au goût de Sascha, mais elle ne pouvait pas bouger.

— Qu'est-ce que tu fais sur mon territoire, Sascha ?

Les mots faillirent rester coincés dans sa gorge.

— Je voulais vous parler au sujet de ce que vous m'avez dit cet après-midi.

Il se passa la main dans les cheveux et elle suivit des yeux son geste fluide. Elle le soupçonnait de conserver la même grâce lorsqu'il traquait et tuait ses proies.

— Drôle d'heure pour ça.

Elle ne se voyait pas lui avouer qu'elle était venue parce qu'elle ne maîtrisait plus ses émotions.

— Je ne m'attendais pas vraiment à trouver quelqu'un ici, mais j'ai décidé de venir au cas où.

— « Quelqu'un » ?

Il haussa un sourcil.

— Vous, avoua-t-elle, consciente qu'il ne lui servirait à rien de mentir. Qu'est-ce que vous faites là ?

— Je n'arrivais pas à dormir.

— Des cauchemars ?

— Pas de rêves du tout, chuchota-t-il d'une voix rauque. C'était bien ça le problème.

Comme sous l'impulsion d'une reconnaissance mutuelle, une émotion qui n'aurait pas dû exister passa entre eux. Ils ne s'étaient jamais vraiment touchés, n'avaient jamais eu de conversations autres que professionnelles. Et pourtant ce lien qui se tissait entre eux existait bel et bien, et il ne cessait de se resserrer.

— Pourquoi être venu ici ?

— Mon instinct, dit-il. Peut-être m'as-tu attiré à toi.

— Je n'ai pas ce talent.

Encore une de ses déficiences. Une cardinale sans pouvoirs ; c'était une farce monumentale.

— Et même dans le cas contraire, je ne m'en servirais jamais pour faire venir quelqu'un contre sa volonté.

— Qui te dit que c'était contre ma volonté ? (Il allongea le bras posé sur le toit de la voiture pour jouer avec une mèche de ses cheveux.) Si on allait discuter ailleurs ? Je doute que quelqu'un nous surprenne ici, mais si ça arrivait je ne crois pas que ta mère comprendrait.

Elle hocha la tête.

— Oui, vous avez raison. Où alors ?

Il tendit la main.

— Tes clés.

— Non.

Sa tolérance avait des limites et Lucas Hunter venait de les dépasser.

— C'est moi qui conduis.

— Quelle tête de mule ! (Il se mit à rire et contourna la voiture pour accéder au siège passager.) Je te laisse les commandes, Sascha chérie.

Elle monta dans la voiture et alluma le moteur.

— Prends la rue à gauche.

— Où est-ce qu'on va ?

— Dans un endroit sûr.

Il la fit traverser le Bay Bridge puis passer par Oakland. Alors qu'ils arrivaient déjà aux portes de Stockton, là où la nature sauvage commençait à prendre le relais, ils poursuivirent leur route. La végétation devenait de plus en plus dense, et Sascha comprit qu'ils entraient dans l'une des immenses régions boisées de Yosemite. Même si sa voiture était puissante, elle roula près de deux heures avant que Lucas lui dise de s'arrêter.

— Vous êtes sûr qu'on doit s'arrêter ici ?

Il n'y avait que des arbres à perte de vue.

— Oui.

Il sortit.

N'ayant pas d'autre choix, elle l'imita.

— On va discuter ici ? On pourrait tout aussi bien rester dans la voiture.

— Tu as peur ? murmura-t-il à son oreille.

Sa rapidité était effrayante. Il ne lui avait fallu que le temps d'une phrase pour contourner la voiture et la rejoindre.

— Ça ne risque pas. Je suis une Psi. J'ai simplement du mal à comprendre votre logique.

— Peut-être que je t'ai amenée ici pour te séquestrer.

Il posa la main sur la hanche de Sascha.

— Si vous vouliez me faire du mal, vous auriez pu en profiter dans le parking.

Elle se demanda de quelle manière elle devait réagir à la main sur sa hanche. Comment un Psi normal se comporterait-il ? Un Psi normal se serait-il seulement mis dans une situation pareille ? Elle n'en avait pas la moindre idée !

Lucas fit remonter sa main jusqu'à sa taille.

— Arrêtez.

— Pourquoi ?

— Un tel comportement est inacceptable.

Elle prit soin de détacher chaque mot avec le plus grand calme… C'était le seul moyen pour elle de lui résister. Elle qui avait si peu l'habitude des sensations en devenait l'esclave au fur et à mesure que les fantasmes dont elle se délectait dans son sommeil s'insinuaient peu à peu dans la réalité.

Il s'écarta aussitôt.

— Tu parles comme un Psi.

— Vous vous attendiez à quoi ?

Lucas regarda Sascha dans les yeux, ces yeux de firmament qui revêtaient un éclat inquiétant dans les ténèbres.

— À plus, se surprit-il à répondre. Je m'attendais à ce que tu sois plus que ça.

Avant qu'elle ait pu rétorquer, il s'éloigna.

— Suis-moi.

Il remettait déjà en question sa décision d'amener Sascha dans son repaire. Son bon sens lui disait que c'était une idée stupide. Et pourtant, poussé par des instincts bien plus vieux que la raison humaine, il n'avait pas pu s'en empêcher. Sa panthère la voulait sur son territoire.

Lorsqu'il l'avait trouvée dans le parking, entraîné là par des pulsions qu'il comprenait à peine, il lui avait semblé enfin entrevoir la vraie Sascha. Sauf qu'à en juger d'après la façon dont elle se comportait, la vraie Sascha n'existait que dans sa tête.

Se méprenait-il à son sujet depuis le début ?

Il la mena sur le sentier caché qui passait sous son repaire ; la plupart des gens ne s'attendaient jamais à ce que le danger se trouve au-dessus de leurs têtes.

— Jusqu'où tu peux sauter ?

Elle leva les yeux.

— Une aire ?

— Je suis un léopard. Je grimpe.

Même sous sa forme humaine, Lucas pouvait sauter plus haut et plus loin, ainsi qu'escalader plus vite que n'importe quel humain et que la majorité des changelings. C'était en partie ce qui faisait de lui un chef et un Chasseur.

— Votre maison est très éloignée de votre lieu de travail.

— J'ai un appartement en ville que j'utilise lorsque je suis pressé par le temps. Allons-y.

— Il y a un autre accès ?

Elle observait le tronc lisse de l'arbre gigantesque qui soutenait de ses branches la maison de Lucas. Comme les autres arbres de la forêt – des conifères pour l'essentiel –, il était parfaitement droit. Mais cette espèce possédait une ramure impressionnante qui se déployait dans toutes les directions et masquait la lueur des étoiles.

— Je crains que non. Tu vas devoir t'accrocher.

Il tourna le dos vers elle.

Au bout d'une minute de silence, il sentit deux mains hésitantes se poser sur ses épaules et faillit lâcher un rire de soulagement. Les actes de Sascha en disaient bien plus long que son ton glacial : son pauvre chaton était effrayé et ne connaissait pas d'autre façon de gérer sa peur.

Il s'était retrouvé au contact des siens bien plus souvent qu'elle l'imaginait, même s'il avait surtout côtoyé des Psis de rang inférieur auxquels le Conseil ne prêtait aucune attention. Mais tous avaient en commun une absence totale de réactions à la plupart des stimuli.

En revanche, il avait surpris Sascha contemplant le ciel étoilé comme s'il contenait des milliers de rêves. Il l'avait regardée jouer avec des petits léopards d'une manière qu'on pouvait qualifier d'« affectueuse ». Et il l'avait sentie le toucher comme s'il la bouleversait au plus profond de son intimité.

—Mieux que ça, chérie, dit-il d'une voix caressante, poussé à la taquiner par le félin en lui. Serre-toi plus près.

—Ce serait peut-être plus simple de discuter dans la voiture.

Les instincts de Lucas s'emballaient. Sa petite Psi était de toute évidence perturbée par son corps. Bien. Profitant du fait qu'elle ne pouvait pas le voir, il sourit.

—J'ai de la nourriture là-haut, et en ce qui me concerne je meurs de faim. J'ai couru jusqu'à toi, tu te rappelles ?

—Bien sûr, je comprends.

Elle colla son corps sensuel contre lui, puis passa les bras sous ceux de Lucas pour lui agripper les épaules.

Il réprima un ronronnement. Son corps réagissait au contact de celui de Sascha autant que si ses rêves avaient été parfaitement réels. Il lui effleura les cuisses du bout des doigts.

—Saute.

Comme s'ils se fondaient en un seul être, elle enlaça la taille de Lucas de ses jambes alors qu'il prenait son élan. Prêt à entamer son ascension, il sortit les griffes pour assurer sa prise sur la surface lisse du bois.

—Accroche-toi.

Le corps de Sascha se frottait au sien à chaque mouvement. Sa poitrine généreuse s'écrasait contre son dos, une douce pression qu'il était ravi d'endurer. Même à travers son blouson en similicuir, il sentait le poids des beaux seins qu'il avait vus dans ses rêves et au sujet desquels il n'avait cessé de fantasmer. Comment pourrait-il s'y prendre pour la tenter de faire de ses rêves une réalité ?

Elle raffermit sa prise tandis qu'il grimpait toujours plus haut, et il put sentir la chaleur de la jeune femme tout contre son dos. Il se remémora la teneur de son dernier rêve érotique. En souriant, il prit une profonde inspiration et empoigna la dernière branche.

Seigneur!

Le parfum du désir emplit ses narines et libéra la bête tapie en lui. Sa panthère s'en délectait, le goûtait sur sa langue, en réclamait davantage. Lucas ne savait peut-être pas lire dans les pensées, mais il connaissait assez le langage des corps pour comprendre à quel point celui de Sascha voulait le sien.

Chapitre 10

Lorsqu'il se réceptionna sur son porche tapissé de feuilles, il bandait littéralement. Il se félicita de ne pas avoir rentré son tee-shirt dans son pantalon. Sascha ne serait pas rassurée de le voir prêt à passer à l'acte. Lui-même était en proie à un certain malaise ; elle avait beau être différente de tous les autres Psis qu'il avait rencontrés, elle n'en restait pas moins Psi.

Elle appartenait au camp ennemi.

Il avait promis aux siens qu'il ne permettrait plus qu'on enlève leurs femmes et leur avait juré de régler cette histoire, peu importe le prix.

— Tu vois, chaton, ce n'était pas si difficile que ça, si ?

Il rentra les griffes tandis que Sascha se laissait glisser de son dos.

Elle arracha son corps du sien comme s'il l'avait brûlée. Malgré ce qu'il venait à peine de se rappeler, il dut lutter contre l'envie de se rengorger. Consciemment ou non, cette femme le désirait.

— Entre.

Sans se retourner vers elle, Lucas ouvrit la porte.

Sascha respirait avec difficulté. Elle pensait encore au contact de Lucas contre la partie sensible de ses cuisses, et ses muscles se contractèrent en écho à ce souvenir. Elle étouffa un gémissement… Les murs de son esprit s'effondraient. La folie l'attirait dans ses filets.

Des visions de son incarcération au Centre – les souvenirs cauchemardesques d'un événement qui n'aurait jamais dû avoir lieu – défilèrent dans sa tête.

— Non.

Elle employa toutes ses forces à reconstruire ses murs. Sa peur de la rééducation était telle qu'elle tempéra un moment la chaleur entre ses cuisses. Un moment seulement.

Elle avait à peine passé le seuil de la maison de Lucas que le problème prit des proportions infernales. Elle distinguait sa silhouette derrière un paravent qui séparait la pièce à vivre de la chambre. Elle ne put s'empêcher de le regarder retirer son tee-shirt. Elle serra les poings et s'enfonça les ongles dans les paumes.

— Sascha ? Tu veux bien allumer le ballon d'eau chaude ? Je vais prendre une douche pour me rafraîchir. Je fais vite, promis.

Elle avait la quasi-certitude qu'il agissait dans le but de la tourmenter.

— Où est le panneau de contrôle ?

Sascha dut se limiter à une question succincte tant elle avait du mal à formuler plus de quelques mots simples à la fois. Elle gardait les yeux rivés sur la silhouette de Lucas.

— Tout droit puis à ta gauche.

Elle vit les mains de Lucas aller au bouton de son jean tandis qu'il se mettait lentement de profil. Elle courut presque hors de la pièce. Suivant ses indications, elle trouva une petite cuisine et le panneau de contrôle du ballon d'eau sur l'un des murs.

Sans surprise, elle constata que l'installation de Lucas était dépassée ; elle devait fonctionner grâce à des générateurs cachés, respectueux de l'environnement. Aucun changeling habitant ainsi au cœur de la forêt n'aurait choisi d'autre système.

— C'est fait, lança-t-elle après avoir enclenché le bon interrupteur.

— Merci, chérie.

Elle l'entendit se déplacer puis, quelques secondes plus tard, le bruit de l'eau qui coulait lui parvint ; elle devina que la douche devait se situer du côté de la chambre. Soulagée de disposer de quelques minutes pour retrouver son calme, elle se prit les joues entre les mains et inspira profondément. L'odeur virile de Lucas et celle de la forêt infiltraient son esprit comme une drogue défendue. Elle se remémora l'éclat de ses griffes tandis qu'il escaladait l'arbre, et au lieu d'avoir peur en éprouva une sorte d'émerveillement béat.

— Oh, mon Dieu ! Arrête, Sascha, ça suffit !

Dans l'espoir de rompre le cercle vicieux du plaisir et de la peur, des sensations et de la terreur pure, elle se mit à observer les objets autour d'elle. Même la menace de la rééducation ne pesait plus bien lourd à présent qu'elle se trouvait si près de Lucas.

La cuisine était petite et compacte, équipée d'un simple dispositif de cuisson et d'un nombre restreint d'appareils. Sascha repéra une cafetière sur le plan de travail et s'avança pour la mettre en marche. Le café n'était pas une boisson de Psi, et même si elle l'avait déjà essayée elle ne l'avait jamais vraiment trouvée à son goût. Puisque de toute évidence Lucas l'aimait assez pour posséder une machine dernier cri, Sascha décida d'en préparer avant de retourner au salon.

C'était une pièce vaste et lumineuse, pourvue de plusieurs fenêtres donnant sur la forêt. Sascha imagina les vitres conçues pour ne pas refléter les rayons du soleil et assurer ainsi la protection du repaire de Lucas. Le lierre qui proliférait sur la façade créait l'illusion que la forêt s'invitait à l'intérieur.

D'après l'humidité de l'air et les quelques plantes qu'elle avait aperçues et identifiées, Sascha devina qu'ils devaient se trouver à proximité d'un lac, peut-être même d'une des rares zones marécageuses de la région. Comme beaucoup d'individus de son espèce, le chef de DarkRiver semblait capable de s'adapter aux conditions les plus extrêmes.

Se détournant des fenêtres, elle examina le salon. Deux lampes à capteurs de mouvements projetaient une lumière tamisée dans la pièce. En les voyant, Sascha se rappela l'éclat qu'elle avait remarqué dans ses yeux de félin parfaitement adaptés à la vision nocturne. La seule autre source d'éclairage provenait d'une minuscule diode rouge sur le tableau de communication encastré dans le mur à côté de la porte. En y regardant de plus près, Sascha constata qu'il comportait également une fonction de récepteur pour des programmes de divertissement, même si elle soupçonnait Lucas de préférer des activités plus… physiques.

Rouge comme une pivoine, elle s'éloigna du tableau pour explorer le reste de la pièce. Un gigantesque coussin, dont une moitié était calée contre le mur et l'autre posée au sol, avait été installé face aux fenêtres pour servir de sofa. Sa taille permettait largement à un léopard de s'y étendre. Trois « sofas » plus petits avaient été répartis autour du premier.

C'était beaucoup pour un seul homme, mais pas pour le chef de DarkRiver. Les membres de sa meute devaient souvent lui rendre visite. Seulement ceux de sa meute ? Sascha secoua la tête. Elle n'était pas naïve à ce point. Un homme aussi porté sur le sexe que Lucas avait forcément son lot d'amantes. Des amantes à l'aise avec leur corps, assez lascives et audacieuses pour le satisfaire. Il n'avait aucun besoin de séduire une Psi qui n'avait jamais embrassé d'homme qu'en rêve.

166

L'eau de la douche cessa de couler. Sascha était redevenue étrangement calme. La claque que la réalité venait d'assener à ses fantasmes se révélait bien plus efficace contre son désir que n'importe quelle ruse Psi. Lorsqu'elle entendit Lucas marcher dans la chambre, elle retourna à la cuisine. La tentation de son ombre derrière le paravent risquait d'anéantir ses efforts.

Le café n'était pas prêt.

— Qu'est-ce que vous voulez manger ? demanda-t-elle sans hausser le ton, car elle connaissait la portée de son ouïe. Je peux m'en occuper.

— Merci. Si tu réchauffais un peu de la pizza que Rina a laissée la nuit dernière ? Elle est au frais.

Elle serra les dents. Rina ? Est-ce qu'elle avait déjà rencontré cette femme ? Et après, qu'est-ce que ça pouvait lui faire ? Pourquoi devrait-elle se soucier qu'elle vienne chez Lucas ? Ayant trouvé le réfrigérateur habilement dissimulé, elle sortit plusieurs parts de pizza qu'elle mit dans un plat adapté puis sur le dispositif de cuisson.

À la pensée de Lucas avec une autre femme, sa maîtrise d'elle-même se durcit encore. À tel point que, lorsque l'odeur du changeling se répandit dans la cuisine, Sascha avait réintégré la prison de son esprit, ces murs qu'elle avait appris à ériger avant même de savoir marcher.

— Je t'attends dans le salon, lui dit-elle en se retournant vers lui.

Lucas regarda Sascha s'en aller et plissa les yeux. Quelque chose avait changé. Sa démarche était raide et, si elle n'avait pas été Psi, il aurait pu la croire fâchée. Mais ceux de son espèce aimaient adopter des postures figées pour ressembler à des robots. Les plaques de cuisson s'éteignirent et Lucas prit le plat pour transvaser la pizza dans une grande assiette.

Rina en avait trop apporté. Malgré l'appétit vorace des autres soldats, il restait encore presque toute une pizza. Ils étaient venus à trois voir Lucas au sujet de la sécurité d'un des refuges, mais Rina était restée plus longtemps pour parler de Dorian. Elle était encore jeune, et voir la sentinelle sur le point de craquer l'avait ébranlée.

Ce ne fut qu'en prenant l'assiette que Lucas remarqua que le café était prêt. Sascha. Elle ne cessait de le surprendre. L'assiette à la main, il entra dans le salon et posa la pizza sur une table basse qu'il tira ensuite jusqu'au coussin sur lequel Sascha s'était blottie.

Tara, un membre de sa meute, avait conçu ces coussins afin qu'ils soient confortables aussi bien pour les léopards que les humains et il était impossible de s'y asseoir avec raideur.

Ravi d'y voir Sascha installée, il sourit.

— Prends-en un bout. Je vais chercher le café.

— Pas de café pour moi.

— Pourquoi ?

— Je… n'en ai pas besoin.

— De l'eau ?

— Merci.

Tout en se versant du café, Lucas repensa à sa légère hésitation. Avait-elle été sur le point de dire qu'elle n'aimait pas le café ? ou bien essayait-il de se persuader de choses qui n'existaient pas pour justifier son attirance déplacée ?

En tant que chef, il était habitué à faire passer sa meute avant le reste. Son désir pour Sascha menaçait ses engagements et risquait de l'amener à coucher avec une ennemie. Mais il n'envisageait pas pour autant de prendre la fuite ni de déclarer forfait ; il était déterminé à découvrir ce qui se cachait sous la carapace de cette Psi.

Leurs vies à tous en dépendaient peut-être.

De retour au salon, il constata que Sascha n'avait pas bougé. Après avoir posé le verre d'eau et le café à côté de la pizza, il en prit une part et se laissa tomber exprès sur le même sofa qu'elle. Il s'étendit nonchalamment sur le coussin, à quelques centimètres à peine de là où elle se trouvait.

— Essaie.

Il porta la part à ses lèvres.

Elle hésita avant de prendre une petite bouchée.

— C'est quoi comme pizza ?

Il haussa les épaules.

— Mexicaine, je crois.

Enfournant un gros morceau, il observa le visage de Sascha tandis qu'elle analysait les différentes textures. À moins qu'elle ne fût en train de les savourer ? Il lui tendit de nouveau la part.

— Croque.

Les yeux inquiétants de Sascha parurent lancer des éclairs.

— Je ne suis pas un membre de votre meute, je n'ai pas d'ordres à recevoir de vous.

Quel sale caractère, songea-t-il. Sa panthère était intriguée par ce semblant d'ardeur.

— S'il te plaît.

Après y avoir réfléchi un instant, elle se pencha et mordit dans la pizza. Cette fois-ci, elle en prit davantage… confirmant tout ce que Lucas avait deviné à son sujet. Il engloutit le reste de sa part et en prit une autre. Sascha en mangea un bon tiers.

— Tu en as eu assez ?

— Oui, merci. (Elle prit son verre d'eau.) Vous voulez votre café ?

— Merci.

La tasse entre les mains de Lucas était chaude, mais c'était surtout la chaleur de Sascha qu'il percevait. Le corps de cette femme vivait, il réagissait aux sensations. Restait la question cruciale de savoir si l'esprit de Sascha était assez puissant pour étouffer ses instincts primitifs.

Ils ne parlèrent plus jusqu'au moment où elle posa son verre et se tourna vers lui.

— Dites-m'en plus au sujet des meurtres.

Un frisson fit baisser la température de Lucas. Délaissant sa tasse vide, il s'adossa au coussin.

— Nous avons recensé sept victimes ces trois dernières années. Kylie était la huitième. Et Brenna, la louve qui a été enlevée, sera la neuvième si on ne la retrouve pas à temps.

— Tant que ça ? chuchota-t-elle.

— Ouais. Mais mon instinct me dit que nous ne sommes pas au courant de tous ses meurtres… Il maîtrise trop bien son sujet.

— Vous êtes sûr que c'est un homme ?

Il serra les poings à se faire mal.

— Oui.

— Pourquoi n'avez-vous pas mis davantage de moyens en œuvre pour le retrouver ?

— Kylie a été assassinée il y a six mois. À ce moment-là, on ne savait pas qu'il s'agissait d'un tueur en série et, comme l'implication des Psis était claire, on a pensé que la Sécurité ne tarderait pas à classer l'affaire. On n'a pas été exigeants sur le plan juridique… On voulait que le meurtrier paie, pas déclencher une guerre avec les Psis. On se serait satisfaits d'un procès.

Ça leur avait énormément coûté, mais ils l'avaient fait pour le bien de leurs enfants. La colère de Dorian ne l'avait pas aveuglé au point qu'il oublie le devoir qui était le sien depuis sa naissance : protéger les plus faibles.

— Nous avions admis qu'un seul monstre n'était pas représentatif de toute une espèce. Même les changelings peuvent engendrer des tueurs en série.

Même si, des trois espèces, c'était la leur qui en comptait le moins.

— Tout le monde croyait que le Conseil allait initier une chasse à l'homme sur le PsiNet et nous livrer le responsable. Avec vos talents psychiques, vous n'auriez eu aucun mal à prouver sa culpabilité. Même s'il est déjà arrivé au Conseil d'agir de façon discutable, personne ne s'attendait à ce qu'il protège un meurtrier.

Il lui sembla que Sascha se recroquevillait sur elle-même, comme si elle voulait se serrer dans ses propres bras.

— Qu'avez-vous appris à son sujet depuis le début de vos recherches ?

— Il ne se cantonne pas à une seule région. Des meurtres qu'on a dénombrés, les deux premiers ont eu lieu dans le Nevada, le troisième dans l'Oregon, et les quatre autres en Arizona. La sœur de Dorian était la dernière.

Jamais il n'oublierait l'odeur cuivrée du sang de Kylie, les éclaboussures sombres sur les murs et la puanteur métallique du Psi.

— Il a laissé les corps en évidence ?

Lucas se redressa et passa les bras autour de ses genoux, une main crispée sur le poignet de l'autre.

— Ce salaud les enlève, les torture et les ramène dans un endroit qui aurait dû être sûr.

— Je ne comprends pas.

La voix de Sascha était plus proche, comme si elle s'était avancée en même temps que lui.

Tournant la tête vers elle, il soutint son regard de firmament sans ciller.

—Il les achève dans un endroit que la victime connaît bien. La gorge de Kylie a été tranchée dans son appartement.

Les ténèbres se déployèrent dans les yeux de Sascha et engloutirent les étoiles. Sous l'effet de la surprise, Lucas faillit en oublier sa fureur. C'était comme regarder les ailes de la nuit se refermer sur le soleil. Il avait entendu dire que cela arrivait aux cardinaux lorsque ceux-ci déchargeaient une immense quantité d'énergie mentale, mais il n'en avait jamais été témoin lui-même. Pourtant il ne ressentit pas l'habituelle sensation de chair de poule que produisait sur lui ce genre de phénomènes. Si Sascha ne se servait pas de ses pouvoirs, pourquoi ses yeux viraient-ils au noir absolu ?

—Il semble bien sûr de son coup, dit-elle.

Aussitôt, Lucas délaissa sa fascination au profit de sa colère.

—Sur les sept autres femmes, poursuivit-il, une a été assassinée chez elle, une sur son lieu de travail, une autre dans le mausolée de sa famille.

La rage que provoquait en lui chacun de ces meurtres commis de sang-froid le transperçait de part en part.

—Le schéma est le même pour les quatre autres.

Sascha enserra ses genoux. La panthère remarqua qu'elle imitait sa posture et en prit note.

—Pourquoi les autres groupes de changelings ne sont pas intervenus ?

—Pour plusieurs raisons, la principale étant que l'affaire a été tellement étouffée que ce n'est qu'en creusant qu'on a compris qu'il s'agissait d'un tueur en série.

—Et les autres raisons ?

—Le choix des victimes, combiné à la complicité de la Sécurité. La première femme n'appartenait pas à une meute définie ; ses parents sont allés voir la Sécurité mais n'ont rien obtenu. (Lucas savait exactement pourquoi.) Les deux suivantes étaient issues de groupes assez peu influents. Aucun de ces clans n'est dominant dans sa région et ils n'avaient tout simplement pas les moyens physiques ou stratégiques d'exiger des réponses quand on leur a claqué la porte au nez.

» Quant à la quatrième, on a mis son meurtre sur le dos d'un renégat, et comme sa meute l'avait déjà condamné à mort, il a été décidé que l'affaire n'était pas du ressort de la Sécurité et elle a été classée. La cinquième et la septième vivaient isolées… Il n'y a eu personne pour réclamer justice. La sixième victime a été assassinée au moment où un tueur en série humain sévissait dans les parages, et même sa propre meute s'est demandée si elle n'avait pas été l'une de ses victimes. Mais, quand on compare son cas aux autres meurtres de ce Psi, ça saute aux yeux que c'est l'œuvre de la même personne.

— Et ensuite il y a eu Kylie.

— C'est là qu'il a commis sa première erreur. (Lucas sentit la peau de ses mains se tendre sous la pression de ses griffes.) Dès qu'on a compris son mode opératoire et déterré les autres cas, on a lancé une chasse à l'homme. On a également averti tous les groupes de changelings qu'on a pu contacter.

Sascha n'émit pas de commentaire. Sans bien savoir d'où lui venait ce besoin, Lucas se tourna jusqu'à faire face à la jeune femme, puis, passant une jambe derrière elle, il la coinça entre ses cuisses et saisit sa natte pour jouer avec.

Le contact physique lui était nécessaire, et – contrairement à ce que s'imaginait Sascha – pas avec n'importe qui. En général, seuls ceux de sa meute étaient capables de l'apaiser lorsqu'il le fallait. Mais il y avait des exceptions.

— Nous ne sommes pas faibles, dit-il en retirant l'élastique de sa natte.

Sascha cligna des yeux et se raidit.

— Non, vous ne l'êtes pas, se contenta-t-elle de dire.

Essayait-elle de se montrer douce avec lui ? Lucas plongea dans son regard infini et regretta de ne pas savoir lire dans ses pensées.

— Et ce n'est pas parce que ça arrangerait les Psis qu'on va arrêter nos recherches. On va sauver Brenna et abattre le meurtrier. Si DarkRiver échoue, les SnowDancer poursuivront le combat. Et s'ils sont vaincus eux aussi… il y en aura d'autres pour prendre la relève.

Le monde changeait, et tôt ou tard les Psis allaient devoir affronter leur pire cauchemar : voir leur espèce dénuée d'émotions reléguée à une vulgaire note de bas de page dans l'histoire de l'humanité.

— Comment pouvez-vous être absolument certain que c'est un Psi ? demanda-t-elle. Je ne vais pas trahir les miens sur la base d'un simple soupçon.

La natte de Sascha commençait à se défaire et ses boucles souples et soyeuses se déroulèrent dans les mains de Lucas. Même si tant de vitalité et de douceur ravissait sa panthère, cela ne suffisait pas à chasser le sang et la mort de ses pensées.

— J'étais avec Dorian et il a eu un mauvais pressentiment. Quand on est arrivés à l'appartement de Kylie, le tueur ne devait pas être parti depuis longtemps.

Ce que Lucas avait vu là-bas avait de quoi le convaincre que le mal existait sous la forme d'un être de chair et de sang. Si Sascha en voulait la preuve, il pouvait la lui donner en exactement soixante-dix-neuf effroyables coups de couteau.

Elle le regardait de ses yeux mystérieux avec un air qu'il voulut croire compatissant.

— C'est pour ça que Dorian souffre autant. Il pense que s'il était arrivé plus tôt…

Lucas hocha la tête. Il ne s'étonnait plus de voir qu'elle comprenait parfaitement les émotions qui envahissaient les gens.

— Quand on l'a trouvé, le corps de Kylie était encore chaud mais son esprit n'était plus là et le tueur non plus. Par contre, il avait laissé une odeur derrière lui, reconnaissable entre toutes.

Seul Lucas avait remarqué la légère onde psychique qui flottait également dans l'air. Il savait ce talent lié au sens qui l'avertissait lorsqu'un Psi se servait de ses pouvoirs. Il ne se sentait pas encore prêt à en parler à sa Psi, même s'il n'était pas loin de croire qu'elle avait bien plus de points communs avec lui qu'avec ceux qu'elle appelait « les siens »… mais un chef ne pouvait pas se contenter d'une quasi-certitude.

— C'est la meilleure preuve que vous ayez ?

Lucas cessa de jouer avec les boucles de Sascha.

— Il l'a découpée en morceaux. C'était des coupures précises, nettes, sans bavures, sans la moindre hésitation de sa part. Pas une seule de ces coupures n'était plus profonde ou plus longue qu'une autre. Il l'a découpée soixante-dix-neuf fois avec une précision clinique.

— « Soixante-dix-neuf » ?

— Comme pour les quatre victimes précédentes.

Les Psis n'étaient pas parvenus à cacher ce détail ; même si le médecin légiste en Arizona était humain, l'une de ses cousines plus âgées était mariée à un changeling. Une famille très soudée malgré la distance. Chose que les Psis n'avaient pas envisagée, incapables qu'ils étaient de comprendre les liens du sang. Choquée de voir qu'on ignorait ses rapports, le docteur Cecily Montford n'avait pas hésité à rompre le secret médical et à communiquer ce qu'elle savait à DarkRiver.

—Dis-moi, Sascha, lui demanda-t-il sans lui laisser la possibilité de se détourner, tu connais une autre espèce sur cette planète qui ait assez de sang-froid pour commettre des actes aussi barbares et s'en tenir strictement à un schéma prédéfini ?

La voix de Lucas avait baissé d'une octave, comme si sa soif de vengeance libérait sa bête.

—Sur les cinq corps au sujet desquels on a pu recueillir des informations, le meurtrier n'a pas fait un seul écart dans la longueur, la profondeur et la largeur des entailles. Il a découpé ses victimes comme des rats de laboratoire. Aucune de ces coupures n'était mortelle, sauf la dernière.

La colère décuplait sa force et le poussait à brusquer Sascha comme il n'aurait jamais brusqué une autre femme. Il était habitué à protéger, mais le calme avec lequel elle commentait la mort brutale de ces huit femmes, des femmes qui avaient compté pour d'autres et qu'on avait aimées, le mettait hors de lui.

—Oh ! et les autopsies ont révélé que leurs cerveaux avaient été réduits en bouillie alors que leurs crânes étaient intacts. Qui aurait pu faire ça à part un Psi, Sascha ? Qui ?

Elle fit le geste de se lever, mais il fut plus rapide. Passant une jambe autour de sa taille, il l'immobilisa et la plaqua contre lui.

—Où est-ce que tu vas comme ça ?

—Vous laissez vos émotions vous contrôler. On devrait peut-être reprendre cette conversation quand vous serez calmé.

Ses paroles correspondaient exactement à ce qu'aurait dit un Psi, mais Lucas perçut dans sa voix un tremblement presque inaudible, que seul un changeling pouvait détecter… un changeling destiné à être Chasseur depuis sa naissance. Pris de remords, il ravala le déferlement de colère de sa bête.

— Excuse-moi, chaton. Je suis allé trop loin. (Il fit remonter sa main le long de son dos, dans ses boucles et jusqu'à sa nuque.) Je me défoule sur toi.

— C'est compréhensible.

Elle repoussa le bras dont il l'entourait, mais sans y mettre assez de conviction pour qu'il considère son geste comme un réel rejet.

— Je représente l'espèce que vous tenez pour responsable de la mort d'une femme de votre meute et de la souffrance de Dorian.

Lucas caressa du pouce la peau tiède de sa nuque, apaisé par sa douceur. La bête comprenait pourquoi Sascha avait cet effet sur lui, mais l'homme n'était pas encore prêt à admettre la vérité.

— Les Psis sont coupables.

— Le tueur est peut-être un Psi, mais rien ne prouve que le Conseil soit impliqué.

Elle serra le bras de Lucas.

La panthère gronda mais l'homme eut le bon sens de ne pas relever son geste pour éviter qu'elle se retranche derrière son masque.

— C'est la seule organisation qui ait le pouvoir de dissimuler des agissements aussi graves. Ils sont forcément au courant.

— Non, protesta-t-elle en fixant sur lui ses yeux magnifiques et inquiétants. Qu'est-ce qui pourrait bien les motiver à couvrir un tueur ?

— Sur quoi repose le contrôle qu'exerce le Conseil sur ton peuple ? Qu'est-ce qu'ils rabâchent sans cesse aux changelings et aux humains ?

Lucas prenait garde à ne pas durcir le ton ; il n'avait aucune envie de la blesser de nouveau. Mais elle devait admettre les faits… puis choisir son camp.

— La non-violence, répondit-elle aussitôt. Contrairement aux autres espèces, les Psis ne commettent pas de crimes passionnels.

— En théorie.

Lucas changea de position et elle se retrouva presque blottie dans le creux de ses jambes.

— Si les gens apprenaient que c'est un mensonge, tout votre système s'effondrerait et le Conseil avec.

— Ma mère est membre du Conseil, plaida Sascha dans un murmure.

Lucas avait failli oublier ce détail.

— Je suis désolé, Sascha. Elle est forcément au courant.

Elle secoua la tête et ses boucles soyeuses cascadèrent sur ses épaules.

— Non. Elle est puissante et déterminée, c'est vrai, mais elle n'est pas machiavélique.

CHAPITRE 11

« M achiavélique ». Un choix de mot intéressant dans la bouche d'un Psi.

— Nikita aime le pouvoir. Si le Conseil disparaît, ce pouvoir disparaîtra avec lui. (Lucas caressa la joue de Sascha du dos de la main.) Songes-y.

— J'ai besoin de temps.

— Tu n'en as pas beaucoup. En général, il les séquestre sept jours avant de les tuer.

— Sept jours de torture.

— Oui.

Le silence les enveloppa. Même la forêt au-dehors avait cessé ses murmures, comme si le monde entier retenait son souffle. Lucas lui caressait toujours la nuque, la joue, le menton. Sa peau l'attirait comme de la soie tiède.

— Tu n'as pas le privilège du contact rapproché, dit-elle au bout de ce qui parut être une éternité.

— Et si je te disais que je le voulais ?

Il ne cessait pas de la toucher, de lui prodiguer de l'affection comme à une femme changeling à qui il en aurait demandé trop, trop vite. Il avait pris un risque en lui révélant toute l'histoire, mais il n'avait pas eu le choix. Sascha était leur dernière chance.

— Ça ne sert à rien avec les Psis. Nous sommes incapables de donner en retour.

Sascha semblait abattue.

Lucas n'aimait pas la voir dans cet état, blessée et meurtrie. La culpabilité lui rongeait le cœur. Jamais il n'aurait dû être affecté à ce point par la façon dont il s'était conduit avec elle. Il agissait dans le seul intérêt de sa meute. C'était le prix à payer pour un chef. Pour la première fois, Lucas rechignait à le payer et à blesser cette femme.

Il se rapprocha, décidé à laisser s'exprimer la sensualité de sa panthère pour obtenir son pardon. Ils avaient parlé de ténèbres, de mort et d'atrocités. Mais Lucas ne se limitait pas à ça, et Sascha non plus. S'il voulait arracher cette armure Psi qu'elle portait comme une seconde peau, il allait devoir la tenter avec de belles émotions au lieu de l'ensevelir sous des horreurs.

— Est-ce que Dorian avait raison ?

Elle tourna enfin la tête vers lui.

— À quel sujet ?

— Il disait que coucher avec une Psi revenait à coucher avec un bloc de béton.

— Je n'en sais rien.

Elle se voûta.

— Tu n'as jamais couché avec l'un des tiens ?

— Pour quoi faire ? Si l'on aspire à la procréation, il existe des méthodes scientifiques bien plus efficaces pour ça.

Son ton était si compassé qu'il en était provocant.

— Et si c'est juste pour s'amuser ?

— Je suis Psi, tu te rappelles ? On ne s'amuse pas. (Elle se tut un court instant.) En tout cas, le but du sexe m'échappe. Ça me semble peu hygiénique et tout sauf pratique.

— Ne le condamne pas avant d'avoir essayé, chérie.

Lucas avait envie de sourire. La raideur et les paroles si pragmatiques de Sascha étaient du Psi tout craché… comme si elle avait répété son rôle.

— Il y a peu de chances que ça arrive, dit-elle, parvenant presque à donner l'impression qu'elle croyait à ce qu'elle disait. Je pense qu'il est temps que j'y aille... Il est plus de 5 heures, ajouta-t-elle en jetant un coup d'œil à sa montre.

— Un baiser, chuchota-t-il à son oreille.

— Quoi ?

Elle se figea.

— Je te donne l'occasion de découvrir par toi-même cet acte sale et inutile que tu ne comprends pas.

Lucas saisit le lobe de son oreille entre les dents et le mordilla doucement. Sascha sursauta. Il ne pouvait pas y avoir de méprise sur le sens de sa réaction. La relâchant, il posa la main sur sa joue et l'obligea à tourner la tête vers lui.

— Qu'en dis-tu ?

— Je ne vois pas pourquoi...

— Imagine que c'est une expérience.

Pris d'une envie de la goûter qui surpassait même le besoin de respirer, Lucas caressa du pouce la chair tendre de sa lèvre inférieure. Son humeur taquine s'était muée en désir impétueux.

— Vous, les Psis, vous aimez les expériences, non ?

Elle hocha lentement la tête.

— Ça m'aiderait peut-être à comprendre pourquoi les changelings et les humains accordent une telle importance au mariage et aux sentiments amoureux.

Lucas ne lui laissa pas le temps de changer d'avis. Courbant la nuque, il pressa les lèvres contre celles de Sascha en un mouvement vif et passionné. Tièdes, douces et délicieuses, une invitation à recommencer. Lorsqu'il le fit, il se contenta d'un baiser en surface ; il tira sur la lèvre inférieure de Sascha, puis l'apaisa du bout de la langue avant de sucer sa lèvre supérieure. Un doux gémissement sans équivoque s'éleva dans le silence.

Une vague de chaleur parcourut le corps de Lucas.

Sascha ne ressemblait absolument pas à un bloc de béton. Sa poitrine se soulevait au rythme de sa respiration, pressée contre le bras de Lucas comme pour l'encourager à descendre plus bas. Pour l'heure, il se satisfaisait des battements frénétiques de son cœur qu'il sentait dans son cou et de la respiration saccadée qu'elle ne parvenait pas à contrôler. Les Psis pouvaient refouler leurs émotions, mais il était bien plus difficile de ne pas trahir le désir d'un corps avide de caresses.

Sascha était au bord du gouffre mais elle s'en moquait. Pas une fois dans sa vie elle n'avait laissé autant de sensations et un tel plaisir l'envahir. Ses fantasmes n'étaient rien comparés au véritable Lucas. La gourmandise nonchalante avec laquelle il l'embrassait constituait la plus dangereuse des tentations. Ses gestes étaient si langoureux, si subtils, si lents et si sensuels que, sans même s'en rendre compte, Sascha avait ouvert la bouche pour approfondir leur baiser. Choquée par sa propre audace, elle se dégagea brusquement.

Il ne fit rien pour la retenir, se contentant de l'observer de ses yeux verts de félin dans lesquels se lisait son envie.

— Tu as eu ton compte d'expériences, chaton ?

Il lui avait donné ce petit nom en rêve.

— J'aimerais rentrer chez moi, dit-elle, terrifiée par sa propre réaction et par la prise de conscience qu'elle perçut alors dans le regard de Lucas.

Elle savait qu'elle n'avait pas répondu à sa question. Elle savait aussi qu'elle ne pouvait pas prononcer les paroles attendues d'un Psi sans se trahir tant le mensonge aurait été évident. La vérité, c'était qu'elle n'avait pas eu son compte. Très loin de là.

— D'accord.

Lucas se pencha vers elle pour saisir sa lèvre inférieure entre ses dents aiguisées de prédateur.

Et la marquer.

Sascha arriva chez elle sur les coups de 8 heures. Épuisée, elle prit une douche et entreprit de se mettre en condition pour la journée à venir. D'abord un rendez-vous avec sa mère, puis il lui faudrait vérifier l'avancement de plusieurs autres projets familiaux. Ensuite, elle aurait de nouveau à affronter Lucas. Elle rougit tandis qu'elle essayait de remettre de l'ordre dans sa coiffure.

Elle ne parvenait pas à oublier la sensation de ses mains dans ses cheveux et le plaisir qu'il avait pris à la caresser. Pourtant, ce n'avait pas été le plaisir qui avait failli la détruire, mais ce besoin qu'elle avait perçu en lui d'être touché et apaisé. Elle avait été fascinée qu'il puisse trouver ce qu'il cherchait en elle, une Psi, un membre de l'espèce ennemie.

Une espèce de meurtriers.

La sinistre réalité évinça toute trace du plaisir qui subsistait encore. Sascha ne pouvait pas accepter si facilement les accusations de Lucas et renoncer à toutes ses convictions. Elle avait beau ne jamais avoir trouvé sa place parmi eux, les Psis étaient son peuple. Même si Lucas l'avait embrassée, il était changeling et, lorsque viendrait le moment de choisir, sa meute passerait avant elle.

« Va-t'en, Sascha. »

Le souvenir de Lucas lui ordonnant de partir lorsque Dorian avait craqué se confondait avec des visions de lui caressant une femme du nom de Rina. Choisissant sciemment d'oublier la visite chez Tamsyn qui démentait son ressenti, elle songea que Lucas ne l'avait jamais traitée que comme une étrangère. Elle devait à tout prix se raccrocher à quelque chose de sensé et de cohérent.

Elle avait besoin d'être acceptée.

Dès l'instant où elle tournerait le dos aux Psis, elle renoncerait non seulement à son existence mais aussi à trouver sa place. Même si elle survivait à la colère du Conseil, qui voudrait d'une Psi renégate ? Certainement pas DarkRiver. Elle se rappelait encore la haine dans les yeux de Dorian lorsqu'il l'avait accusée d'appartenir à une race de psychopathes.

En la mettant à l'écart, Lucas avait pris le parti de Dorian ; elle s'était retrouvée seule, étrangère une fois de plus. Les léopards avaient fait corps pour aider leur compagnon, mais qui viendrait au secours de Sascha lorsqu'elle s'effondrerait, inconsciente, sur le sol de son appartement ? Personne.

Elle n'était qu'un pion, ni plus ni moins.

Lucas ne lui avait jamais caché sa véritable nature. Elle savait depuis le début qu'il ne reculerait devant rien pour obtenir ce qu'il voulait… même s'abaisser à embrasser une Psi à l'odeur répugnante et métallique. Une fois soutirées les informations qu'il cherchait, il en aurait fini avec elle.

La douleur lui lacérait le ventre, mais Sascha tint bon et se força à regarder la vérité en face. Comme elle le redoutait depuis le début, les changelings avaient repéré sa déficience et s'en servaient pour arriver à leurs fins.

Lucas tout autant que les autres.

—Quelle idiote ! murmura-t-elle en ravalant ses larmes. Je suis vraiment trop stupide.

Comment expliquer sinon que son espèce le dégoûtait, mais elle non ? Ça ne tenait pas debout. C'était ce besoin pitoyable d'être acceptée et estimée qui l'avait amenée à s'imaginer une chose aussi improbable. Elle avait elle-même contribué à créer ses illusions.

Il était temps qu'elle cesse de laisser Lucas l'aveugler avec des émotions et la narguer avec de faux espoirs pour se mettre à raisonner comme une Psi. Il n'était peut-être pas trop tard pour sauver sa place, au sein de sa famille du moins. Elle devait commencer par rapporter à Nikita tout ce qu'elle savait ; elle ne deviendrait sûrement jamais une cardinale parfaite, mais elle pouvait être une fille exemplaire. C'était l'occasion pour elle de prouver sa valeur, malgré sa déficience.

Son humiliation et sa douleur mêlées formaient un dangereux mélange. Elle voulait se venger de Lucas, le blesser autant qu'il l'avait blessée, briser ses rêves comme il avait brisé les siens. Il lui en avait tant appris sur son peuple. Il avait eu tort. En fin de compte, elle restait Psi.

Et lui était l'ennemi.

Chapitre 12

Lucas sentit qu'il y avait un problème dès que Sascha arriva sur le site du futur chantier où lui et son équipe prenaient des mesures préliminaires. Ils devaient s'assurer que tout paraisse normal… Il était inutile d'éveiller la suspicion des Psis. C'était pour entretenir cette illusion que Lucas restait sur le chantier alors qu'il aurait préféré se lancer sur les traces de leur dangereuse proie.

Accroupi, il regarda Sascha garer sa voiture à l'écart des autres et se diriger vers l'extrémité est du site, loin de l'emplacement où ils travaillaient. Se relevant, il tendit son bloc-notes à la femme à côté de lui.

— Je te laisse les rênes, Zara.

— Qu'est-ce que tu deviendrais sans moi ?

La femme lynx lui adressa un clin d'œil.

Gardant le sourire malgré son appréhension, Lucas partit rejoindre Sascha. Lorsqu'il lui fit face, il fut choqué de constater qu'il ne restait rien de la femme qui l'avait laissé l'embrasser. Chaque fibre de son être se raidit. Ce n'était pas elle qu'il rejetait, mais ce masque qu'elle portait de nouveau. Les deux moitiés de sa nature jugeaient inacceptable qu'elle se dérobe ainsi. Plus que tout, il voulait l'obliger à se montrer… même s'il ne comprenait pas pourquoi ça le mettait dans une fureur noire.

— Dans combien de temps la construction débutera-t-elle ? demanda-t-elle avant qu'il puisse parler.

— Les plans seront achevés d'ici à un mois environ. Quand tu les auras validés, on passera à l'étape suivante.

— Merci de me tenir informée.

Il flottait dans son regard des ténèbres qui mirent les instincts de Lucas en alerte.

Sa panthère se hérissa.

— Qu'est-ce que tu as fait ? l'interrogea-t-il de but en blanc.

— Je suis Psi, Lucas.

— Et merde ! (Il l'empoigna par le bras. Elle se figea.) Qu'est-ce que tu as fait, bordel ?

Elle pinça les lèvres en une fine ligne blanche.

— Je suis allée tout raconter à ma mère.

Les flammes de la trahison se répandirent dans les veines de Lucas comme de l'acide.

— Sale pute !

Écœuré, il lui lâcha le bras.

— Mais je ne l'ai pas fait.

Elle avait prononcé les mots si bas qu'il faillit ne pas les entendre.

— Hein ?

— Je n'ai rien réussi à lui dire. (Elle se détourna et regarda en direction des arbres qui bordaient le terrain.) Pourquoi, Lucas ? Je suis Psi. Je suis censée leur être loyale, mais j'ai été incapable d'ouvrir la bouche.

Le soulagement qui envahit Lucas fut si brutal qu'il en était presque douloureux.

— Qu'est-ce qu'ils ont fait pour mériter ta loyauté ?

Il était partagé entre apaisement et colère à l'idée qu'elle avait pu ne serait-ce qu'envisager de le trahir.

— Et toi ?

Elle lui jeta un coup d'œil par-dessus son épaule.

— Je t'ai fait confiance.

Et il n'était pas homme à se fier à n'importe qui.

—On va dire que comme ça on est quittes, enchaîna-t-il.

Elle évitait son regard.

—Je vais parcourir le PsiNet pour trouver des informations. Je te communiquerai ce que j'aurai découvert.

Derrière les inflexions parfaites de sa voix, Lucas détectait une solitude à fendre le cœur. Il lui sembla qu'elle se briserait en mille morceaux s'il ne trouvait pas les mots justes.

—Sascha.

Il voulut lui toucher l'épaule ; malgré sa colère, il se sentait incapable de la regarder souffrir de cette manière. Il ne lui vint pas à l'esprit de se demander pourquoi son bien-être avait une telle importance à ses yeux. Il savait seulement que c'était ainsi.

—Non. (Elle s'éloigna.) J'ai besoin de trouver ma place, même si j'en suis réduite à appartenir à une race de meurtriers, chuchota-t-elle. Si je ne suis pas Psi, qu'est-ce que je suis au juste ?

Avant que Lucas puisse lui répondre, Zara l'appela ; il lui adressa un signe de la main.

—Qu'est-ce qui te dit que les Psis ne peuvent être que ça ?

Sascha attendit que Lucas soit retourné à l'autre extrémité du site pour répondre.

—Leur nature.

Par ce simple mot murmuré d'une voix mal assurée, elle confessait le secret le mieux gardé de son espèce. Comme les autres Psis, sa vie dépendait du PsiNet. Si elle s'en trouvait séparée plus d'une minute ou deux, elle connaîtrait une fin tragique. Et si on découvrait sa déficience, elle serait condamnée à la rééducation et à une existence de légume. Son seul espoir de survie était de devenir plus Psi que les Psis… pour que plus personne ne puisse la briser.

Ce matin-là, elle s'était rendue chez Nikita avec la ferme intention de lui livrer tout ce qu'elle savait. Déboussolée et rendue furieuse par l'ironie d'un sort qui lui avait fait miroiter mille merveilles avant de les lui reprendre, Sascha en était arrivée à se convaincre qu'en trahissant DarkRiver elle se rachèterait aux yeux de Nikita et deviendrait enfin la fille que sa mère avait toujours voulu qu'elle soit.

Pourtant, au moment de parler, elle avait aligné mensonge après mensonge. Chacun d'eux avait eu pour but de protéger les changelings et Lucas. Une part secrète et ignorée d'elle-même l'y avait poussée, un concentré indissoluble de loyauté féroce et de détermination à toute épreuve. Et cette part la retenait de nuire à la panthère qui l'avait embrassée et fait voler en éclats les murs de son existence.

Sascha comprit alors, pour la première fois de sa vie, qu'il y avait une chose qu'elle désirait plus encore que trouver sa place. Même pour un instant, même pour une seconde, elle voulait être aimée.

Un rêve futile et impossible pour une Psi.

Même s'il ne se réaliserait jamais, elle pouvait au moins venir en aide à ces gens qui, eux, savaient aimer. Peut-être trouverait-elle ainsi le moyen de nourrir ce besoin ancré dans son âme. Peut-être.

Lucas toléra que Sascha se tienne à l'écart pendant qu'ils achevaient de prendre les mesures, mais il n'avait aucune intention de la laisser se terrer dans sa carapace. Il n'avait jamais été très doué pour obéir aux ordres.

« *Non* », lui avait-elle dit lorsqu'il avait voulu la toucher. Non parce qu'elle était une Psi sur un piédestal, mais parce qu'elle était plus que ça : une femme avec des sentiments. Si le baiser qu'ils avaient échangé ne l'en avait pas déjà convaincu, la confession de Sascha avait achevé de balayer ses doutes. Sans pour autant lui pardonner d'avoir envisagé de le trahir, il ne s'imaginait pas renoncer à elle.

Il en était incapable.

Elle lui appartenait. L'idée de la regarder partir était tout simplement intolérable. Il n'avait peut-être pas tenu compte des signes jusque-là mais l'intensité de sa colère à la pensée d'une éventuelle trahison lui avait arraché ses œillères. La vérité l'avait frappé de plein fouet. Sascha réagissait à son contact, et lui réagissait au sien… tant sur le plan physique qu'intellectuel ou sexuel.

Ce qu'elle ignorait – car il veillait à ce que son esprit alerte n'en devine rien –, c'était qu'il ne permettait pas à n'importe qui de l'approcher en dehors des membres de sa meute. Il ne prenait pas cette histoire de privilèges à la légère. S'il restait plus accessible qu'un Psi, il ne se liait pas d'affection avec ceux qu'il ne considérait pas comme siens. Et pourtant, depuis le début, il jouait avec Sascha comme il l'aurait fait avec une femme éveillant ses instincts les plus primitifs. Jamais il ne l'avait traitée comme le méritait une ennemie.

Une part de lui-même refusait toujours d'admettre ce que Sascha représentait réellement à ses yeux ; cette part qui avait été torturée, brisée, presque détruite. Elle empêchait qu'on l'atteigne, ne l'autorisait pas à confesser une faiblesse susceptible de lui occasionner de nouvelles souffrances. Paradoxalement, c'était cette même part qui l'aidait à comprendre l'importance de cette Psi et lui expliquait pourquoi il ne pouvait se résigner à la perdre.

Il n'était certain que d'une chose : il la garderait.

—Tu as déjeuné ? demanda-t-il à Sascha sur les coups de 13 h 30, alors qu'ils s'apprêtaient à quitter le site.

Sans s'arrêter, elle se dirigea vers sa voiture, garée à plusieurs mètres des autres.

— Ça va.

— Tu n'as pas répondu à ma question.

Il maîtrisait ce petit jeu aussi bien qu'elle.

— J'ai une barre de céréales dans la voiture.

Arrivée à hauteur de son véhicule à la carrosserie brillante, elle alla pour ouvrir la portière.

Lucas l'en empêcha en posant simplement la main sur la sienne.

— Non, dit-elle cette fois encore en se dégageant.

— Pourquoi non ?

Sascha ne répondit pas, mais il vit une lueur s'allumer dans ses yeux. Son mauvais caractère resurgissait et la ramenait à la vie. Il aurait payé cher pour la voir réellement sortir de ses gonds.

— Viens avec moi chez Tammy. Elle me demandait de tes nouvelles.

La guérisseuse s'était prise d'un intérêt particulier pour Sascha.

— Je ne pense pas que ce soit sage.

Bien que son visage demeurât impassible, Lucas entendait les murmures de son âme ; le langage de son corps n'échappait pas à sa panthère.

— Ne t'inquiète pas… les petits léopards sont partis voir de la famille, chuchota-t-il en se penchant vers elle.

En vérité, ils avaient été conduits en lieu sûr avec les autres enfants de DarkRiver. La tempête n'allait pas tarder à s'abattre sur eux et, dans le pire des cas, l'issue en serait un monstrueux bain de sang. Mais Lucas s'accorda un court instant le droit de s'amuser, conscient qu'il se trouvait avec la seule femme éventuellement capable d'empêcher ce carnage.

— Tes bottes ne craignent rien.

— Je ne vois pas du tout de quoi tu parles.

Son mensonge effronté le fit sourire. Il lui tapota la joue.

— Zara a déjà ramené ma voiture au bureau. Tes clés ?

Il tendit la main.

Elle croisa les bras.

— Tu as la mémoire courte.

— Seulement pour les choses dont je n'ai pas envie de me rappeler. Tu connais la route ?

L'expression qu'elle afficha lui signifiait clairement que sa question était idiote.

— Monte.

Lucas laissa passer cet ordre qu'elle lui donnait, satisfait d'avoir remporté le premier round de ce combat très privé. Mais, s'il voulait en voir le bout, ils allaient d'abord devoir gagner la guerre autrement plus dangereuse qui les menaçait.

Sascha attendit qu'ils soient en chemin pour aborder le sujet qui la préoccupait.

— Tu as du nouveau ?

Lucas ne fit pas semblant de ne pas comprendre de quoi elle parlait. La fureur qui se réveilla soudain en lui était si pure et si concentrée que Sascha eut l'impression qu'elle pourrait la toucher en tendant la main. Elle était d'autant plus fascinée que la colère de Lucas n'influait absolument pas sur son jugement.

Lucas était capable de raisonner au-delà de ses émotions, démontrant une force de caractère qui surpassait tout ce que Sascha connaissait. Alors qu'elle avait à peine effleuré les frontières des sensations, un vide abyssal s'ouvrait déjà à ses pieds, prêt à l'aspirer et à la recracher meurtrie, brisée, morte peut-être.

— La louve qu'il a enlevée est âgée de vingt ans. Brenna se rendait en cours lorsque c'est arrivé. Un de ses compagnons de meute va dans la même école privée, il a donné l'alerte lorsqu'il a constaté son absence.

— Qu'est-ce qu'elle étudie ?

Elle rangea l'information dans un coin de son cerveau ; elle allait en avoir besoin pour définir ses paramètres de recherches sur le PsiNet. Au même moment, elle déploya son énergie psychique pour apaiser la colère de Lucas. Elle procédait de manière si instinctive qu'elle s'en rendit à peine compte.

— Réparation et maintenance des systèmes computroniques, option tableaux de communication.

— Elle est intelligente, marmonna-t-elle.

— Oui, c'est une caractéristique de ses victimes.

— Quand ?

— Ça devait être aux environs de midi, c'est à peu près à ce moment-là que Brenna aurait dû se trouver sur le chemin où on l'a enlevée… Elle avait l'habitude de couper par un petit parc de son quartier.

— Donc quelqu'un a pu se renseigner sur ses habitudes ?

— Oui. Mais l'agresser en plein jour montre à quel point notre meurtrier est sûr de lui. Ce parc n'est ni très grand ni particulièrement boisé. On aurait pu le surprendre à plusieurs endroits.

— Et pourtant ça n'a pas été le cas.

S'il s'agissait d'un Psi, il avait les moyens de se cacher.

— Un Tk-Psi capable de se téléporter aurait pu la prendre avec lui.

— « Tk » ?

— Télékinésiste.

— Quelle quantité de puissance ça aurait nécessité ?

— Plus que ce que détiennent la plupart des Psis. Je doute qu'il s'y soit pris de cette manière.

— Pourquoi ?

— Ça ne pose aucun problème aux télékinésistes puissants de se téléporter, mais emmener une autre personne peut s'avérer compliqué… surtout si elle ne te laisse pas entrer dans son esprit pour faciliter la transition psychique.

Elle l'avait appris à l'école primaire, à l'époque où tous les cardinaux suivaient encore les mêmes cours. Les autres s'étaient ensuite spécialisés, tandis que Sascha était restée seule à exercer les quelques dons pitoyables qu'elle possédait. Elle était la honte de leur espèce mais personne ne voulait l'admettre.

— Est-ce qu'il aurait pu forcer son esprit ?

Lucas étira les jambes et entoura l'appuie-tête de ses bras. Sa posture nonchalante donna à Sascha l'envie de le caresser… comme dans ses rêves défendus.

Les mains crispées sur le volant, elle secoua la tête.

— C'est une changeling. Ce simple fait multiplie la difficulté par deux, surtout que, même pour un cardinal, il n'y a rien de plus délicat à accomplir que de forcer un esprit. Si tuer la victime t'est égal, tu peux y parvenir en déployant une importante quantité d'énergie, mais il la voulait vivante.

Pour pouvoir la torturer.

Sascha prit une profonde inspiration et s'obligea à poursuivre.

— Sans compter que, s'il voulait ensuite la téléporter, la quantité de puissance exigée l'aurait vidé pendant plusieurs jours. Je n'ai pas connaissance d'un Psi d'une telle envergure dans cet État. Quand un Psi déploie une quantité massive d'énergie, ça a tendance à avoir des répercussions au sein du Net. (Elle tapota le volant.) S'il a bien prévu son coup, il pouvait avoir garé une voiture à proximité. Beaucoup de tueurs en série humains procèdent de cette manière.

—C'est ce que pensent les SnowDancer. Ils ont un témoin qui a repéré un grand véhicule inconnu dans le voisinage, dont les plaques d'immatriculation étaient maculées de boue. (Alors qu'ils approchaient d'un espace vert, Lucas baissa sa vitre.) La Sécurité n'est pas au courant. Cette fois-ci, à part les détectives qui travaillent dans l'ombre, personne ne se donne la peine de mener ne serait-ce qu'un semblant d'enquête.

L'attitude méprisante des dirigeants de la Sécurité détruisit les derniers espoirs que Sascha nourrissait encore quant à l'innocence des siens.

—Vous avez pu identifier le propriétaire du véhicule?

—Non.

—Qu'est-ce qu'elle portait quand on l'a enlevée?

L'énervement de Lucas était audible dans sa voix.

—Pourquoi tu veux savoir ça?

—Le PsiNet regorge de données. Tout élément permettant de cibler mes recherches m'est utile.

On ne pouvait pas expliquer le PsiNet à ceux qui n'en avaient pas fait l'expérience. C'était une gigantesque masse d'informations, agencée par la seule influence du Gardien du Net, qui tentait de mettre de l'ordre dans le chaos. Cette entité s'était développée jusqu'à avoir sa propre conscience; même sans être vivante, son mode de pensée l'élevait bien au-dessus du rang de machine.

—Un jean, une chemise blanche, des baskets noires.

Sascha lui jeta un regard en coin.

—Je ne m'attendais pas à ce que tu puisses me fournir ces détails si rapidement.

—L'alerte a déjà été donnée auprès de tous les clans changelings de la région pour les avertir de la présence d'un tueur et leur demander de l'aide, que nous entretenions des liens amicaux avec eux ou non. Voici la photo de Brenna.

Il tira un cliché brillant de la poche de sa veste mais attendit que Sascha se soit arrêtée à un feu rouge pour le lui tendre.

Elle fut prise d'une appréhension inexplicable en le prenant. La jeune femme riait sur cette photo, ses yeux marron pétillaient et sa tête était rejetée en arrière. La lumière du soleil jouait dans les mèches blondes de ses cheveux raides et mettait ses formes en valeur. Elle ne devait pas être grande, un mètre soixante-cinq peut-être, mais elle rayonnait d'une telle vitalité qu'elle semblait surplomber les deux hommes à ses côtés.

—Ce sont ses frères aînés… Riley et Andrew, dit Lucas lorsqu'elle lui rendit la photo. D'après le chef des SnowDancer, ils rongent leur frein.

Sascha essaya de ne pas s'abandonner au désespoir qui l'avait assaillie en touchant cette photo. C'était comme si Brenna l'avait aspirée dans l'enfer qu'elle traversait. Brenna. Un nom. Un visage. Un être doué de sentiments.

—Il en veut à sa vie, murmura-t-elle.

—Quand il aura fini de la torturer.

—Non, ce n'est pas ce que je voulais dire.

Elle emprunta l'allée verdoyante qui menait à la maison de Tamsyn.

—Quoi alors ?

—Elle déborde de passion, de joie… et de vie. Il cherche à la priver de ça et à le garder pour lui seul.

Le silence retomba dans la voiture.

—J'ignore comment je le sais, mais c'est le cas.

Elle se gara devant la vaste demeure qu'elle connaissait déjà.

— Il doit être poussé par une colère extrêmement malveillante.

Sascha n'avait perçu aucune émotion lorsqu'elle avait eu la curieuse impression d'être happée, un court instant, par le monde de Brenna ; mais qu'est-ce qui à part ça pouvait motiver un être à se livrer à des actes aussi barbares ?

— Il ignore ce qu'est la colère.

Elle se tourna vers Lucas. La soif de sang qu'il exprimait sans détour ne l'effrayait pas. D'une certaine façon elle lui semblait saine, et réelle.

— Quand on nourrit des émotions aussi noires, on ne peut pas le cacher indéfiniment. Tôt ou tard, on découvrira une faille.

Les yeux de Lucas étaient comme deux cristaux verts.

— Pour le bien de tous, il vaudrait mieux que ça ne tarde pas. Le temps nous est compté.

Tamsyn avait les nerfs à fleur de peau.

— Mes bébés me manquent, dit-elle à Lucas à peine eut-il mis les pieds chez elle.

La serrant dans ses bras, il s'efforça de lui communiquer un peu de son courage. Alors que Sascha restait sans bouger à côté de lui, une sensation familière de chair de poule lui parcourut la peau. Il se rendit compte qu'il la ressentait en permanence lorsqu'il se trouvait près de Sascha, si bien qu'il l'avait à peine remarquée. La jeune femme diffusait en continu de l'énergie Psi de faible intensité.

Que tramait-elle au juste ? Même si elle avait essayé sans y parvenir de lui faire faux bond, il ne la soupçonnait pas d'être malintentionnée. Sa panthère lui disait qu'il n'avait rien à craindre d'elle, et ses instincts animaux ne s'étaient jamais trompés. Tamsyn prit une profonde inspiration et finit par le relâcher au bout de quelques minutes.

— Ça va mieux ? lui demanda-t-il en écartant les cheveux de son visage.

Chaque fois qu'il regardait la guérisseuse dans les yeux, son cœur se fendait un peu avant de se recoller. Elle lui rappelait sans cesse la personnalité rayonnante de Shayla, la mère qu'il avait perdue.

Elle hocha la tête.

— J'ai forcé Nate à aller travailler. C'était stupide.

Sur ces mots, elle se détourna pour regagner son domaine : la cuisine.

Sascha attendit que Tamsyn soit assez loin pour ne pas l'entendre.

— Si être séparée de ses petits la rend si anxieuse, pourquoi les avoir laissés partir ?

— Ce n'est pas bon pour les changelings prédateurs d'être surprotégés.

Il avait lui-même commis cette erreur, en particulier les mois suivants la mort de Kylie. Son besoin d'assurer la sécurité des siens et de ne plus en perdre aucun avait failli les étouffer. Il s'était repris avant de causer des dégâts irréparables, mais c'était un défaut dont il devait se garder au quotidien.

— Tammy ne m'a pas semblé trop protectrice. Je dirais même qu'elle semblait disposée à les laisser explorer par eux-mêmes.

— Tu ne l'as vue avec eux qu'une fois.

Mais Sascha était perspicace. C'était Tammy qui avait mis en garde Lucas contre la façon dont il avait traité leurs jeunes. Il ne pouvait pas le dire à Sascha pour autant. Qu'il se fie à ses instincts la concernant passait encore, mais elle allait devoir faire ses preuves avant qu'il lui confie les vies d'enfants qui n'étaient pas les siens.

Il prenait cette décision en tant que chef de meute, mais peut-être aussi parce qu'il ruminait encore la trahison qu'elle avait projetée.

— Qu'est-ce qui sent bon comme ça ? demanda-t-il en entrant dans la cuisine.

Tammy terminait de disposer les assiettes sur la table.

— Une tourte au poulet et des tartes aux fraises en dessert.

— Il ne fallait pas te donner tant de mal, dit Sascha.

Même si ses paroles semblaient guindées, Lucas comprit que l'intention était sincère.

À son grand étonnement, ce fut aussi le cas de Tamsyn. Elle effleura la main de Sascha pour la rassurer.

— Cuisiner me détend… Ça doit être lié à mon rôle de guérisseuse. Si vous ne m'aidez pas à manger le fruit de mon travail, Nate va m'accuser de vouloir l'engraisser.

Lucas tira une chaise. Au lieu de s'y asseoir, Sascha passa de l'autre côté de la table et en choisit une autre. *Tête de mule !*

— Tu manges avec nous, Tammy ?

— Ouais. (Elle retira son tablier et s'assit en bout de table, Lucas à sa droite et Sascha à sa gauche.) Ça me fait drôle de m'asseoir ici… C'est la place de Nate.

Ce qui expliquait pourquoi Lucas ne l'occupait pas. Même si Lucas était le mâle dominant de sa meute, chez lui Nate était le chef. Souriant en son for intérieur, Lucas songea que même si Tamsyn n'approuvait pas son attitude elle laissait Nate croire ce qu'il voulait par amour.

Ils entamèrent le repas et la guérisseuse prit la parole.

— Je n'arrête pas de penser à cette pauvre fille… Brenna. (Elle posa sa fourchette.) Il est sûrement en train de la torturer à l'heure qu'il est. Et, pendant ce temps, on reste là les bras croisés.

Ce fut Sascha qui trouva les mots justes.

—Avec des pensées aussi négatives, on ne peut que s'attendre au pire. Essaie de dépasser ta colère et ta douleur et réfléchis. Tu trouveras peut-être le moyen de l'aider.

Tamsyn la dévisagea un long moment.

—Tu es plus que tu sembles être, n'est-ce pas, Sascha?

—Non.

Sascha baissa les yeux sur sa nourriture.

—Il paraît que les SnowDancer s'impatientent, commenta Tamsyn sans se détourner de Sascha. J'ai entendu dire qu'ils ont été obligés d'attacher les frères de Brenna en attendant qu'ils redeviennent raisonnables et cessent de vouloir massacrer des Psis.

Aucun d'eux ne parla de Dorian. Depuis sa crise, il se comportait de manière tellement normale que c'en était presque effrayant. Tous redoutaient qu'il explose au moment où ils s'y attendaient le moins.

—Qu'est-ce qu'ils espéraient accomplir? (Sascha soutint le regard de Lucas.) Deux changelings contre toute la nation Psi? Ça aurait été du suicide.

—La logique et l'amour ne se rejoignent pas toujours, dit Lucas en l'observant tandis qu'elle suivait des yeux les cicatrices sur son visage.

Contrairement à beaucoup de personnes étrangères aux changelings, leur aspect rugueux ne semblait jamais rebuter Sascha. Lucas l'avait surprise plus d'une fois les contemplant, comme fascinée. Il n'avait pas non plus oublié la manière dont elle les avait caressées en rêve.

—Ils souffrent de ne pas avoir pu protéger leur sœur; le besoin qu'ils ont de passer à l'offensive est concevable.

Lucas comprenait leur réaction comme seul le pouvait quelqu'un ayant traversé exactement la même épreuve. Il avait vécu toutes ces années où il avait dû attendre que son corps soit assez endurci pour réclamer vengeance comme le pire des calvaires, lent et apparemment sans fin.

— Comment des Psis réagiraient-ils dans ce genre de situation ? demanda Tamsyn.

Sascha réfléchit un long moment avant de répondre.

— L'amour n'existe pas dans le monde des Psis, donc la logique primerait.

Elle avait parlé sans hésiter, mais ses yeux la trahirent.

D'une manière ou d'une autre, Lucas avait appris à décrypter ses yeux de firmament, à interpréter l'effrayante tristesse qui s'y reflétait un millième de seconde à peine avant de disparaître.

— Tamsyn, tu permets que je me serve de ta maison quelques heures cet après-midi ? demanda-t-elle.

Lucas repoussa son assiette, en proie à une vive excitation. Sascha allait explorer le PsiNet.

— Bien sûr. Je risque d'avoir de la visite, par contre.

— Il me faut une chambre où je ne serai pas dérangée.

— Tu peux te servir d'une des chambres d'amis à l'étage. La plupart des gens qui viennent ici ont tendance à rester en bas.

Tamsyn se leva pour aller chercher les tartes. Alors qu'elle les posait sur la table, on sonna à la porte.

— Je vais voir qui c'est.

Lorsque Tammy fut partie, Lucas toucha la main de Sascha.

— Tu vas lancer une recherche sur le PsiNet ?

Elle hocha la tête et se dégagea lentement.

— Tu ne peux pas rester là.

— Pourquoi pas ?

—Parce que ta présence me perturbe.

L'expression du visage de Sascha le mettait au défi de tirer la moindre conclusion.

La panthère de Lucas gronda, flattée. Il en fallait plus pour apaiser l'homme.

—Je ne te laisserai pas sans défense.

—Si je déclenche une alarme par inadvertance, tu ne serais pas en mesure de m'aider, dit-elle, désireuse de ne rien lui cacher de la vérité. Mon esprit serait réduit en bouillie avant que tu aies pu te rendre compte de quoi que ce soit.

Il serra les dents.

—Alors tu n'y vas pas.

Il avait réagi impulsivement, sans penser un instant à la louve disparue.

—Ne t'inquiète pas. Je vais me contenter de parcourir les archives publiques. Il ne m'arrivera rien.

Elle jeta un coup d'œil par-dessus son épaule alors que Tamsyn revenait dans la pièce.

—Je ne crois pas que vous ayez été présentées, dit la guérisseuse. Rina… Sascha. Rina est la sœur de Kit.

La blonde pulpeuse adressa un hochement de tête méfiant à Sascha avant de s'avancer pour enlacer Lucas par-derrière. Elle le serra dans ses bras et frotta sa joue contre la sienne. Même si elle était une femme très sensuelle, Rina se contentait de réclamer du réconfort par cette caresse. Elle n'avait jamais essayé de plaire à Lucas. À présent âgée de vingt et un ans, elle était trop jeune pour l'avoir jamais considéré autrement que comme son chef.

Levant la tête, il l'embrassa sur la bouche et lui caressa le bras pour l'apaiser. Ces gestes simples firent du bien à Rina. Elle le relâcha et s'assit sur la chaise à côté de lui. Lucas jeta un coup d'œil à Sascha pour voir comment celle-ci prenait leur échange. Le visage de la jeune femme demeura si impassible qu'il sut qu'elle devait refouler des émotions intenses.

Il reporta son attention sur Rina.

— Qu'est-ce qui se passe ?

— Kit a disparu.

CHAPITRE 13

— H ein ? Jusque-là, le tueur n'avait jamais enlevé d'homme.

— Non, non, ce n'est pas ce que je veux dire, protesta Rina. Il est juste parti faire un tour sur la côte avec d'autres jeunes et je n'arrive pas à les contacter. Je crois que c'est Nico et Sarah qui l'accompagnent.

— Quand sont-ils partis ?

L'interdiction de se déplacer sans autorisation avait été annoncée le matin même.

— Avant, dit Rina en jetant un coup d'œil à Sascha.

En temps normal, l'absence des trois adolescents n'aurait pas soulevé d'inquiétude. C'était dans la nature des jeunes léopards d'être impulsifs, mais Lucas soupçonnait la virée soudaine de Kit d'avoir un rapport avec l'effondrement de Dorian. Il vouait une grande admiration à la sentinelle.

— Je le retrouverai.

Les lieutenants SnowDancer qui contrôlaient ces régions se montraient habituellement raisonnables, mais il ne fallait pas oublier qu'ils traversaient une période de crise.

— Merci, Lucas.

— Tamsyn, je vais y aller avec Rina. (Il se leva et regarda Sascha.) Tu restes là ?

Il n'était pas convaincu que ce qu'elle projetait ne comportait pas de risques mais, comme Rina venait de le lui rappeler, il n'avait pas que son désir de veiller sur Sascha à prendre en compte. La quitter n'en restait pas moins difficile ; il comprenait peu à peu la place qu'elle occupait dans sa vie, malgré les barrières qu'il avait dressées autour de lui le jour où il avait tout perdu.

— Oui.

Sans ciller, elle posa sur Lucas ses yeux de firmament mais refusa de regarder Rina.

Malgré la gravité de la situation, il eut envie de sourire.

— Je viendrai voir où tu en es si je suis rentré avant 18 heures. Dans le cas contraire, laisse un message à Tammy pour moi.

— D'accord. J'espère que tu trouveras Kit et les autres.

— Ce sera le cas.

Ils avaient déjà perdu l'un des leurs. C'était amplement suffisant.

Alors que Sascha essayait de se concentrer dans la chambre d'amis, elle ne parvenait pas à chasser Lucas et Rina de ses pensées. Chaque pore de cette femme respirait la sensualité, une sensualité intense, envahissante et presque palpable. Assise en face d'eux, Sascha avait eu le sentiment de s'y noyer.

Leur baiser lui avait causé un nouveau choc. Un courant d'affection était passé entre eux. Ni passion, ni désir. Son cerveau peinait à concevoir l'idée que le baiser de Lucas ait pu laisser Rina de marbre.

On frappa à la porte et elle sursauta, hébétée.

— Oui ?

Tamsyn passa la tête dans l'encadrement de la porte et sourit.

— Je t'ai apporté une tasse de chocolat chaud. Si tu as besoin d'autre chose, n'hésite pas à me le dire. (Elle posa la tasse sur une des tables de chevet.) Je te laisse tranquille.

— Tamsyn ?

— Oui ?

Elle s'arrêta, la main sur la poignée.

— Tu pourrais m'expliquer quelque chose ?

Sascha n'envisageait pas d'interroger Lucas à ce sujet. Elle ne voulait pas risquer de trahir plus que ce qu'elle était prête à admettre pour l'instant. En revanche, puisque Tamsyn disait être guérisseuse, ce qu'elles se diraient avait peut-être une chance de rester confidentiel.

— Le baiser ? demanda Tamsyn en haussant un sourcil.

Sascha fit de son mieux pour dissimuler sa surprise.

— Oui.

— Ce n'est pas différent de la fois où il m'a embrassée quand on s'est rencontrées. En tant que mâle dominant, il renforce les liens de la meute lorsqu'il nous touche. Il se montre généralement plus affectueux avec les femmes. (Elle leva les yeux au ciel.) Ce sont des gros machos mais on les aime quand même. Bref, comme je le disais, ce baiser n'avait rien de sexuel. C'est une forme de… soutien mutuel.

— Et avec les hommes ? demanda Sascha, qui commençait à comprendre peu à peu le fonctionnement de la meute.

— Ils courent ensemble la nuit, se battent pour éprouver leurs forces, et se retrouvent parfois pour jouer au poker ou regarder un match. Ça marche.

Comme pour dire que ça la dépassait, Tamsyn haussa les épaules.

— Donc un baiser ne signifie rien pour Lucas ?

Sascha s'étonnait de sa naïveté dès qu'il était question de cet homme. Il lui avait présenté la chose comme une expérience ; peut-être voulait-il savoir ce que ça faisait d'embrasser un « bloc de béton ».

Tamsyn pencha la tête de côté et lança à Sascha un regard scrutateur.

— Au sein de la meute, ça a un sens spécial car c'est une façon de dire qu'il tient à nous, qu'il est prêt à mourir pour nous.

Sascha hocha la tête. Elle se sentait de plus en plus mal.

— En dehors de la meute… à ma connaissance, les seules femmes que Lucas ait embrassées sont celles qu'il voulait mettre dans son lit.

En souriant, la guérisseuse referma la porte derrière elle.

Le rouge monta aux joues de Sascha. Lucas voulait la mettre dans son lit. Bien qu'elle se soit juré de ne pas le laisser l'atteindre, elle se retrouva au comble de l'excitation. Elle pouvait dire adieu à sa concentration. Les rêves se mêlèrent à la réalité et elle se remémora leur baiser chez Lucas dans la forêt, ainsi que ceux autrement plus intimes de ses rêves.

Le vrombissement prosaïque d'un moteur qui se rapprochait la ramena au monde réel et la rappela à son devoir. Après avoir pris une profonde inspiration, elle s'assit par terre jambes croisées et se lança dans un exercice mental qui exigeait d'elle une telle attention qu'il parvint à chasser toutes les autres préoccupations de son esprit. Enfin prête, elle s'immergea dans le PsiNet.

Le monde s'ouvrit devant elle.

Elle se retrouva face à un ciel étoilé qui s'étirait à l'infini. Chaque étoile représentait un esprit, certaines flamboyantes, d'autres ternes. Parce qu'elle était le point d'entrée, son étoile se trouvait au centre de cet univers. Le PsiNet s'étendait d'un bout à l'autre du monde mais, si elle voulait accéder à un esprit en particulier, il lui suffisait d'y penser pour qu'il apparaisse dans son champ de vision ; comme si elle cliquait sur un lien du réseau Internet des changelings et des humains. Et comme avec un lien, il lui fallait un point de départ, en l'occurrence savoir à quoi ressemblait cet esprit.

Il y avait l'étoile étincelante de sa mère, toute de lumière froide et pure. Dans la même zone se trouvaient certains des Psis qui travaillaient au sein de l'empire Duncan. Mais, ce jour-là, elle ne souhaitait aborder personne. C'étaient les zones de vide entre les esprits qui l'intéressaient, là où flottaient les informations que le Gardien du Net mettait en ordre.

Elle permit à sa conscience de se détacher, et se laissa imprégner par les flux de données comme si elle lisait simplement les nouvelles. Le Gardien du Net l'effleura et poursuivit sa route, ni vivant ni mort, mais capable d'éprouver des sensations comme aucun autre être vivant. Malgré son jeune âge, il était le bibliothécaire de ces vastes archives.

Il aurait été facile de se laisser distraire par le flot continu des informations mais, même si elle donnait l'impression d'errer librement, elle triait les données avec rigueur, ses sens en éveil. Il s'agissait d'un meurtre… et du plus grand mensonge jamais perpétré par un peuple contre les siens.

Lorsque Lucas revint, il était un peu plus de 17 heures. Il trouva Sascha et Tamsyn dans le jardin.

— Les jeunes ? demanda Tamsyn à la seconde où il fut à portée d'oreille.

Les traits tirés, Sascha se tourna vers lui.

— Ils vont bien ?

— Le temps que je me mette à les pister, ils étaient déjà sur le chemin du retour.

— Ils sont au courant ?

Tamsyn ne cacha pas son soulagement.

Lucas vit Sascha froncer les sourcils ; elle se rendait compte qu'il ne disait pas tout. C'était inévitable… Elle était trop intelligente pour se laisser berner.

— Ils ont été arrêtés par une patrouille de SnowDancer qui leur a dit de filer chez eux.

— Ceux de ta meute ont été blessés ?

Il secoua la tête.

— Ils ont traité les gamins comme des louveteaux.

Un fait loin d'être banal. Au moment où ils avaient décidé de conclure une trêve, Hawke avait informé les siens que les léopards étaient des alliés. Mais il y avait une différence colossale entre un pacte de non-agression et l'attitude que ces soldats avaient adoptée. Lucas était chef depuis assez longtemps pour comprendre le message implicite, mais il ne pouvait pas accepter leur offre avant de l'avoir longuement soupesée.

— Ils seront rentrés à la tombée de la nuit.

Tammy sourit.

— Je vous laisse discuter.

Il s'attendait à ce que Sascha lui demande des détails, mais elle secoua la tête.

— Ne te fie pas à moi. (Elle se frotta les yeux.) Mon esprit restera vulnérable tant que je serais connectée au PsiNet.

Il songea qu'il avait bien davantage confiance en ses talents qu'elle n'en avait en elle-même.

— Qu'est-ce que tu as trouvé ?

Ils aborderaient une autre fois le sujet du rattachement de Sascha au PsiNet.

— Rien.

La lassitude rendait sa voix morne.

Il se rapprocha assez près pour lui caresser la joue du dos de la main.

—Ça t'a épuisée.

Elle ne s'écarta pas, et, lorsqu'il laissa sa main retomber pour prendre la sienne, elle l'enserra de ses doigts. Il dut étouffer le grondement satisfait de sa panthère.

—Il n'y avait rien d'utile dans les dossiers publics.

—Mais?

Il lisait la confusion et l'ébahissement sur son visage. Ce qu'elle avait découvert l'avait ébranlée au point qu'elle n'arrivait plus à garder son masque habituel.

Elle le regarda de ses yeux d'ébène avant de se détourner.

—J'ai senti des traces de violence, murmura-t-elle. Comme si quelqu'un avait laissé une empreinte mentale à certains endroits.

—Tu pourrais t'en servir pour retrouver sa trace?

Non. (Elle secoua la tête.) L'empreinte est légère. La plupart des Psis seraient d'ailleurs incapables de la détecter.

Mais elle l'avait décelée, car elle ressentait des émotions. Au lieu de l'obliger à affronter cette vérité, il replaça de sa main libre une mèche folle derrière son oreille.

—L'information a donc bien été enterrée?

Elle hocha la tête.

—Je vais tenter plusieurs autres choses cette nuit.

Sa peur était palpable.

—C'est dangereux?

—Je suis une cardinale.

—Ce n'est pas une réponse.

—Je n'ai rien d'autre à te donner.

Elle retira sa main de la sienne.

Un peu plus tard, installé dans l'immense cuisine de leur refuge principal, Lucas s'entretenait avec Tamsyn et deux des mâles les plus dangereux de sa meute. Dorian avait compensé son inexplicable handicap en se formant aux arts martiaux, à tel point qu'il était capable de maîtriser à mains nues un léopard adulte. Nate représentait peut-être une menace encore plus grande : il avait des petits à protéger.

— Combien sont-ils ici ? demanda Lucas.

— Quatorze mères de famille, vingt petits, huit jeunes, et six autres soldats en plus de vous deux, répondit Tamsyn, occupée à trier le matériel médical derrière le comptoir.

Lucas se tourna vers Dorian.

— On s'est occupé de tout le monde ?

— Oui. Plus de la moitié des enfants ont déjà été rapatriés en lieu sûr.

— On doit commencer à évacuer les petits restants et les femmes vulnérables demain matin.

Les femmes soldats comme Rina resteraient avec eux. Bon nombre d'entre elles étaient bien plus redoutables que les mâles soumis de la meute.

— Envoyez des anciens avec eux.

Les plus âgés de la meute assureraient la transmission des traditions de DarkRiver quoi qu'il arrive.

— Pourquoi attendre demain ?

Nate se pencha en avant.

— En se déplaçant en masse, on risque de s'attirer les soupçons des Psis.

— Et Sascha ? demanda Dorian. Elle va nous aider ?

Lucas regarda la sentinelle et essaya de déterminer s'il était réellement aussi calme que sa voix le laissait croire. À peine quelques jours plus tôt, il avait été prêt à étriper Sascha sur place.

— Elle fait ce qu'elle peut, mais on doit envisager le pire.

— Qu'elle échoue et qu'on découvre le corps de Brenna. (Nate passa une main dans ses cheveux grisonnants.) Si ça arrive, ce que Sascha aura pu découvrir ne nous servira à rien.

Tamsyn s'avança vers son compagnon et posa la main sur son épaule en signe de soutien.

— Je ne veux pas de ça. (Le ton de Dorian était tranchant comme une lame de rasoir.) Je veux la tête du tueur. On ne va pas pouvoir se contenter de trancher la gorge de quelques Psis pris au hasard.

— En effet, reconnut Lucas.

— J'ai parlé à Riley et Andrew. (Les yeux de Dorian s'emplirent soudain d'une angoisse qui était douloureuse à voir.) Je les ai convaincus de se tenir éloignés des Psis et de nous laisser le temps de retrouver leur sœur. Ils m'ont écouté.

Il passa sous silence la terrible raison de leur coopération.

Lucas ne commenta pas l'incursion en solitaire de Dorian sur le territoire des SnowDancer.

— En ce cas, ça nous donne quelques jours de sursis. Mettons les nôtres à l'abri et espérons que Sascha trouve l'indice dont nous avons besoin.

Le souci que Lucas se faisait pour elle entrait en conflit avec le besoin qu'il avait de protéger sa meute. Mais il savait que la décision ne lui appartenait pas : elle n'était pas le genre de femme à obéir à ses ordres.

— Tu te fies à elle ? demanda Nate.

— Oui.

Lucas ne se posait plus la question désormais. C'était une certitude.

La sentinelle le dévisagea avant de poser la main sur la table, paume en évidence.

— Alors je suis avec toi. Pour la meute.

Comme pour marquer son approbation, Tamsyn enlaça son compagnon, les yeux brillants.

Dorian posa la main sur celle de Nate, dans la même position.

—Pour la meute.

Lucas les imita, la paume vers le bas. Lorsque leurs mains se refermèrent sur la sienne, il les serra à son tour.

—Pour la meute.

Les doigts de Sascha tremblaient. Elle glissa discrètement la main gauche dans sa poche et soutint le regard d'Enrique, assis de l'autre côté du bureau qui les séparait. Il l'attendait depuis un moment. L'avait espionnée. À peine arrivée dans l'immeuble des Duncan, les ordinateurs l'avaient informée que Nikita voulait la voir.

Elle était entrée dans la pièce, terrifiée à l'idée qu'on avait pu deviner le but réel de ses recherches sur le PsiNet, et y avait trouvé Enrique, installé sur la chaise de sa mère, et Nikita debout à son côté. Sascha n'avait rien laissé paraître de sa peur, ce qui confirmait la solidité de ses boucliers. Pourtant, elle n'arrivait pas à maîtriser l'agitation de ses doigts.

—Nikita me dit que tu n'es pas parvenue à soutirer grand-chose des changelings.

C'était une forme d'humiliation très subtile. Enrique n'avait pas l'habitude qu'on le fasse attendre.

—Rien d'important, non, répondit Sascha.

Dans l'après-midi, elle avait demandé à Lucas ce qu'elle pouvait raconter aux autres cardinaux sans mettre son peuple en danger. Ce qui était revenu à lui avouer son rôle d'espionne, mais elle savait qu'il devait déjà s'en douter. Comme elle l'avait dit à Enrique, les changelings n'étaient pas stupides. Sans la juger, Lucas lui avait fourni les renseignements dont elle avait besoin.

—J'ai tout de même appris qu'ils sont capables de se transformer dès l'enfance.

Ça n'avait rien de confidentiel ; la plupart des Psis ne s'étaient simplement jamais renseignés sur le sujet.

Enrique se pencha vers elle.

—Toute information est utile.

—La seule autre chose qui puisse vous intéresser, c'est que les familles de changelings ne sont pas si isolées qu'on le croit. (Ce fait était accessible à tous.) Lorsque les jeunes mâles dominants quittent une meute donnée pour en former une autre, ils maintiennent en général des rapports amicaux avec le groupe de leurs parents.

—Excellent, Sascha. Tu es la première Psi à t'être rapprochée autant des changelings depuis plus d'un siècle. Ta coopération va nous aider à effectuer de considérables mises à jour sur des informations dépassées.

Si elle avait eu moins de bon sens, elle aurait pu croire qu'Enrique s'improvisait son mentor. Au moins, elle n'essayait plus de se leurrer en s'imaginant qu'il y avait une place pour elle au sein du Conseil.

—Si vous n'avez plus besoin de moi, monsieur, j'aimerais me retirer. J'ai certaines affaires à régler, dit-elle.

Elle fut horrifiée de constater que non seulement sa main gauche tremblait, mais que la droite se mettait, elle aussi, à la démanger. Elle devait s'enfuir avant de ne plus être capable de cacher la détérioration de son corps.

—Il se peut que je te rappelle plus tard dans la soirée… au cas où un autre détail te reviendrait.

Enrique se leva en même temps qu'elle.

Elle regarda Nikita.

—Bien sûr, monsieur. Mère.

En quittant la pièce, elle baissa les yeux sur sa botte et s'aperçut que dans sa confusion ce matin-là elle avait mis celle mordillée par Julian. Un sentiment de peur l'étreignit.

— Sascha.

Se retournant, elle tira sur le pan de sa veste pour cacher au mieux le léger tremblement de sa main droite.

— Oui ?

— Tes efforts honoreront le nom des Duncan.

L'épaule d'Enrique touchait presque celle de Nikita tant ils se tenaient près l'un de l'autre.

— Tu fais du bon travail, dit Nikita en hochant la tête.

Soudain, Sascha se demanda quelle était la part de vérité dans ce que sa mère lui avait raconté plus tôt. Enrique était-il réellement un allié dont il fallait s'assurer l'appui, ou bien les deux servaient-ils ensemble un but bien moins reluisant ?

— Merci.

Cette fois-ci, ils ne la retinrent pas. À peine sortie du bureau, elle mit son autre main dans la poche de son pantalon. Elle voulait se rendre à son appartement mais savait que ce n'était pas possible ; Enrique ne reviendrait sûrement pas sur sa décision d'aller la trouver plus tard. Et, s'il la voyait dans cet état, elle ne donnait pas cher de sa peau.

Ses mains s'agitaient convulsivement et elle ne pouvait plus ignorer les crampes dans ses jambes. Son état s'était aggravé depuis sa discussion avec Lucas. Paniquée et à peine capable de réfléchir, elle arriva à l'ascenseur et réussit par miracle à rejoindre sa voiture sans croiser personne. Sa vue se brouilla et elle sentit son cœur cesser de battre avant d'adopter un rythme irrégulier qui l'effraya.

Elle trébucha presque en voulant ouvrir la portière de sa voiture. Il lui semblait que son corps cessait son activité, que peu à peu ses fonctions vitales s'enrayaient. Un goût métallique sur sa langue accompagna son soudain accès de terreur. Puis, par un revirement incompréhensible, elle fut prise d'une envie de rire qui faillit la terrasser. Quelques secondes après avoir refermé la portière et activé la fonction « vitres teintées », un sentiment de tristesse s'abattit sur elle.

Pleurant sans discontinuer, elle comprit qu'elle était au bord d'une crise grave. Ses larmes séchèrent aussi vite qu'elles étaient venues et son corps se mit à trembler en proie à une déferlante de plaisir sensuel. Puis la culpabilité et un chagrin effroyable lui comprimèrent la cage thoracique. La douleur la prit à la gorge et elle crut étouffer. Un instant plus tard, celle-ci se dissipa.

Rien ne vint la remplacer.

Sascha profita de cet éclair de lucidité pour s'obliger à réfléchir. Elle renforça d'abord ses boucliers mentaux. Ils tiendraient bon jusqu'à sa mort et la protégeraient du PsiNet. De son propre peuple. Sa souffrance se mêla à sa peur et la connexion se rétablit entre les neurones écartelés de son cerveau.

Elle se pencha pour programmer sa destination : un lieu où aucun Psi n'irait la trouver. Puis elle laissa un message à sa mère justifiant son absence. Elle ne devait permettre à personne de se lancer à sa recherche. Qui pouvait dire dans quel état on la retrouverait ?

Alors qu'elle tournait le volant pour sortir du garage, son champ de vision se réduisit dans chaque œil à une tête d'épingle. Presque insensibilisée par la terreur qui l'étreignait, elle parvint tout de même à conduire son véhicule jusqu'à la rue. À peine le système de conduite automatique eut-il pris le relais qu'elle se recroquevilla sur son siège.

Un rire sans joie ni tristesse lui échappa. Elle éprouvait les deux émotions simultanément, et bien d'autres encore.

Elle était en colère. Folle. Satisfaite. Affamée. Blessée. Heureuse. Amusée. Excitée. Elle se mit à trembler de la tête aux pieds tandis que son cœur martelait dans sa cage thoracique.

—Lucas, chuchota-t-elle sans même avoir conscience de parler.

L'image du changeling se matérialisa devant ses yeux alors que sa vue se brouillait, mais fut aussitôt engloutie par le tumulte d'émotions qui bombardait l'esprit de Sascha et annihilait ses capacités de réflexion. La douleur court-circuita ses terminaisons nerveuses.

Elle s'arc-bouta et hurla dans l'habitacle hermétique. Ses cris résonnaient encore dans le véhicule lorsqu'elle perdit connaissance alors que la voiture poursuivait sa route.

L'atmosphère dans le refuge était tendue. Seuls les petits léopards dormaient. Les mères étaient nerveuses, les soldats et les sentinelles sous pression. Lucas n'avait pas eu de nouvelles de Sascha depuis leur conversation de l'après-midi et il s'inquiétait. Sa bête faisait les cent pas dans son esprit et le poussait à partir à sa recherche. Les choses avaient dû mal tourner lors de sa seconde exploration du PsiNet.

Il se trouvait dehors près de la porte du fond, réfléchissant à une manière d'atteindre Sascha sans alerter quiconque, lorsqu'un immense loup blanc surgit des bois derrière la propriété isolée. À côté de lui, Rina se raidit.

—Ami ou ennemi? chuchota-t-elle.

Lucas croisa le regard bleu glacier du loup.

—Rentre.

—Lucas…

—Rentre!

Son ordre était sans appel.

Rina s'exécuta, mais il perçut sa frustration et l'inquiétude qu'elle nourrissait pour lui. Après s'être assuré qu'elle était en sécurité, il s'enfonça dans les bois sur les traces du loup. Il le laissa prendre de l'avance et le suivit plus lentement jusqu'à perdre la maison de vue. Quelques secondes s'écoulèrent, puis un homme vêtu d'un jean délavé vint à sa rencontre.

Tout en muscles, Hawke renvoyait une image inquiétante. C'était un prédateur jusqu'à la moelle. Ses yeux conservaient la couleur bleu glacier de sa forme animale, et son épaisse chevelure argent et or, nullement due à son âge, rappelait son pelage. De tous les changelings que Lucas connaissait, Hawke était celui qui, sous forme humaine, ressemblait le plus à sa bête.

—Qu'y a-t-il?

Il devait s'agir d'un cas de force majeure pour que le chef des SnowDancer abandonne les siens dans l'état de tension où ils se trouvaient. Sans compter qu'il était venu jusqu'à un refuge au cœur du territoire de DarkRiver, dépassant une frontière tacite.

—Nous avons trouvé quelque chose sur nos terres, dit-il d'une voix grave. On comptait la tuer, mais comme il y a ton odeur partout sur elle je me suis dit que ça pourrait t'intéresser.

—Sascha. (Lucas dévisagea Hawke.) Une Psi cardinale?

—Oui.

—Où est-ce?

Une sueur froide menaçait d'inonder son corps entier. Il n'avait pas ressenti une telle terreur depuis qu'enfant il avait regardé ses parents mourir. Vu les circonstances, les loups pouvaient très bien être en train de l'étriper alors même qu'il parlait avec Hawke.

—Pas loin. (Hawke ne bougeait pas.) Qui est-elle?

Il était inutile d'informer Hawke que Sascha avait été à l'origine de la fuite dont Lucas l'avait informé.

— Celle qui pourrait nous aider à infiltrer le PsiNet.

Au désespoir, sa bête se jetait contre les parois de son esprit.

Hawke scruta Lucas des yeux, sans ciller.

— Si j'apprends que tu m'as menti, panthère, je ne réponds plus de rien.

Un grondement monta dans la gorge de Lucas.

— Ne me menace pas sur mon territoire, loup.

Il savait Hawke dangereux, mais il l'était tout autant et ne comptait pas laisser l'autre chef l'oublier.

— Où est-elle ?

— Suis-moi.

Hawke tourna les talons. Après une course de plusieurs minutes qui aurait épuisé même d'autres changelings, ils s'arrêtèrent à côté d'une voiture garée au bout d'un sentier caché.

Déjà à cette distance, Lucas sentait son odeur.

— Tu l'as laissée seule ?

— Tu aurais préféré que je la laisse avec ma meute ? (Hawke ouvrit la portière arrière.) Elle a eu de la chance que ce soit Indigo qui l'ait repérée… Les autres l'auraient tuée sur-le-champ.

Voyant Sascha affaissée sur la banquette, la fureur s'empara de Lucas.

— Qu'est-ce que tu lui as fait ?

Se penchant à l'intérieur, il la souleva dans ses bras. Son corps était inerte mais elle respirait. Une vague de soulagement submergea Lucas et il comprit ce qui lui avait échappé jusque-là. Bien sûr que Sascha portait son odeur : elle lui appartenait.

—Rien. On l'a trouvée comme ça dans sa voiture. (Hawke claqua la portière.) On a forcé le navigateur ; elle l'avait programmé pour aller en direction de tes forêts jusqu'à ce que le moteur tombe à sec. Elle a dû mal calculer l'itinéraire. Son véhicule a dépassé les frontières de ton territoire et s'est arrêté dans le nôtre.

—Merci.

—Ne me remercie pas. Je la tuerai comme n'importe quel autre Psi si Brenna meurt.

Une froide détermination se lisait dans les yeux de Hawke.

Lucas recula avec Sascha dans les bras, reconnaissant en son for intérieur qu'il lui devait sa loyauté à présent.

—Elle ne nous a jamais trahis. Nous nous battrons pour assurer sa sécurité.

Ses intentions étaient claires. Si quiconque touchait un cheveu de Sascha, DarkRiver se dresserait contre les SnowDancer, détruisant ainsi la paix qu'ils avaient consacré tant d'efforts à établir.

Hawke se figea.

—Tu as pris une Psi pour compagne, panthère ?

Lucas venait à peine de comprendre la vérité… Il n'était pas près de la partager avec un loup.

—N'attaquez pas les Psis sans nous en avoir parlé.

Hawke le dévisagea un long moment dans un silence glacial.

—Ne me fais pas faux bond. Brenna a disparu depuis plus de trente-six heures déjà. Si je te laisse gérer cette affaire, c'est uniquement parce que vous avez été touché les premiers. Si DarkRiver échoue, nous prendrons les commandes.

—DarkRiver n'a pas pour habitude d'échouer.

Lorsque Lucas entra dans le refuge avec Sascha dans les bras, la panique se répandit dans la maisonnée. Rina feula et sortit les griffes. Nate s'avança pour couvrir Tamsyn et la protéger, alors qu'elle n'avait clairement pas envie de l'être. Même Kit qui venait d'arriver bondit sur ses pieds.

Étrangement, ce fut Dorian qui s'avança.

— Qu'est-ce qui s'est passé ? Elle est blessée ?

Son inquiétude était aussi évidente qu'inattendue.

— On a fait du mal à la Psi ? demanda Tamsyn derrière Nate, qui refusait de la laisser passer.

Elle lui donna un coup de pied, mais il ne broncha pas.

— Laisse-moi, Nate. C'est mon amie.

— Elle a été trouvée inconsciente sur le territoire des SnowDancer.

Lucas la porta jusqu'à la gigantesque table en bois placée au milieu de la cuisine et l'y allongea.

— Et elle est vivante ? s'exclama Kit, incrédule. Pourquoi ils ne l'ont pas mise en pièces ?

— Je leur ai dit qu'elle pourrait peut-être nous ouvrir l'accès au PsiNet.

Lucas se demanda si, malgré le serment que Nate et Dorian lui avaient prêté quelques heures plus tôt, il allait devoir affronter sa propre meute pour protéger Sascha. Il ne s'en remettrait pas. Il avait toujours été loyal à sa meute, et à elle seulement. Jusque-là.

— Qu'est-ce qui est arrivé à sa botte ? dit Nate en fronçant les sourcils. Elle ressemble à la plupart des miennes.

— Julian l'a trouvée à son goût.

Tamsyn, que Nate avait enfin relâchée, s'avança jusqu'à la table et posa les mains sur le corps de Sascha avant de fermer les yeux. Elle ne les rouvrit pas pendant plusieurs minutes.

— Je n'ai jamais eu à soigner de Psi, alors je ne sais pas bien comment interpréter ses symptômes. D'après ce que je constate, elle est plongée dans un sommeil très profond. Presque comme un coma.

— Elle va se réveiller ?

Le désespoir de la panthère de Lucas se muait en une douleur sourde. S'il avait compris plus tôt ce qu'elle représentait pour lui, elle n'aurait peut-être pas été blessée.

— Je ne sais pas.

— Les Psis ont pu l'attaquer ?

Alors que Lucas la regardait étendue sur la table, il s'aperçut soudain de sa fragilité. Du point de vue du physique, les Psis étaient beaucoup plus délicats que les changelings, un désavantage qu'ils compensaient par leurs dons psychiques. Si on les en privait, ils devenaient aussi fragiles que du verre.

— C'est possible, mais elle est simplement trop différente pour que je puisse faire un diagnostic exact. (Tamsyn écarta les mèches de cheveux qui s'échappaient de la natte de Sascha et regarda Lucas.) Pourquoi l'auraient-ils laissée en vie ?

— Pourquoi une Psi programmerait son véhicule pour aller dans l'un des territoires les plus dangereux de cet État ?

Personne n'avait de réponses à fournir.

CHAPITRE 14

Comme les lits avaient été retirés du refuge, il fut décidé de laisser Sascha sur la table où Tamsyn et les sentinelles pourraient garder un œil sur elle toute la nuit. Ils trouvèrent des couvertures qu'ils disposèrent sous elle, ainsi qu'un oreiller sous sa tête. Lucas la couvrit d'un léger plaid après lui avoir ôté ses chaussures.

— Laisse-la dormir, dit Tamsyn en vérifiant le pouls de Sascha. Si elle ne remue pas d'ici à demain… je ne sais pas ce qu'on devra faire. Appeler les Psis ? Et si c'étaient eux qui lui avaient fait ça ?

Lucas ne répondit pas. Il aurait dû se concentrer sur la sécurité de sa meute mais son attention restait fixée sur la femme étendue devant lui. Elle se trouvait dans un monde inaccessible, il ne pouvait la protéger. Exactement comme il n'avait pas pu protéger une autre femme qu'il avait aimée.

Après tout ce temps, il demeurait incapable d'évoquer le rire de sa mère sans entendre ses cris. Jeune et faible, il l'avait vue tomber sous une tornade de griffes et de crocs, il avait vu vaciller l'éclatante lumière de sa vie. La vengeance avait apaisé sa fureur mais les cicatrices de la perte de sa mère guérisseuse et de son père sentinelle demeureraient à jamais. Cicatrices qui l'avaient endurci ; cependant il découvrait à présent qu'elles ne pouvaient le protéger de tout.

Sascha avait fini par s'insinuer en lui, présence vibrante au plus profond de son cœur, là où seule une âme sœur aurait pu se loger. Et voilà que cette lumière se mettait à défaillir dans une tempête qu'il était incapable d'apaiser, un danger qu'il ne voyait même pas. Son impuissance le consternait. Il maudissait le destin qui lui donnait une compagne mais pas les moyens de la protéger. Sans doute était-ce la raison pour laquelle il était resté aveugle à une vérité que la panthère connaissait depuis le début : il ne voulait plus souffrir comme cette fois-là, ne voulait plus que son cœur saigne.

— Tu vas te réveiller, ordonna-t-il dans un sourd murmure.

Il n'avait pas l'intention de laisser lui échapper ce qu'il venait tout juste de découvrir.

Les heures passèrent. Ils regardèrent. Ils attendirent. Les oiseaux s'éveillèrent mais aucun Psi ne s'abattit sur eux. Il s'avéra que les SnowDancer avaient tenu parole et que le Conseil n'était pas responsable de l'état de Sascha.

Les mères inquiètes commencèrent à s'apaiser mais les soldats demeurèrent sur le pied de guerre. Alors que le ciel s'éclaircissait, Sascha remua. Lucas ordonna que tout le monde, à part Nate et Tamsyn, quitte la cuisine.

Sascha ouvrit les yeux et regarda le plafond quelques secondes avant de s'asseoir.

— Qu'est-ce que je fais là ?

— Les SnowDancer t'ont trouvée sur leur territoire et je t'ai amenée ici.

Il eut envie de la marquer avec ses dents ; à présent qu'il comprenait, il ne désirait plus réprimer les réflexes primitifs de la bête en lui.

— Attends, s'exclama-t-elle, je devais m'arrêter chez toi !

Elle leva les mains pour remettre de l'ordre dans ses cheveux et s'immobilisa brusquement.

— Tu as défait ma natte.

— Oui.

Il avait mis une telle possessivité dans ce seul mot que Sascha en resta les yeux écarquillés. Ce fut bien la première fois qu'il vit cette expression chez une Psi.

— Je peux avoir de l'eau ? demanda-t-elle.

Tamsyn lui tendit immédiatement un verre que Sascha vida d'un trait.

— Merci.

— De rien, dit Tamsyn en se tournant vers Lucas. Bon, je vais voir ce que font les autres.

— Oui.

Nate perçut le message et la suivit. Si bien que Lucas et Sascha se retrouvèrent seuls dans la cuisine. Ce dernier se pencha alors pour céder à la tentation qui le tenaillait depuis qu'elle s'était éveillée : la soulevant dans ses bras, il alla s'asseoir et la prit sur ses genoux, jouant avec les boucles qui lui tombaient jusqu'à la taille.

Elle se figea.

— Qu'est-ce que tu fais ?

— Je te retiens, souffla-t-il en humant son odeur. J'ai cru que tu allais mourir. Tu ne peux pas mourir.

Comme si elle percevait l'angoisse qui l'avait saisi, elle plaça une main hésitante sur son torse et posa la tête sous son menton.

— Je crois que j'étais juste plongée dans un profond sommeil. Mais maintenant mon corps fonctionne normalement.

— Qu'est-ce qui s'est passé ?

— Je ne sais pas.

— Je ne te crois pas.

La sentant frémir, il éprouva plus que jamais le besoin de la protéger.

—Dis-moi tout, Sascha chérie.

—Je vais t'aider à trouver le tueur, murmura-t-elle avec une rare conviction. Je te donnerai toutes les informations que j'obtiendrai.

—Pourquoi?

—Il faut que je regagne mon appartement pour midi; c'est ce que j'ai promis à mère en lui disant que j'allais voir un architecte en banlieue avec toi.

—On va te déposer, promit-il en l'étreignant. Dis-moi ce qui t'est arrivé. Je ne te lâcherai pas tant que tu ne me l'auras pas expliqué.

—J'ai perdu le contrôle de mon corps. Ça m'est déjà arrivé mais, cette fois, ça a été comme un court-circuit. Je me suis rendue chez toi parce que je pensais échapper à la surveillance des Psis.

—Il faut que tu voies un médecin.

—Non. Personne ne doit savoir que je commence à craquer.

—On dirait plutôt un problème physique que mental.

—Pas du tout. Je... ressens des choses, Lucas, des choses qui m'ont fait perdre connaissance. Ça vient de mon esprit. S'ils s'en aperçoivent...

Il devait reconnaître qu'elle avait raison : où trouver un médecin qui traite une Psi en toute discrétion? Voilà une nouvelle tâche à laquelle il allait se consacrer.

—Comment te sens-tu maintenant?

—Bien. J'ai juste envie d'une douche.

—Parfait.

Il ne la lâcha pas pour autant; Lucas était déchiré de ressentir à quel point elle avait besoin de contact. Et puis le moment était venu de lui dire ce qu'il savait.

—Sascha, je sais que tu ne ressembles pas aux autres Psis.

Elle le fit taire d'une main sur la bouche.

—Ne dis jamais ça à voix haute. Jamais. Si tu as le moindre… sentiment pour moi, oublie. N'importe qui pourrait t'entendre, et ce serait ma mort.

Tout en lui baisant la paume, il considéra ses yeux de firmament assombris par l'effroi. Elle se dégagea d'un geste brusque.

—Il faudra bien que tu m'en parles un jour, insista-t-il.

—Je sais. Je suis en train de partir à la dérive mais je t'aiderai avant.

—«À la dérive»?

—La folie…, articula-t-elle si bas qu'il l'entendit à peine. Je perds la tête. Je le sais bien… alors autant partir en beauté. Tu peux me faire une promesse?

—Laquelle?

—Quand je serai complètement cassée, tue-moi. Vite et bien, sans hésiter.

—Non, dit-il, la gorge sèche.

—Tu dois le faire. Ils vont me transformer en légume si tu ne le fais pas. Promets-le-moi.

Il n'avait pas l'intention de la tuer. Mais, comme tout bon félin, il savait comment se dérober.

—Je te tuerai si tu sombres dans la folie.

Malgré ses craintes, elle ne donnait pas le moindre signe de maladie mentale. Il aurait flairé l'odeur âcre de putréfaction là où il ne sentait qu'espoir et vie.

Après sa douche, Sascha entra dans le salon pour tomber face à face avec un léopard qu'elle avait toutes les raisons de redouter.

—Salut, Dorian.

Il l'observa de ses iris d'un bleu si pur qu'on avait du mal à imaginer la noirceur qui l'habitait.

—Tu m'as fait quelque chose.

Ce n'était pas une accusation, plutôt un constat. Certes, elle percevait la rage qui frémissait au fond de lui, mais ne la sentait pas dirigée contre elle.

— Je ne sais pas ce que j'aurais pu te faire, rétorqua-t-elle, la gorge serrée.

Elle s'était convaincue qu'elle avait juste imaginé l'incident, que cela ne provenait que de sa folie naissante. Et si…?

Dorian lui effleura la joue du bout des doigts. Elle qui ne supportait d'autre contact que celui de Lucas tressaillit, le faisant aussitôt reculer.

— Pas touche?

— Je ne suis pas une changeling, laissa-t-elle tomber d'un ton plus brusque qu'elle ne l'aurait voulu. Pour toi, c'est facile… pas pour moi.

À son grand étonnement, il lui prit le visage entre les mains et la regarda dans les yeux:

— Je veux voir ce qu'il y a en toi. Si tu as un cœur, une âme.

— J'aimerais bien.

Elle ne savait même pas s'il lui en restait une trace, si tout n'avait pas brûlé pendant le conditionnement.

— Dorian!

Derrière elle, la voix de Lucas la fit sursauter, un rien menaçante mais posée, sûre de son pouvoir. Il respirait la confiance par tous les pores de sa peau, c'était un mâle dominant et elle commençait à comprendre ce que ça signifiait exactement.

— Je ne t'ai pas fait mal, Sascha? demanda Dorian, l'air déconfit.

Alors ce fut elle qui posa une main hésitante sur son épaule.

— Tu n'as fait de mal qu'à toi-même.

Il souffrait et sa douleur semblait grandir de jour en jour ; s'il n'y cédait pas, elle finirait par exploser.

— Arrête, Dorian ! Ne te punis pas pour le crime d'un monstre.

Lorsqu'il releva les yeux, elle put discerner une trace de la terrible rage qui le hantait.

— Ce sera comme ça jusqu'à ce qu'il crève. Après, on en reparlera.

Sascha le lâcha et se retourna vers Lucas, l'air implorant, mais il secoua la tête. Nul ne pourrait aider Dorian contre son gré.

— Tu viens ? demanda-t-il.

D'une main, elle lissa son tailleur que Tamsyn avait repassé et acquiesça. En même temps, elle avait peur. Enrique avait sûrement semé ses espions partout. Il la retrouverait dès qu'elle retournerait au Centre.

— Il faut que je leur donne quelque chose puisque je suis censée avoir passé la nuit chez toi. Ils s'attendent sûrement à ce que je leur rapporte au moins un détail.

Lucas se rapprocha au point que, même s'il ne la toucha pas, elle sentit la pression de sa présence, comme si leurs corps se connaissaient, cherchaient à s'étreindre bien qu'ils ne se soient embrassés qu'une fois. Face à ce visage sauvage, marqué, elle se demanda s'il voyait les tourments de son cœur.

— Tu peux gagner du temps ?

De l'index, il lui parcourut la joue, descendit le long de son cou puis de son bras, et leurs doigts se joignirent.

Dorian vint se planter devant eux.

— Qu'est-ce que tu racontes ?

— Je suis censée vous espionner, martela Sascha, crispée. Je devais rassembler un maximum d'informations sur les changelings et les transmettre à ma mère et au Conseiller Enrique.

—Comment saura-t-on que ce n'est pas ce que tu as fait ? lança une voix féminine du côté de la porte.

Sascha soutint le regard hostile de Rina.

—Vous n'en saurez rien. Vous n'avez pas les moyens de surveiller le PsiNet.

La blonde s'approcha de Dorian.

—Vraiment, Psi ?

Lucas resserra son étreinte sur la main de Sascha.

—Tu contestes mon jugement, Rina ?

—Parce que tu crois en avoir encore ? rétorqua-t-elle d'un ton de défi. Tu as amené une Psi dans notre cachette alors que tu savais qu'elle était une taupe !

—On se calme ! intervint Dorian.

—Quoi ? Je n'ai plus le droit de poser de questions ?

Cette fois, Lucas lâcha la main de Sascha.

—Il y a une différence entre poser des questions et aller trop loin.

—J'ai le droit de savoir ce qui se passe.

Rina se tourna complètement vers Lucas. Ils savaient tous qui était le plus dangereux prédateur dans cette pièce et son attention était totalement focalisée sur Rina.

—Certainement pas, trancha Lucas. Tu n'es soldat que depuis le début de l'année, d'un grade tellement inférieur que tu ne devrais même pas participer à cette conversation.

Sascha resta stupéfaite par la violence de cette déclaration. Elle n'avait jamais entendu Lucas s'exprimer d'un ton si autoritaire, presque cruel. À l'évidence, il frappait Rina à son point le plus sensible : sa fierté. Dorian se rapprocha de son chef de meute, laissant Rina seule.

—Lucas, commença celle-ci d'une voix tremblante. Pourquoi fais-tu ça ?

—Parce que tu m'as prouvé qu'on avait tort d'être gentil avec toi, répliqua-t-il en l'attrapant par le menton. Tu n'as aucun droit de me parler comme tu l'as fait, d'accord ?

Lorsque Rina leva les yeux, Sascha prit soudain conscience de son extrême jeunesse, jusque-là masquée par son audace. Un rien apitoyée, elle esquissa un geste dans sa direction avant de s'interrompre en voyant l'expression furieuse de Lucas.

—Tu n'es qu'un soldat sans grade, répéta-t-il. Tu dois suivre les ordres. Dorian, où devrait se trouver Rina en ce moment ?

—À monter la garde, rétorqua celui-ci d'un ton encore plus sec, sur la gauche du refuge, avec Barker.

—Tu n'es même pas capable d'obéir aux ordres qu'on te donne ? insista Lucas en lâchant le menton de la fille. Tu crois qu'on t'a désignée à ce poste pour s'amuser ?

Muette, elle fit « non » de la tête et Sascha perçut à quel point la jeune femme était mortifiée. Visiblement, on ne lui avait jamais parlé sur ce ton. Incapable de se maîtriser plus longtemps, elle intervint :

—Ça suffit, maintenant.

—Ne te mêle pas de ça, l'interrompit Lucas. Ça ne regarde que la meute.

Curieusement, cette exclusion atteignit beaucoup plus Sascha qu'elle l'aurait cru.

—Tu diriges toujours ton monde à coups d'humiliations ?

—On ne vit pas dans le monde propre et net des Psis. La cruauté peut s'avérer nécessaire. Quant à toi, Rina, ce n'est pas la première fois que tu désobéis à un ordre direct. Si tu veux tellement jouer les indépendantes, je t'écarterai de DarkRiver.

—Non, balbutia-t-elle.

— Dans ce cas, contente-toi de faire ton travail. Dorian, elle est désormais sous ton commandement. Ne couche pas avec elle comme l'a fait Barker. À l'évidence, ça a altéré son aptitude à la traiter comme un simple soldat.

— Ne t'inquiète pas. Les petites filles pourries gâtées, ce n'est pas mon genre.

Sascha s'insurgea en voyant la fille en question s'empourprer, les lèvres tremblantes.

— Arrêtez ça, tous les deux !

— Dorian, emmène Rina et ferme la porte derrière toi.

Sans un mot, les deux autres léopards s'éloignèrent. Sascha attendit de se retrouver seule avec lui pour dire à Lucas le fond de sa pensée.

— Comment peux-tu lui faire une chose pareille ? Elle n'a rien dit de si abominable pour que tu piétines ainsi sa fierté !

— Elle a mis mon autorité en doute.

Lorsqu'il tendit la main vers sa joue, elle recula ; il serra la mâchoire.

— Ah bon ? s'écria-t-elle. Parce que personne n'a le droit de faire une chose pareille ? Tu ne supportes aucune critique ?

— Il y a des hommes et des femmes dans cette meute qui ont versé leur sang pour moi, qui ont suivi l'ordre de s'aventurer sur de dangereux territoires sans poser la moindre question. Eux, ils ont gagné le droit de dire ce qu'ils pensent de moi. (Ses yeux verts étincelaient de colère.) Vaughn, Clay, Mercy, Tammy, Dorian, Nate, Desiree, Cian, Jamie, et même cet idiot de Barker font partie de ceux qui ont le droit de contester mes décisions. Mais pas Rina.

— Pourquoi ?

Elle lui en voulait encore pour la manière dont il avait rabaissé Rina. Cela lui rappelait trop de souvenirs personnels… Quand on avait voulu lui faire comprendre qu'elle ne méritait pas d'être cardinal, qu'elle n'était pas assez puissante, qu'elle ne représentait pas grand-chose.

— Vous êtes de la même famille, pourtant?

— Chaque famille a une hiérarchie qu'on se doit de respecter. Il en va de la sécurité de tous.

Il l'attira à lui avec une telle impétuosité qu'elle ne put lui résister. Elle se raidit en se demandant si le moment était bien choisi pour lui montrer qu'elle avait plus d'un tour dans son sac.

— Autrement dit, si tu la laisses te tenir tête, elle pourrait refuser d'obéir à tes ordres le moment venu.

Contre sa joue, elle sentit son cœur battre avec une puissance qui ne faisait que souligner sa force physique.

— Oui, répondit-il en se radoucissant. Aujourd'hui, elle a déserté son poste de garde. Ça aurait pu coûter la vie à plusieurs d'entre nous en cas d'intrusion… Les jeunes adultes assez forts et assez indépendants pour donner de bons soldats sont aussi les plus difficiles à contrôler. Si je les laisse faire n'importe quoi, ce sera le chaos.

— Tu as été tellement dur!

Cédant à la tentation, elle glissa les bras autour de son corps chaud; c'était la première fois de sa vie qu'elle ne craignait pas de se montrer telle qu'elle était. Lucas savait tout. Le plus agréable étant qu'il ne considérait pas du tout sa faiblesse comme un défaut.

— Si j'ai longtemps traité Rina avec indulgence, c'est parce que je craignais de la blesser, mais elle a maintenant l'âge de se plier à une certaine discipline. Si elle n'y parvient pas, c'est qu'elle n'est pas faite pour être soldat et ne mérite aucun grade.

— Finalement, vous n'êtes pas si différents que ça des Psis… Seuls les plus forts survivent.

—Si, Sascha chérie, soupira-t-il en lui effleurant les cheveux. Nous sommes très différents.

Son ton affectueux était aussi doux qu'une caresse.

—Comment ça?

—Nous ne rejetons pas les faibles. Nous ne détruisons pas ceux qui ne ressemblent pas aux autres. Il est vrai que les soldats occupent une position prestigieuse, mais celle de Tammy l'est encore plus, comparable à celle d'une sentinelle. Dans certaines circonstances, elle a même le pouvoir de prendre le commandement.

Sascha l'ignorait.

—Les sentinelles?

—Mes seconds.

—Dorian, Nate… Clay?

Il se dégageait des trois hommes une aura de puissance qui les plaçait un peu à part. Même Dorian, qui malgré sa souffrance ne semblait en rien diminué.

—Et tu n'as pas encore rencontré Vaughn ni Mercy.

—Il y a d'autres grades?

—Oui. Par exemple, certaines mères occupent une place très importante, parce que sans elles les soldats n'auraient pas de famille à protéger.

—Je vois.

Si elle était née dans ce clan, elle ne serait pas devenue folle.

—Nos lois peuvent sembler dures mais nous ne sommes pas inhumains. Nous chérissons chaque individu. Nous favorisons les différences.

Le genre de chose que les Psis ne feraient jamais.

Chapitre 15

Lucas regarda Sascha sortir dans la cour. Au fur et à mesure qu'elle avançait, son visage retrouvait peu à peu l'expression impassible attendue d'une Psi. Lucas savait qu'il devait la laisser se protéger ainsi, quitte à faire enrager sa bête de la voir se fermer peu à peu. Être incapable de la défendre l'irritait au plus haut point mais en même temps il était fier de la force que recélait le corps gracile de sa compagne.

—Rina ? demanda-t-il à Dorian sur la véranda.

—Ça ira.

—Sérieusement, Dorian. Ne couche pas avec elle.

Comme beaucoup de jeunes panthères parvenues à l'âge adulte, Rina était très sensuelle. Son odeur devenait irrésistible pour les mâles. Comment reprocher à Barker d'avoir cédé à la tentation ?

—Sinon, elle te tiendra par les couilles.

Dorian haussa un sourcil.

—Je te l'ai déjà dit, elle est trop jeune et trop fragile.

—Sascha s'inquiétait plutôt pour toi.

Et Lucas ressentait la même chose. Dorian devenait de plus en plus difficile à déchiffrer malgré la façon dont il s'était remis après l'enlèvement de Brenna.

—Je suis assez grand pour savoir ce que j'ai à faire.

—Tu fais partie de la meute, tu n'as pas à assumer cette perte tout seul. Kylie était aussi des nôtres.

Elle avait été comme Rina : un peu sauvage, un peu rebelle, sincèrement aimée de tous. C'était la raison pour laquelle Lucas avait confié Rina à la sentinelle. Dorian serait dur et exigeant mais il ne lui ferait jamais de mal.

— Je n'ai qu'une hâte, grommela ce dernier, c'est de déchiqueter son meurtrier à coups de dents. Mais Sascha ne comprend pas qu'on veuille se venger.

— Crois-moi, elle le comprend beaucoup mieux qu'on l'imagine. Bon, je reviens dans quelques heures.

— Je veille sur elles.

Lucas déposa Sascha au coin de son immeuble.

— Comment vas-tu expliquer que tu n'as plus de voiture ?

— Je dirai qu'on me l'a volée près d'un territoire changeling et que je n'ai pas porté plainte parce que la zone est peuplée de léopards DarkRiver que je ne voulais pas contrarier.

— Ils vont gober ça ?

— La plupart des Psis considèrent les changelings comme une espèce inférieure ; donc ils me croiront volontiers. J'aurai une nouvelle voiture en quelques heures.

Elle parlait d'un ton âcre, très lointain de celui de la femme qui l'avait pris dans ses bras.

— Tu n'aurais pas une information à me donner, ajouta-t-elle, sans te mettre en danger pour autant ?

Il tapota le volant du bout des doigts.

— Je n'en vois pas qui pourrait leur servir.

— Bon, je vais gagner du temps.

— Ça ira ?

— Je ne resterai pas assez longtemps pour qu'ils s'impatientent. Un jour ou deux de plus, ça pourrait agacer Enrique à la rigueur mais c'est tout.

Il capta une intonation incompréhensible dans sa voix, mais elle ouvrait déjà la portière.

— Sois prudente, Sascha chérie.

Un court instant, son masque d'impassibilité tomba et il revit la vraie femme en elle.

— Je préférerais venir d'une autre époque, d'un autre endroit, souffla-t-elle. Ça m'aurait peut-être permis d'échapper à mon destin… et de devenir ta chérie.

Là-dessus elle s'éclipsa, sans lui laisser le temps de répondre. Il la suivit des yeux jusqu'au coin de la rue. Elle ne se retourna pas une fois.

Enrique n'avait pas laissé de message à Sascha la veille au soir. Il n'en avait pas eu besoin car il l'attendait de nouveau dans les locaux de sa mère.

— Sascha, lança sèchement Nikita, assise à son bureau. J'espère que tu pourras justifier le temps que tu passes sur cette affaire.

Remarque d'autant plus étonnante que c'était elle qui avait conseillé à Sascha de tout vérifier dans les détails.

— Ça avance doucement, mère. Je crois que les changelings apprécient d'être traités comme des individus uniques.

— Tout à fait, approuva Enrique en se détournant de la fenêtre. Il semblerait que tu aies saisi leur façon de penser.

Attention, se dit Sascha. Elle ne devait pas les laisser soupçonner qu'elle en savait plus qu'elle n'en disait.

— J'ignore s'il faut le prendre comme un compliment, Conseiller. Je ne fais qu'utiliser des techniques typiquement Psis quand j'ai affaire à eux. Comme je l'ai déjà dit, ils hésitent beaucoup à me communiquer la moindre information.

— Autrement dit, tu n'es pas encore parvenue à les infiltrer ?

La pique provenait de Nikita. Sascha n'en eut que davantage l'impression que sa mère faisait équipe avec Enrique.

— C'est difficile, répondit-elle. Chez les léopards, les émotions tiennent lieu de lien social.

— C'est malheureusement vrai, approuva Enrique, imperturbable. Nikita, nous comptons peut-être un peu trop sur les capacités de Sascha à réunir des informations.

« *Nous.* »

Ainsi, ils étaient complices, au moins sur ce point. Au lieu de défendre ses capacités, elle les laissa prendre leur décision sans les interrompre. D'ailleurs, elle était sans doute la seule à y percevoir une insulte alors qu'Enrique avait sans doute juste voulu rappeler qu'elle faisait de son mieux.

— Merci, Sascha, dit Nikita. Il semblerait que cette opération ne nous permette pas de rassembler autant de données que nous l'avions escompté.

Sascha les salua et sortit, le cœur lourd. Elle avait toujours tenté d'oublier que sa mère aidait peut-être un tueur à échapper à la justice, se persuadant que Nikita, malgré son appartenance au Conseil, était restée extérieure à cette histoire. En la voyant auprès d'Enrique, Sascha avait soudain tout compris. Le Conseil était peut-être divisé sur certains sujets mais, face au monde extérieur, il formait un mur infranchissable.

Si l'un d'eux savait, ils savaient tous.

De même, Sascha avait dès le départ été destinée à jouer les taupes. C'était Nikita qui avait poursuivi une voie que les autres Psis évitaient, c'était elle qui avait insisté pour intégrer Sascha au projet. Lorsqu'elle avait accepté que sa fille lui fasse ses rapports plutôt qu'à Enrique, cela n'avait finalement correspondu qu'à une épreuve de force. Ce que

Sascha ignorait, c'était ce qu'ils avaient espéré apprendre ainsi.

En attendant l'ascenseur, elle s'efforça de ne pas laisser paraître ses émotions. Nikita, sa propre mère. Dire qu'elle couvrait un meurtrier…

Un léger bruissement lui parvint une seconde avant qu'une main s'abatte lourdement sur son épaule. Si elle ne s'était pas tenue sur ses gardes, elle se serait trahie en sursautant. D'un mouvement flegmatique, comme n'importe quel Psi, elle se retourna vers Enrique.

—Autre chose, monsieur ?

—Je trouve que tu es une… étonnante jeune femme, rétorqua le Conseiller, les yeux rivés sur elle.

Au mot «étonnante», elle sentit son cœur se serrer.

—Je suis tout à fait normale, monsieur. Comme vous le savez, mes pouvoirs cardinaux ne se sont jamais développés.

Elle avouait là une vérité qu'elle détestait car c'était la seule chose qui pouvait lui permettre de le dégoûter d'elle.

—Je pourrais peut-être t'aider à les développer, lui assura-t-il avec son sourire froid. Je suis sûr que Nikita serait d'accord.

Elle sentit le sol se dérober sous ses pieds.

—J'ai déjà passé de nombreux tests.

Derrière elle, les portes de l'ascenseur s'ouvrirent dans un bruissement discret. Enrique y jeta un coup d'œil et recula pour laisser passer ceux qui en sortaient.

—Bonjour, Latham.

—Conseiller…

Le Psi plus âgé sortit de l'ascenseur et contourna Sascha.

—On m'a dit que vous seriez là, poursuivit-il.

—Je peux y aller, monsieur ? demanda Sascha en entrant dans la cabine.

—Nous verrons ça plus tard.

Enrique arborait une expression impénétrable mais son regard sembla la transpercer.

Quand les portes se refermèrent, Sascha dut se faire violence pour ne pas s'effondrer, craignant qu'une caméra de surveillance la trahisse. Le Conseiller avait remarqué quelque chose à son sujet et, à présent, il ne la lâcherait plus avant d'avoir découvert ce qui lui avait mis la puce à l'oreille. Elle avait vu son étoile sur le PsiNet. Aucune émotion, aucun sentiment, aucune faille. Rien que l'intelligence la plus glaciale qu'elle ait jamais perçue.

C'était le produit le plus parfait de Silence.

Après avoir déposé Sascha, Lucas ne regagna pas le refuge. Il devait faire comme si de rien n'était. Nul ne devait soupçonner que les changelings se préparaient en toute discrétion à une éventuelle guerre.

Garant sa voiture dans le parking du bâtiment de DarkRiver, il monta ensuite voir Zara. Elle voulait lui parler, aussi passèrent-ils une bonne heure à discuter. Comme elle n'était pas un léopard, on ne l'avait pas informée de la situation. Elle avait été mise sous protection au cas où, mais il n'y avait aucune raison de l'impliquer plus que ça. Du moins pas pour le moment.

Si bien qu'elle continuait à tracer ses plans, ignorant que le bâtiment risquait de ne jamais sortir de terre. D'un autre côté, s'ils retrouvaient Brenna vivante, le projet deviendrait d'une importance vitale.

Malgré ces pensées, l'esprit de Lucas revenait toujours à Sascha. Qu'avait-elle en tête ? Ce regard fixe quand elle était sortie de la voiture… il n'aimait pas trop ça. D'autant qu'il avait affaire à une femme des plus butées.

Ce qui ne la rendait pas indestructible pour autant.

Il savait qu'elle allait se mettre en danger et l'idée de ne pas pouvoir l'en empêcher le rendait fou. La bête en lui grondait, plutôt approuvée par l'humain. Il en avait assez de se comporter de manière civilisée. Il allait marquer Sascha Duncan.

— Lucas ?

Levant les yeux, il aperçut Clay à la porte, s'excusa auprès de Zara et suivit la sentinelle dans le couloir, hors de portée d'oreille.

— Qu'est-ce qu'il y a ?

— On a peut-être un indice, un jeune loup qui a enfreint les règles pour aller traîner en ville… Il jure avoir senti Brenna à proximité d'un immeuble.

Lucas en eut la chair de poule. Le tueur n'avait tout de même pas commis l'erreur de séquestrer Brenna si près.

— L'odeur était forte ?

— Pas trop. Sans doute quelqu'un qui aurait approché Brenna. Tiens, voilà l'adresse. Comme c'était un immeuble Psi, le gamin n'a pas osé y entrer.

Comme Lucas s'en doutait déjà, le papier indiquait le quartier général des Duncan. Là où se trouvait Sascha en ce moment même. S'il écoutait son instinct, il s'y précipiterait pour la tirer de là, mais il savait que c'était le meilleur moyen d'attirer l'attention sur elle, de la mettre en danger de mort.

— Il n'a rien remarqué d'autre ?

Clay fit « non » de la tête.

— Bon, reprit Lucas. En comptant les habitants et les gens qui y travaillent, l'immeuble doit abriter environ cinq cents personnes, plus les visiteurs ; je ne vois vraiment pas comment intervenir.

Les loups allaient devenir fous ; lui-même se contenait à peine alors que Brenna ne faisait pas partie de sa meute.

— Que dit Hawke ? reprit-il.

—Les siens essaient de pirater le serveur principal de l'immeuble, là où les Psis gardent la liste de tous ceux qui entrent et sortent… Au fait, Sascha pourrait nous avoir ces infos sans difficulté !

—Non. Ce serait le meilleur moyen de laisser une trace qui mènerait tout droit à elle. Personne n'est allé vérifier sur place ?

—Si, Hawke. Il n'a rien senti mais il croit quand même le garçon : ce n'est pas le genre à inventer des histoires.

Remarquant un ordinateur encastré dans le bureau voisin, Lucas prit sa décision.

—Je vais vérifier de mon côté.

Ce qui l'occuperait un peu, au lieu de rester à faire les cent pas tandis que Sascha risquait sa vie.

—Dis à Hawke que je le préviendrai si je trouve quelque chose.

Clay s'éloigna sans poser de questions. Tous deux savaient que l'important était de connaître son ennemi. Avec les Psis, cela revenait à connaître leur système informatique en détail. Les Psis dépendaient entièrement de leurs ordinateurs. C'était l'une de leurs seules faiblesses physiques.

Cependant, avant d'entreprendre quoi que ce soit, l'homme autant que la bête devaient s'assurer que Sascha était saine et sauve. Il décrocha son téléphone et composa le code qu'elle lui avait indiqué. Elle répondit instantanément, d'une voix neutre.

—Monsieur Hunter, que puis-je faire pour vous ?

—À propos de ce que je vous ai demandé de vérifier, vous devriez le mettre en attente.

—Pourquoi ? Je croyais que vous vouliez une réponse rapide ?

— Nous venons d'apprendre qu'il pourrait y avoir une fuite chez vous et nous aimerions changer certains éléments pour en assurer la sécurité commerciale.

Avant tout, il devait empêcher Sascha de prendre des risques si le tueur se trouvait dans les parages.

— Je vous assure que notre sécurité est infaillible. Ne vous inquiétez pas pour vos plans.

— Je suis d'un naturel circonspect. Soyez prudente.

Si seulement il pouvait la saisir à travers le téléphone, la ramener et la mettre sous la protection des léopards…

— Comme toujours.

Il poussa un juron lorsqu'elle raccrocha. Essayer de craquer le système Duncan ne lui fit pas oublier que Sascha était en danger mais ça l'aida à s'occuper l'esprit… même si cette tâche risquait de s'avérer complètement inutile.

Les réponses à leurs questions ne se trouvaient dans aucun ordinateur ; il leur fallait accéder au PsiNet.

Sascha se demandait si elle avait bien compris Lucas. Est-ce qu'il lui avait demandé de se mettre à l'abri parce que le tueur pourrait se trouver dans le bâtiment Duncan ? Elle aurait dû avoir peur mais ce n'était pas le cas. Là où elle se rendait, la distance physique ne comptait pas, et la mort pouvait survenir plus vite que la lame d'un tueur.

Pour la première fois de sa vie, elle allait tenter de craquer le PsiNet, vraisemblablement le fichier d'archives le plus complet du monde. Tout Psi y était automatiquement relié à sa naissance et il était impossible d'y échapper. Néanmoins, dans la mesure où les Psis étaient des hommes et des femmes dont le pragmatisme confinait à l'obsession, on leur enseignait à tous à dresser des boucliers mentaux pour se protéger d'intrusions intempestives.

Ceux-ci empêchaient le gigantesque PsiNet d'envahir les esprits de ceux qui y étaient connectés, du moins ceux qui y tenaient car certains préféraient y rester complètement ouverts. On considérait ces individus comme extrémistes. Vivre avec un flux d'informations entrantes permanent n'était pas pratique.

De même, les boucliers les plus forts constituaient un signe de puissance Psi. Nul n'avait haussé un sourcil lorsque, enfant, Sascha avait commencé à ériger les plus efficaces qu'on ait jamais vus. En grandissant, elle n'avait eu de cesse de les peaufiner.

C'était sa spécialité, comme si elle était née armée de pied en cap. Les autres Psis venaient même la consulter et elle leur avait enseigné de nombreuses astuces tout en gardant pour elle quelques secrets qui, s'ils venaient à être découverts, pourraient lui valoir de comparaître devant le Conseil.

Tout le monde avait le droit de préserver son intimité, on y était même encouragé, mais le Gardien du Net savait en permanence où se trouvait chacun des individus connectés. Si l'un d'eux se déconnectait, il était automatiquement repéré et, invariablement, on le retrouvait mort ou tellement délabré que son cerveau ne répondait plus. Ce qui constituait le seul moyen acceptable de se retirer du réseau.

Sascha n'en avait pas trouvé d'autre. Mais elle savait comment masquer sa présence, comment se déplacer incognito à travers la Toile. Enfant, elle avait joué d'instinct à ce petit jeu ; sans doute savait-elle déjà qu'un jour il lui faudrait se cacher pour ne pas mourir. À l'époque, elle n'avait cependant pas dépassé les limites autorisées aux enfants, si bien qu'elle n'avait encouru aucune sanction. On l'avait juste mis sur le compte du développement parfois fantasque des pouvoirs d'un cardinal.

À mesure qu'elle grandissait, elle avait appris à se faufiler de plus en plus furtivement. Il suffisait de talonner un autre esprit pour pénétrer dans les bibliothèques mentales accessibles à celui-ci sans avoir besoin de recourir au piratage de l'esprit en question.

Dès qu'elle avait compris qu'elle était au bord du précipice, elle s'était appliquée à suivre ceux qui pouvaient avoir accès aux enregistrements scellés du Centre, afin de combattre les cauchemars de son enfance. Elle voulait se prouver que son imagination avait exagéré l'horreur des lieux. Ce qu'elle y avait découvert l'avait tellement épouvantée qu'elle s'était mise en quête d'esprits susceptibles d'échapper au Net sains et saufs.

Mais elle n'avait rien trouvé.

Ce soir, elle allait traquer un membre du Conseil. Si elle était repérée, cela entraînerait une condamnation à mort immédiate. La démarche n'était donc pas des plus aisées, même si tous les Conseillers n'étaient pas cardinaux.

Ces derniers étaient souvent tellement cérébraux qu'ils se moquaient de la politique. À l'inverse, certains Psis non cardinaux possédaient d'extraordinaires aptitudes de défense et d'attaque qui les rendaient aussi dangereux que les cardinaux les plus entraînés. Tous les Conseillers étaient mortellement dangereux.

Après avoir pris une longue inspiration, elle mit son tableau de communication sur silencieux et s'assit en tailleur sur son lit, envahie par le silence de la solitude. Après avoir passé tant de temps avec les changelings, elle se sentait presque perdue en l'absence de tout contact, de rires, d'échanges.

Lucas Hunter lui manquait plus que tout.

Un frémissement envahit son esprit et elle perçut la caresse de la fourrure sur sa joue, le murmure des arbres dans son esprit, l'odeur du vent dans ses narines. Ce ne fut qu'une sensation fugace, comme un souvenir sensoriel ou… ?

Non, ne pas se laisser distraire. Son léopard comptait sur elle, et tous les autres aussi. C'était la vie d'une femme qui se jouait… et elle était de moins en moins sûre de la bonté innée de son peuple.

Fermant les yeux, elle se concentra sur sa conscience. Les lumières s'étendaient à l'infini dans toutes les directions, certaines à peine visibles, marquant la présence de Psis inférieurs, tandis que d'autres luisaient comme des soleils miniatures. Les cardinaux. Elle contempla sa propre lumière en s'interrogeant sur la différence.

Le changement s'était opéré au cours de la puberté et elle était parvenue à la camoufler sous une armure épaisse, si bien qu'aux yeux des Psis son étoile brillait ni plus ni moins que celle des autres cardinaux. Elle seule savait à quoi elle ressemblait vraiment : un arc-en-ciel d'étincelles qui scintillait joyeusement dans toutes les directions avant de revenir se fondre dans son esprit. Si elle ne l'avait pas contenue, celle-ci aurait à présent inondé tout le Net.

Se détournant de cette splendeur, elle se concentra sur ses objectifs.

L'étoile de Nikita était facile à repérer, reliée à Sascha par des vibrations d'énergie qui racontaient l'histoire de leurs liens familiaux. Pas question de pister sa mère ; non seulement leurs consciences étaient trop en phase, mais Sascha préférait ne pas savoir à quel point celle-ci était mouillée dans le cercle qui protégeait un tueur.

Une épreuve à laquelle aucun enfant ne devrait être confronté.

Restaient six autres Conseillers. Un nombre impair afin qu'il n'y ait en aucun cas égalité des votes. Jamais elle n'avait rencontré d'être plus impitoyable que Marshall

Hyde, et son étoile de cardinal formait un disque éclatant de lames tranchantes qu'il aiguisait depuis soixante ans.

Celle de Tatiana Rika-Smythe était plus douce. On avait évalué sa puissance à 8,7 mais ça ne voulait rien dire. Nul n'occupait de siège au Conseil à un si jeune âge sans faire preuve d'une férocité digne des Psis.

Et puis il y avait Enrique. Sascha ne l'évoquait jamais sans frémir, d'autant que, ces derniers temps, il s'était comporté en sa présence comme s'il entretenait une relation avec Nikita. Il était certainement capable de lui tendre un piège. Mieux valait ne pas se frotter à cet esprit-là.

Ming LeBon était un autre cardinal. Quoique moins expérimenté que Marshall, lui aussi avait déjà disposé de près de trente années de plus que Sascha pour affûter ses atouts. On le disait particulièrement doué en combat mental.

Shoshanna et Henry Scott atteignaient tous deux une puissance de 9,5. L'élégante et gracieuse Shoshanna servait de porte-parole au Conseil ; c'était elle qui apparaissait dans les émissions ou répondait aux interviews des journaux. Elle semblait fragile et sans défense mais pouvait se montrer aussi venimeuse qu'une vipère.

Henry était son époux. Ils avaient opté pour un mariage à la façon des humains plutôt que pour un contrat de reproduction Psi afin de se rendre plus sympathiques aux yeux des médias. Peu de gens savaient cela. Nikita l'avait dit à sa fille à l'époque où elle s'efforçait encore de la faire entrer dans le réseau du Conseil, avant qu'elles finissent toutes deux par accepter que l'anomalie de Sascha ne disparaîtrait jamais.

Henry était sa cible. Bien que lui-même très puissant, c'était visiblement le point faible du couple et, à ce titre, le seul de tout le Conseil à montrer une quelconque propension à la soumission. En outre, on le trouvait sans peine sur le Net, même sans entrer en contact avec lui ni avoir aucune idée de sa signature.

Tout Conseiller se devait de rester accessible à la population qu'il représentait, même si, en réalité, le chemin qui menait à eux était un véritable champ de mines, d'assistants et de gardes. Cela demanderait du travail. Sascha se lança prudemment dans sa traque.

CHAPITRE 16

E lle attendit le passage d'un esprit dans la bonne direction. Impossible de se déplacer seule au risque que sa présence soit détectée en deux endroits à la fois. Dès que quelqu'un passait à proximité, elle neutralisait son système d'alarme simpliste et se mêlait à son esprit, ne laissant qu'une trace tellement légère que personne ne l'avait jamais repérée. Elle n'enfreignait aucune loi morale, n'exerçait aucune influence mentale. Son hôte ne lui servait guère que de véhicule pour l'emmener où elle le désirait. À partir de quoi tout n'était plus que jeu de chance et de logique.

Elle pista un esprit jusqu'à ce qu'il en rejoigne un autre qui avait l'autorisation d'aller plus loin. Il lui fallut près de deux heures pour atteindre Henry. Accrochée à la conscience de l'assistant qui l'avait amenée dans le bureau, elle se mit à contourner discrètement le bouclier du Conseiller, à la recherche de pièges et de signaux d'alarme.

Il ne lui fallut pas deux minutes pour en trouver trois qu'elle n'eut aucun mal à neutraliser. Ce qui lui permit de constater à quel point l'homme était imbu de sa personne, persuadé que rien ni personne ne pouvait s'attaquer à lui.

Dès que l'assistant approcha assez de Henry, elle passa dans sa lumière, tache de poussière tellement minuscule qu'on ne pouvait la voir. Ce qui tombait bien car, au contraire de la plupart des Psis, le Conseiller conservait toujours une partie de sa conscience active sur le Net afin de garder le contact avec l'afflux massif de données qui ne cessaient d'arriver.

Désormais, elle allait pouvoir suivre Henry partout. Avec un peu de chance, il finirait bien par quitter un instant son bureau mental pour la mener vers les enregistrements secrets de la salle du Conseil. Celle-ci n'existait que sur le PsiNet dans la mesure où les Conseillers étaient éparpillés à travers le monde. Enrique, Nikita et Tatiana vivaient dans la même région mais c'était un hasard exceptionnel.

D'un seul coup, Henry se déplaça. Le goût âcre de la peur s'épanouit sur la langue de Sascha jusqu'à ce qu'elle comprenne que Henry allait passer deux bonnes heures à consulter la partie du Net qui contenait l'histoire de leur peuple. Elle ignorait ce qu'il recherchait ; normalement, ce travail aurait dû incomber à ses assistants. Elle commençait à s'exaspérer quand ils se retrouvèrent à l'entrée d'une chambre forte qu'elle ne connaissait pas, pleine de millions de souvenirs et de pensées.

Henry se dirigea vers ceux de la famille Scott. La tentation se fit de plus en plus forte. Sascha savait qu'elle prenait un risque, mais elle ne pouvait laisser passer une telle chance : on lui avait dit et répété que l'histoire de sa famille avait été altérée par une surtension intempestive.

Et si, là encore, on lui avait menti ?

Satisfaite de constater que la conscience de Henry s'éparpillait à travers la chambre, elle naviga sur les ondulations de son esprit, chevauchant la vague jusqu'à atteindre les lieux où scintillait la signature Psi de sa famille.

Comme elle ne savait pas combien de temps elle allait passer là, elle s'empressa d'emmagasiner le maximum de données dans son esprit fantôme. Elle les traiterait une fois qu'elle se retrouverait seule à l'abri de son bouclier mental.

Mouvement imprévu.

Henry s'en allait. Elle avait profité qu'il était absorbé par sa tâche pour s'aventurer aux confins de la conscience du Conseiller. À présent, son esprit s'enroulait rapidement sur lui-même et, si elle n'y prenait pas garde, elle risquait de se laisser prendre au piège. Coupée trop longtemps de son esprit, elle risquait de voir son corps tomber dans le coma et de ne jamais s'en remettre.

La peur s'empara de la femme sur le lit mais, sur le PsiNet, il n'y avait qu'un spectre calme comme un lac. Elle était tout juste parvenue à le rattraper lorsque Henry franchit la porte. Après quoi, il prit le chemin de la partie la plus obscure du Net, à l'accès strictement limité. Jamais Sascha n'aurait cru qu'on pouvait y trouver un secteur encore plus sombre que celui qu'ils venaient de quitter.

La Chambre du Conseil.

Là, ça devenait délicat. Si les autres membres étaient là, ils pourraient très bien repérer ce que Henry n'avait pas encore senti. Nikita était la plus dangereuse d'entre tous. Tout comme Sascha avait reconnu la signature de la famille dans la chambre, sa mère reconnaîtrait la sienne, même s'il ne s'agissait que d'une infime trace à l'ombre de l'esprit de Henry.

Pourtant, Nikita n'avait mentionné aucune réunion au cours de leur discussion. Sascha n'aurait jamais entrepris de hanter un Conseiller si cela avait été le cas. Elle s'interdit de paniquer, alors qu'arrivait le dernier poste de contrôle et qu'ils pénétraient au cœur des lieux. Six autres esprits brillaient autour d'eux.

Le Conseil était en session.

Recourant à des mesures désespérées, Sascha s'efforça de s'enfoncer plus profondément que jamais. C'était à peine si une molécule d'elle-même émergeait encore de l'esprit de Henry. Mieux valait que l'exercice ne dure pas trop longtemps car cela pourrait vite mener à la destruction de sa propre conscience. Mais elle n'avait pas le choix.

—Que faisons-nous ici ?

Cette voix fraîche et jeune devait appartenir à Tatiana.

Bien que réfugiée à l'extérieur du bouclier mental de Henry, donc incapable de sonder ses pensées, Sascha percevait ce qu'il percevait : les pensées des autres devaient franchir le bouclier du Conseiller et, par conséquent, passer par elle pour atteindre son esprit à lui. C'était là tout l'intérêt de cette méthode.

—Bonne question, renchérit Nikita, j'ai dû interrompre quelque chose de très important sans prévenir personne.

—Il a enlevé une autre changeling.

Marshall et son esprit acéré.

Sascha se cachait si bien qu'elle n'était plus une personne ; elle assimilait la conversation sans la traiter. Surtout ne pas réagir.

—Quand ?

Tatiana.

—Il y a deux jours et demi. On n'aurait pas dû dire à nos subordonnés d'enterrer toute nouvelle affaire… Ils ont cru qu'on ne voulait plus être tenus au courant.

Marshall ne changea pas de ton pour ajouter :

—Je l'ai appris par hasard, au cours d'une conversation avec l'un de mes gardes.

Nikita :

—Il faut que ça cesse ! Malgré ce que peuvent penser certains d'entre vous, les changelings ne manquent pas de pouvoir. DarkRiver n'a pas oublié ses victimes ; je suis prête à parier qu'ils sont sur le point de se mettre en chasse. Espérons qu'ils sauront se montrer assez patients pour accepter de nous laisser agir à leur place.

Si Sascha s'était autorisée à raisonner, elle aurait pu sursauter en découvrant que Nikita saisissait si bien une vérité qui échappait à la plupart des Psis.

—À quelle meute s'en est-il pris cette fois-ci ?

Enrique.

—Aux SnowDancer.

Marshall.

—Une chance qu'il n'y ait pas déjà des centaines de morts parmi nous. Ces loups sont vicieux.

Nikita.

—Ce ne sont que des changelings. Que peuvent-ils faire ?

Le ton menaçant de Ming.

Nikita :

—Réfléchis un peu ! Ils savent que nous devons les surveiller de près, au risque d'en devenir vulnérables à leurs armes. Ces SnowDancer ont massacré cinq Psis l'année dernière. Le Net n'a jamais été prévenu qu'ils couraient un quelconque danger. Ils ont simplement disparu de la circulation l'un après l'autre. On n'a jamais retrouvé leurs corps.

—Pourquoi ne pas les avoir cités en exemple ?

Henry.

—Ces Psis ont commis la bêtise de se rendre seuls dans des zones interdites.

Et Marshall de poursuivre gravement :

—Seuls les loups pouvaient y accéder. Tant pis pour eux.

—Mais nous sommes sûrs, au moins, que ce tueur est Psi ?

Nikita.

—Le Gardien du Net a repéré les traces de certains traits pathologiques dans la structure de l'esprit d'un Psi. Le phénomène s'accentue au cours de la semaine où il les

255

torture. Cependant, nous n'avons pas réussi à en déterminer l'origine.

Marshall.

— Seul un esprit très puissant pourrait se cacher ainsi.

Nikita. Qui ajouta :

— Ce doit être un cardinal ou quelqu'un d'un rang proche. Quelqu'un qui a accès au niveau le plus élevé du PsiNet au point de pouvoir détourner de temps à autre le Gardien du Net. Sinon, on en aurait trouvé plus que des traces.

— On ne peut pas risquer un scandale. Il faut le maîtriser avant qu'il se fasse arrêter.

Tatiana.

— J'approuve. C'est le seul moyen de conserver l'intégrité du PsiNet.

Shoshanna. Elle poursuivit :

— Et si c'était un Psi de haut niveau indispensable au fonctionnement du Net ? Nous devons maintenir le ratio des opérateurs cardinaux. Ils sont trop nombreux à avoir été victimes de cet effet secondaire.

— S'il le faut, nous le mettrons en cage quitte à satisfaire ses penchants. On lui fournira les femmes dont il a besoin, des femmes dont la disparition passera inaperçue, des femmes qui ne viendront pas de meutes agressives comme DarkRiver ou SnowDancer. Il faudra juste s'arranger pour que le secret reste bien gardé.

» À partir de maintenant, nous allons tous consacrer une partie de notre esprit à surveiller le Gardien du Net. À l'instant où il repérera le moindre indice de la pathologie concernée, nous remonterons jusqu'à lui.

Marshall.

« La pathologie concernée » ? Quelque part, ce qui restait à Sascha de conscience autonome s'inquiéta de cet étrange choix de termes.

— Qui nous dit qu'il ne va pas décider de se cacher jusqu'à ce que nous baissions les bras ? S'il sait si bien effacer ses traces, il se rendra compte que nous le cherchons.

Nikita.

— Il n'a pas encore tué cette dernière fille. Je ne crois pas qu'il pourra s'en empêcher. Toutes nos recherches sur les tueurs en série dans la population Psi mènent à la théorie de la compulsion.

Marshall.

— D'après mes relevés, il y aurait actuellement une cinquantaine de prédateurs en liberté.

Nikita.

— Du moins à ce qu'on sait. Mais aucun ne retient tant l'attention que notre inconnu, parce qu'ils ne s'en prennent pas à des victimes trop voyantes. La plupart visent plutôt des Psis, ce qui nous facilite grandement les choses.

— Que fait-on d'eux ?

Henry.

— On les arrête pour les envoyer dans un centre de rééducation, sans préciser pour quelle raison. Ceux que nous ne pouvons nous permettre de perdre sont pris en charge. L'important, c'est de ne pas alerter le PsiNet.

— Mais il y en aura toujours plus.

— C'est dans la nature des Psis.

La réunion s'acheva sans autre discussion. Henry regagna la porte et sortit, en compagnie de Shoshanna. Ils n'échangèrent pas un mot avant de se retrouver entre les murs de leur propre chambre.

— Qu'en penses-tu ? demanda Henry.

—Ça me semble raisonnable. On va pouvoir s'en occuper sans attirer l'attention.

—Les changelings se doutent de quelque chose.

—Tant qu'ils n'ont pas de preuve, ça ne sert à rien. Personne n'a jamais eu vent du moindre tueur en série Psi depuis la première génération de Silence. Nous savons garder nos secrets.

Tout d'un coup, elle s'anima :

—Où étais-tu passé ?

—Aux archives historiques.

—Tu procédais à un marquage ?

—Oui. Tu avais raison, encore une fois. Les indicateurs sont présents sur plusieurs membres de la famille élargie, mais c'est du plus jeune des garçons que nous devrions nous inquiéter.

—On en reparlera ce soir.

Là-dessus, elle sortit sans se retourner.

Henry consulta son calendrier avant de repartir vers les archives. Sascha en profita pour se dégager peu à peu de lui, ne voulant pas risquer de nouveau de se faire enfermer dans la crypte. Elle perdit de précieuses secondes à récupérer sa propre conscience, manquant de se fondre dans celle de Henry. Elle devait à tout prix se détacher de lui avant qu'il arrive à destination, et en même temps elle devait opérer aussi discrètement que possible.

Alors elle attendit. Ils atteignaient presque la crypte lorsqu'ils dépassèrent un garde avec un système d'alarme peu élaboré. Sascha en profita pour se faufiler dans son ombre. Lorsque l'homme eut achevé sa ronde et atteint l'extérieur de la zone restreinte, Sascha bondit vers un autre garde. D'étape en étape, il ne lui fallut pas moins de trois heures pour regagner son esprit, épuisée par son immersion prolongée dans la conscience d'un autre.

Elle finit enfin par contourner son propre bouclier mental et put libérer les informations assemblées dans son esprit, ce qui revenait à peu près à laisser exploser une bombe chargée d'éclats de données. D'un seul coup, elle ouvrit les yeux et se laissa retomber sur son lit, le cœur battant à tout rompre, l'esprit chargé de trop d'informations. Allongée sur le dos, elle les laissa s'ordonner en regardant le plafond, se rendant soudain compte qu'elle avait faim.

Un coup d'œil à sa montre lui confirma que l'heure du dîner était largement passée. Dans un gémissement, elle alla consulter ses messages sur son tableau de communication et en trouva un de Lucas. Il ressemblait vraiment au prédateur qu'il était, les traits de son visage soulignés par son teint doré.

« Mademoiselle Duncan. Si vous avez un peu de temps ce soir, j'aimerais vous entretenir de quelques changements sur les plans. Je me trouverai au même lieu de rendez-vous que la dernière fois. »

Qui pourrait trouver à redire à un tel message ? On en échangeait des milliers de cette teneur dans les affaires. Elle seule percevait une lueur d'inquiétude dans ces yeux de félin, elle seule savait qu'il avait appelé parce qu'elle ne s'était pas manifestée depuis un certain temps, elle seule avait hâte de le retrouver.

Un coup d'œil vers la glace lui confirma qu'elle restait tout à fait présentable. À la voir, nul ne pourrait deviner les affres qu'elle traversait. Sa décision prise, elle allait répondre au message lorsqu'elle se ravisa. Inutile de renseigner sur ses allées et venues quiconque pouvait la surveiller en ce moment. Cela faisait un peu mal au cœur de se dire que Lucas allait continuer à s'inquiéter mais il lui aurait sûrement conseillé de prendre ce genre de précautions.

Elle changea sa tenue décontractée pour un sage tailleur-pantalon noir et une chemise blanche. L'uniforme des Psi. Impossible d'y échapper. En sortant, elle tomba presque nez à nez avec Enrique. Si elle n'avait pas passé sa vie à se cacher, le choc aurait pu faire céder son armure.

—Conseiller. En quoi puis-je vous aider? dit-elle en fermant la porte derrière elle.

Il examina sa tenue de ses yeux noirs.

—Une dernière réunion?

—Oui.

Il n'y avait rien d'extraordinaire à travailler encore passé 21 heures.

—Je voudrais te parler. Maintenant, si possible.

Un ordre poli mais un ordre quand même.

—Ma mère risquerait de ne pas apprécier si je manquais ce rendez-vous.

Peu importait que Nikita et Enrique soient ou non proches; la mère de Sascha ne connaissait plus rien ni personne quand il était question d'argent.

Une lueur inquiétante parcourut les iris noirs de son interlocuteur.

—Ne t'avise pas de refuser trop vite une offre d'avancement.

Elle l'aurait cru plus fin que de recourir à ce piège grossier.

—Quelle offre au juste? demanda-t-elle en s'efforçant de ne pas lui rire au nez.

—C'est ce dont je voudrais discuter avec toi. Nous pourrions peut-être le faire à l'abri, chez toi.

Elle en eut froid dans le dos. Ce ne serait pas le premier Psi qui tenterait de débaucher un jeune et talentueux membre d'une autre famille, pourtant, elle trouvait le ton d'Enrique particulièrement déplacé. Il insistait trop, comme s'il ne songeait qu'à se retrouver seul avec elle. Et elle comprit avec effroi qu'elle croyait savoir pourquoi.

— Comme je viens de vous le dire, Conseiller, je suis obligée de refuser. Il faut que je parte maintenant si je ne veux pas être en retard.

Inclinant la tête, il s'écarta de son chemin.

— Tu ferais bien de me réserver un moment, Sascha. N'importe quel jeune cardinal mourrait d'envie de se trouver à ta place.

Quand il parlait de « mourir », on ne pouvait le prendre qu'au pied de la lettre.

— Au revoir, monsieur.

En s'éloignant, elle le sentit qui la suivait des yeux jusqu'au bout du corridor. Il savait quelque chose ; à l'évidence, il avait senti son désarroi et il ne manquerait pas d'y faire allusion.

En revanche, elle ne comprenait pas pourquoi il lui accordait tant d'attention alors que le Conseil ne parlait que de découvrir l'identité du tueur en série. Se doutait-il qu'elle était de connivence avec les changelings ?

Une fois dans l'ascenseur, elle se retourna pour voir les portes se fermer, et put constater qu'Enrique l'observait encore de loin. Elle se souvint alors qu'il était considéré comme le meilleur stratège du PsiNet.

Un maître dans l'art de tendre des pièges.

À force de faire les cent pas, Lucas avait presque creusé un sillon dans le parquet. Il était plus de 22 heures. Où était passée Sascha ? Si quiconque s'avisait de lui faire du mal, il l'étriperait de ses griffes. Un mouvement derrière lui l'interpella.

— Qu'est-ce qu'il y a, Nate ?

—Tout le monde va bien. Les petits, leurs mères et les anciens ont été évacués, ainsi que les blessés. J'ai dit aux sentinelles, aux soldats et aux jeunes qu'une nouvelle alerte signifierait la guerre.

En quoi il se conformait à l'ordre donné par Lucas dès le réveil de Sascha.

—Quelle est l'humeur dans la meute ?

—Les gens sont très gênés de savoir qu'une Psi connaît notre refuge mais ils t'obéiront quoi que tu décides. Leur loyauté t'est acquise, ils sont prêts à te suivre jusqu'en enfer s'il le faut.

—C'est bien ce qui me fait peur.

Tous les sens soudain en alerte, il frémit.

—Elle est là, souffla-t-il.

Écartant Nate de son chemin, il courut vers la porte du fond et l'ouvrit à l'instant où la voiture de Sascha se garait.

Lorsqu'elle en sortit, elle arborait une expression glaciale, cependant Lucas avait appris à voir au-delà de ce masque de pierre ; comme il savait qu'aucun œil indiscret ne risquait de les surprendre, il s'approcha d'elle et la prit dans ses bras. Sur le coup, elle se raidit mais finit par répondre à son étreinte.

—J'ai fait attention. Personne ne m'a suivie.

—On va en parler à l'intérieur, dit-il en l'entraînant vers le refuge où, avec sa meute, ils pouvaient assurer sa sécurité.

Dorian et Kit avaient rejoint Tamsyn et Nate dans la chambre. Même s'ils avaient déjà vu Sascha, tous les mâles paraissaient choqués par l'embrassade à laquelle ils venaient d'assister. Sans en tenir compte, Lucas la fit asseoir car il avait senti combien elle était fatiguée.

Elle le surprit lorsqu'elle se tourna vers Tamsyn.

—Désolée de débarquer comme ça, mais j'ai faim.

La guérisseuse sourit.

—Alors tu tombes bien. Je vais te préparer quelque chose.

—Merci.

Lucas s'était assis sur une chaise en face de Sascha après avoir fait signe à Dorian et Kit de monter la garde autour de la pièce.

—Qui est dehors ? demanda-t-il.

—Clay, Mercy et Barker. Rina et Vaughn sont en patrouille.

À présent que les autres refuges avaient été évacués, les sentinelles s'étaient rassemblées là.

—Kit, va remplacer Mercy.

Celui-ci parut vouloir se rebiffer mais céda face au regard implacable de Lucas et sortit sans un mot. Un instant plus tard, Mercy vint prendre son poste. C'était une affaire d'adultes, pas d'enfants, aussi grands pouvaient-ils paraître. Kit était encore considéré comme un petit. Même si sa présence était tolérée, jamais on ne lui demanderait de se battre, sauf en toute dernière extrémité.

Lucas prit la main de Sascha.

—Mange, maintenant.

Tamsyn déposa devant elle une assiette de sandwichs qu'elle dévora sans lâcher Lucas. Elle se jeta avec le même appétit sur les cookies au chocolat et vida le verre de lait. Chaque bouchée semblait lui procurer une telle satisfaction qu'il en vint à se demander comment elle réagirait quand il lui procurerait un véritable plaisir, ce qu'il avait bien l'intention de faire le plus vite possible.

—Encore ? demanda Tamsyn en débarrassant.

—Non. Merci. Je… j'adore ta cuisine.

Venant d'une Psi, un tel compliment prenait une valeur particulière.

—Ma cuisine te sera toujours ouverte.

Sascha esquissa un vague sourire qui ne parvint pas à complètement s'épanouir.

—J'ai piraté le PsiNet.

Un silence de mort lui répondit.

—Explique-nous ça, souffla Lucas.

Il ressentait comme sienne la douleur de la jeune femme, ces vagues de désarroi si profondes qu'il se demanda comment elles ne l'avaient pas tuée.

—Je n'aurais jamais pu en parler avant, dit-elle, lui rappelant l'époque pas si lointaine où il n'avait pas réussi à lui soutirer la moindre information.

» Mais maintenant je peux. Je me demande si ça signifie que mon esprit se détériore si vite qu'il n'arrive plus à rien bloquer.

—Tu viens de craquer le réseau le plus sécurisé du monde… Ton esprit va très bien.

Voyant qu'elle ne réagissait pas, il se rembrunit. Pour toute réponse, elle finit par détourner la conversation.

—Le PsiNet, c'est un peu comme votre Internet, sauf qu'il est composé de cerveaux, au lieu d'ordinateurs. La majeure partie en est publique mais il y a des nœuds cachés d'informations confidentielles. J'ai obtenu l'accès à ces zones réservées.

Cela paraissait si facile, mais Lucas savait qu'il n'en était rien.

—Que se serait-il passé si on t'avait surprise ?

Elle leva les yeux vers lui.

—J'aurais été exécutée.

—Tu ne nous l'avais pas dit.

Furieux de le découvrir après coup, il eut envie de la traîner jusqu'à son repaire et de laisser ses instincts primaires prendre le dessus. Un grondement monta de sa gorge.

—Je ne croyais pas que ça importait, rétorqua-t-elle.

D'un seul coup, elle avait repris une attitude tellement Psi que nul n'aurait pu deviner la peur qui l'avait alors habitée.

—J'en ai appris plus qu'on aurait pu l'imaginer.

CHAPITRE 17

— Qui est-ce ?
Il n'avait pas oublié la manière insouciante dont elle avait évoqué les risques qu'elle avait pris. Ils en parleraient en tête à tête et il expliquerait à sa Psi que, dans une meute, la vie de chaque membre avait son importance.

— Ils ignorent l'identité du tueur.

Dorian laissa échapper un gémissement d'angoisse. Lucas ressentit alors un pic d'énergie Psi et Dorian se fit tout à coup plus calme même s'il restait contrarié.

— Ils lui ont tendu un piège, ajouta-t-elle. Je peux m'immerger dans le PsiNet et surveiller leurs esprits jusqu'à ce qu'ils découvrent son identité.

— Ce sera long ? demanda-t-il en fronçant les sourcils.

— Pas très… Le piège se refermera à l'instant même où il tuera.

Il commençait à saisir le fonctionnement du Net.

— Ça pourrait prendre des jours. Tu supporteras de rester sur le Net tout ce temps ? Ce que tu as fait aujourd'hui t'a épuisée, alors que ça n'a duré que quelques heures.

Elle tressaillit.

— Je suis forte. Je suis une cardinale.

Il y avait quelque chose d'un peu forcé dans cette déclaration, mais il savait que ce n'était pas le moment d'insister ; il y reviendrait en douceur lorsqu'ils seraient seuls.

—Si on ne la retrouve pas vivante, les SnowDancer n'accepteront que le sang du tueur en compensation.

Dorian gardait les yeux rivés sur le crâne de Sascha comme s'il tentait d'entrer dans son esprit.

—Je sais, répondit celle-ci. J'ai une idée pour accélérer le processus.

—Laquelle?

—Ce tueur est un prédateur aux besoins précis... Ses victimes ont toutes le même profil et, d'après le Conseil, il a des troubles obsessionnels. Je crois que si on lui présente une cible facile il ne pourra pas y résister. Alors le piège du Conseil fonctionnera sans en passer par la mort de Brenna.

—Comment lui tendre un piège quand on ne sait même pas où il est? demanda Nate.

Lucas connaissait la réponse à cette question.

—Tu seras l'appât, n'est-ce pas? Et tu vas lui tendre un piège sur le PsiNet?

—Je ne suis pas une changeling mais, en l'occurrence, mes imperfections pourraient contrebalancer ce handicap. Il semblerait que mon esprit... comprenne le tien. On pourrait s'en servir pour vérifier si le tueur n'est pas attiré par moi.

Sa main tremblait mais son ton resta ferme.

—Avec ton aide, poursuivit-elle, je vais apprendre à imiter les processus mentaux des changelings. Une fois que je serai sur le Net, j'abaisserai suffisamment mes boucliers pour qu'il me repère.

—Et ensuite?

—En raison de sa nature obsessionnelle compulsive, je suis certaine qu'il m'attaquera sur le plan psychique. Il va essayer de neutraliser mon esprit afin d'accéder à mon corps. Dès que je connaîtrais son identité, je te le dirai.

— Et tu seras en danger de mort, maugréa-t-il, la mâchoire serrée.

— Ce n'est pas négociable. Je n'arrive presque plus à me cacher de toute façon… Tu as vu hier comment je réagissais à la pression. Il vaut mieux que j'abaisse mes boucliers dans une situation que je contrôle plutôt que de risquer de les voir s'effondrer sans prévenir.

— Qui te dit que le tueur tombera directement sur toi, qu'il ne s'en prendra pas à une autre avant ? intervint Tamsyn.

Lucas n'avait rien dit mais constatait que la guérisseuse comprenait ce qu'il pouvait ressentir.

— Il me faut une diversion susceptible d'attirer l'attention de tout le PsiNet ou presque, poursuivit Sascha. Je n'ai pas encore trouvé sous quelle forme mais j'y travaille, quitte à fabriquer une espèce de bombe psychique.

Elle prit une profonde inspiration et leva les yeux.

— En même temps qu'il me donnera accès à des processus mentaux que je puisse copier – idéalement celui d'une femme qui corresponde au profil de la victime –, l'un de vous devra me laisser pénétrer assez profondément dans son esprit pour me permettre de me camoufler dans son… odeur psychique. Cette personne devra également m'autoriser à rester connectée à son esprit pour toute la durée du plan.

» Le tueur est attiré par les changelings et, contrairement aux autres Psis – surtout si leur attention est retenue par une diversion –, il reconnaîtra immédiatement l'odeur.

— Comme si on agitait du sang frais devant un requin, suggéra Mercy depuis la porte du jardin.

— Oui. Autre chose.

En voyant les yeux de Sascha virer au noir absolu, Lucas comprit qu'elle souffrait et son impuissance à l'aider le rendait malade.

— Depuis que Silence a été institué, poursuivit-elle, les Psis sont fiers d'avoir éliminé la violence de leur société.

— « Silence » ? demanda Tamsyn.

— Un protocole destiné à inhiber les émotions chez les jeunes Psis. Quand on ne ressent plus ni colère, ni jalousie, ni amour, on ne tue pas. Tout du moins, c'est la justification qu'ils ont fournie.

— Oh, mon Dieu ! ils ont estropié délibérément leurs enfants !

— Et ça n'a servi à rien. D'après ce que j'ai appris aujourd'hui, il y aurait cinquante tueurs en série en liberté parmi la population Psi. Il semblerait que le Conseil ait décidé de régler le problème en toute discrétion.

— Ils les éliminent ? demanda Nate.

— Ils les rééduquent. C'est la mort de l'esprit, ils éliminent l'individu et la plupart de ses fonctions mentales supérieures.

Du regard, elle suppliait Lucas de se rappeler la promesse qu'il lui avait faite.

— Mais ils ne les enferment pas tous. Certains sont considérés comme indispensables au fonctionnement du PsiNet.

— Je préfère ne pas savoir, murmura Tamsyn.

— Le Conseil leur fournit des victimes, cache leurs traces et s'assure que les meurtres qu'ils commettent ne font pas de vagues sur le PsiNet ou dans le monde des humains et des changelings.

Lucas la voyait lutter contre une véritable envie de vomir. Sa bête avait envie de l'emmener au loin, en sécurité, mais les regards qu'elle lui lançait lui disaient qu'elle n'avait pas fini. Il était abasourdi par le courage dont elle faisait preuve. Comment ce corps fragile pouvait-il posséder tant de force, tant de cœur?

—Lorsqu'ils ont renoncé à leurs émotions, cracha Dorian, ils ont renoncé à leur humanité.

Sascha jeta un regard au léopard furieux.

—C'est vrai. Je suis désolée pour ta sœur. Si je pouvais faire disparaître ton chagrin, je le ferais, crois-moi. Mais tout ce que je peux faire c'est essayer de sauver une autre vie.

La réponse de Dorian surprit tout le monde.

—Tu n'es pas comme eux, Sascha. Je ne suis pas aveuglé par la colère au point d'ignorer la vérité. Toi, tu as des sentiments.

Elle laissa échapper un rire amer qui irrita Lucas.

—Toute ma vie, j'ai été terrifiée par ces mots. J'ai toujours cru que ce serait un membre du Conseil qui finirait par le découvrir. Je ne pensais pas que ça me ferait du bien… jusqu'à ce que je vous rencontre.

Ses yeux avaient viré au noir absolu, sans plus une étoile pour les illuminer.

—Comme j'ignore quand ils vont s'apercevoir de ma faiblesse et essayer de m'éliminer, il va falloir que je vous transmette l'information dès que je l'aurai. C'est pourquoi j'ai besoin d'un lien permanent avec l'un d'entre vous. Tout ce que je saurai, vous le saurez. Le lien sera coupé lorsque je me déconnecterai du Net.

Lucas savait qu'elle s'attendait à être tuée par le Conseil.

—Tu es sous notre protection, marmonna-t-il.

Le léopard en lui affleurait tant la surface que son timbre était descendu de plusieurs octaves.

Nate, Dorian, Mercy et Tamsyn exprimèrent leur approbation. Sascha venait de gagner le respect de certains des plus farouches léopards de DarkRiver. Une fois qu'elle ferait partie de la meute, les autres suivraient leur initiative. Et Lucas ne doutait pas que Sascha allait entrer dans sa meute.

Un court instant, le regard de celle-ci extériorisa une profonde tristesse.

—Personne n'échappe au PsiNet, affirma-t-elle. Merci à vous tous de m'avoir montré davantage de la vie en quelques jours que ce que je n'aurais jamais pu imaginer. Je ne me laisserai pas abattre comme ça... J'ai envie de vivre.

Lucas refusait de lui dire adieu.

—Qui a dit que personne ne pouvait échapper au PsiNet ? Quelqu'un a déjà essayé ?

Elle écarquilla les yeux.

—Non.

—Du moins pour autant que tu saches. S'ils la bouclent sur les tueurs en série, tu ne crois pas qu'ils le cacheraient aussi si des Psis quittaient le Net ?

—Ça ne marchera pas avec moi. Je suis trop visible. Je ne pourrais pas disparaître même s'il y avait une issue. Il faudrait que je change d'identité et ça c'est impossible. Il n'existe pas de lentilles de contact pour cacher la couleur de mes yeux.

—Je ne les laisserai pas te faire disparaître, quoi qu'il arrive.

On n'attaquait pas les compagnons de Lucas sans en payer le prix. Personne n'avait oublié la mort de Kylie et, tant qu'il ne l'aurait pas vengée, il en éprouverait des brûlures à l'âme.

Et pour sa compagne ? Si quiconque s'avisait de lever le petit doigt sur elle, il l'anéantirait. D'un geste délicat, il effleura les cernes sous ses yeux.

—Tu es épuisée. Même si on te laissait suivre ce plan insensé, tu ne peux pas t'en charger maintenant.

— Tu as sans doute raison. Il nous reste encore un peu de temps. Il a enlevé Brenna il y a trois jours. J'aimerais pouvoir me remettre plus vite mais j'ai épuisé toutes mes forces à hanter l'esprit de Henry.

À son ton, on sentait qu'elle percevait l'atrocité de ce que devait traverser la jeune SnowDancer. Lucas se tourna vers la guérisseuse.

— Tamsyn ?

— Je m'en occupe, dit celle-ci en prenant Sascha par l'épaule. Viens, ma grande, je vais te préparer une chambre et te trouver quelque chose de confortable pour dormir.

Sur son passage, Lucas perçut la déception de Sascha. En lui, le félin vaniteux se rengorgea, mais le léopard protecteur et possessif se promit silencieusement qu'il se rattraperait plus tard.

— Merci. Ça devrait aller mieux demain matin. On pourra se mettre en chasse.

Elle ne parut même pas s'apercevoir qu'elle utilisait un langage de changeling… de panthère.

Il sourit. Sascha Duncan n'était plus Psi, même si elle refusait de l'avouer. Pauvre chérie. Ce serait un régal de lui apprendre à vivre à son côté, en tant que compagne.

Tamsyn ferma la porte de la chambre en apportant à Sascha la tasse de chocolat chaud qu'elle venait de lui préparer. Son regard était si intense que, même sans son étrange capacité à sentir les émotions, Sascha sut que ce qu'allait lui dire la guérisseuse ne serait pas facile à entendre.

— Je vais te confier quelque chose à propos de Lucas, parce que lui ne te le dira jamais… Avant toute chose, il a besoin de te protéger. Il n'a pas le choix.

Malgré sa gentillesse, elle avait énoncé ce préambule sur un ton d'une dureté que Sascha ne lui aurait jamais soupçonnée.

— Je te le dis parce que j'ai confiance en toi.

Ne trahis pas ma confiance.

Sascha capta le sous-entendu aussi clairement que si Tamsyn l'avait prononcé.

— Pourquoi ?

— À cause de ce que tu as expliqué tout à l'heure, du fait que tu as besoin de rester liée à un de nos esprits quand tu t'immergeras dans le PsiNet. Mais assieds-toi, ou tu vas finir par tomber. Je ne tiens pas à ce que Lucas vienne me reprocher de mal m'occuper de toi.

— Qu'est-ce que je dois savoir ?

Tamsyn s'assit à côté d'elle sur le lit, poussa un soupir.

— Lucas avait à peine treize ans quand une petite bande de léopards a tenté d'infiltrer notre territoire. Nous n'étions alors pas aussi forts qu'aujourd'hui et les ShadowWalker croyaient pouvoir s'établir sur notre territoire. Ce n'était pas la première fois… Nous sommes sans doute plus humains que les Psis mais nous ne sommes pas parfaits pour autant.

Sascha ne l'interrompit pas tant elle était impressionnée par la douleur qui transparaissait dans les paroles de Tamsyn.

— La mère de Lucas était guérisseuse, son père sentinelle. Parfois, je me demande si c'est pour ça qu'il me laisse tant de liberté de mouvement dans la meute.

Sascha avait à peine commencé à céder à son besoin de contact, à peine commencé à comprendre que c'était aussi essentiel que la nourriture pour elle, mais elle sentait le besoin de Tamsyn comme un second battement de cœur. Elle lui prit la main et sentit ses doigts se refermer sur les siens.

— Comme les ShadowWalker n'ont pas pu atteindre notre couple dominant, ils ont décidé d'attaquer une sentinelle pour obtenir des informations sur notre système de défense. La famille de Lucas fuyait dans la forêt quand elle s'est trouvée encerclée. Plus tard, nous avons compris que leur plan initial avait sans doute été de briser Carlo en l'obligeant à assister au viol et à la torture de sa compagne.

Tamsyn serrait la main de Sascha à l'en briser.

— Les ShadowWalker avaient sous-estimé Shayla, poursuivit-elle dans un autre soupir. C'était une guérisseuse mais aussi une mère qui se battait pour la vie de son enfant. Ils ne pouvaient pas se permettre de perdre Carlo, mais Shayla a été tuée dans la bagarre.

— Tamsyn…, murmura Sascha, alarmée par une si profonde angoisse.

— Non, je ne pourrai faire ça qu'une fois. Quand nous aurons quitté cette pièce, je n'en parlerai plus jamais.

Des yeux, elle réclama une promesse que Sascha lui fit de grand cœur.

— Lucas était jeune, reprit-elle alors, beaucoup plus faible que les mâles adultes qui l'avaient attaqué. Ils l'ont facilement maîtrisé quand il a voulu aider ses parents.

Sascha en eut mal pour ce léopard si possessif et si protecteur. Elle comprenait à présent ce besoin qu'il avait de la marquer, de la garder à l'abri.

— Son père a été capturé ?

— Oui. Ils ont pris Carlo et Lucas en même temps. Le corps de Shayla a été emporté et enterré loin, à un endroit où son odeur ne risquait plus de nous alerter. Mais pas assez profondément. Nous l'avons trouvée.

— Combien de temps ? insista Sascha.

Combien de temps Lucas était-il resté aux mains de ces tueurs sans pitié ?

— Quatre jours, répondit Tamsyn d'une voix cassée. Quand nous les avons rejoints, Carlo était trop grièvement blessé. J'étais encore débutante, je n'ai pas pu le sauver, malgré tous mes efforts. Comme si son âme n'aspirait qu'à rejoindre celle de Shayla.

— Tamsyn…

Faisant appel à cette partie insondable de son âme, apte à guérir les cœurs, Sascha recueillit tout le chagrin de son interlocutrice, le laissa pénétrer en elle, l'écraser et la brûler, tandis que la voix de Tamsyn se faisait plus légère.

— Les derniers mots de Carlo ont été : «Nous n'avons pas cédé.» C'est là que nous avons compris que Lucas avait probablement survécu. Les ShadowWalker avaient tenté de le cacher afin de le récupérer plus tard, il était ligoté dans une grotte pas très loin de Carlo. Quand nous l'avons trouvé, il avait de nombreux os brisés et des griffures ensanglantées sur tout le corps, si bien que nous ne l'avons reconnu que grâce à ses cicatrices de Chasseur.

Elle se toucha le visage comme si elle caressait les marques de Lucas.

— Il avait les poignets et les chevilles déchiquetés jusqu'à l'os, à force d'essayer de se libérer de ses liens.

— Ils l'ont torturé pour faire céder Carlo ? demanda Sascha dans un sanglot à peine réprimé.

— Oui. Ils voulaient les informations que détenait Carlo : l'emplacement de nos refuges, des chemins que nous empruntions, du repaire de notre couple dominant et l'organisation de notre système de défense.

— Comment a fait Lucas pour résister ?

— Je ne sais pas. Ils n'ont pas trop malmené son père parce que c'était lui qui comptait, mais Lucas…

Elle secoua la tête.

— On aurait dit qu'il refusait de mourir. Certains ont dit qu'il avait survécu parce qu'il est né Chasseur et que cela l'a rendu plus fort. Moi, je crois qu'il voulait survivre pour se venger.

— Les ShadowWalker se sont échappés ?

— Oui. Nous étions assez forts pour les mettre en fuite mais pas pour les poursuivre et les ramener sans risquer la vie de nos jeunes. En conséquence, nous avons vécu sous une sorte de loi martiale pendant cinq ans, sans quitter le groupe ou risquer de nous exposer.

Sascha n'arrivait pas à imaginer la force de caractère qu'il avait fallu à Lucas pour rester loyal à la meute.

— Ils ont traqué chaque ShadowWalker mâle l'un après l'autre, martela Tamsyn d'une voix empreinte de fureur. Quand ils en ont fini, les ShadowWalker avaient cessé d'exister et DarkRiver était une meute que plus personne n'osait menacer.

La violence ne rebutait pas Sascha. Elle lui semblait beaucoup plus acceptable que l'hypocrisie des Psis qui laissaient les tueurs se promener en liberté, tout en se vantant de leur image pacifique. Au moins, les changelings étaient-ils honnêtes. Au moins aimaient-ils assez pour avoir faim de vengeance. Tout ce dont les Psis avaient faim, c'était de pouvoir.

— Cinq ans plus tard, poursuivit Tamsyn, tirant Sascha de ses pensées sinistres, Lachlan, notre chef, s'est désisté en faveur de Lucas. Les sentinelles lui ont juré fidélité sans l'ombre d'une hésitation, alors qu'il n'avait que vingt-trois ans… Les léopards sont rarement mûrs à cet âge, mais Lucas était déjà plus solide qu'aucun autre mâle.

— Il a été affûté à la dure.

Sascha songea à la douleur qui avait façonné Lucas, et plaignit l'enfant qui n'avait pas eu la chance de connaître une véritable adolescence. À quoi avait pu ressembler cette jeunesse passée à l'ombre du sang de ses parents ?

—Tu comprends ? demanda Tamsyn, le regard rivé sur elle.

—Oui.

Les larmes coulaient au plus profond de son cœur ; elle ne savait pas encore pleurer au grand jour.

La guérisseuse n'était pas convaincue.

—Les ShadowWalker l'ont gardé prisonnier, obligé à assister au supplice de son père avant de s'en prendre à lui. Ce qu'ils lui ont infligé… Ne lui demande pas de te servir de point d'attache.

Ne lui demande pas de te regarder mourir sans pouvoir intervenir.

—Il va pourtant l'exiger.

—Eh bien, refuse ! Dis-lui que ça n'ira pas. Je prendrai sa place.

Sascha acquiesça mais toutes deux savaient que faire changer d'avis à Lucas représentait une tâche quasi impossible.

Malgré son épuisement mental, elle ne dormait pas encore lorsqu'elle sentit sa présence dans les parages. Il ouvrit la porte et referma derrière lui comme si la chambre de Sascha était son territoire.

En le laissant faire, Sascha savait qu'elle le confortait dans ses tendances déjà autocratiques mais, d'un autre côté, elle savait que ses chances de survivre à l'effondrement mental qui la guettait étaient proches de zéro. Soit elle allait se consumer sur place, soit les mercenaires du Conseil allaient lui donner la chasse dès que ses boucliers seraient tombés.

Le temps lui filait entre les doigts… mais, ce soir, elle ne voulait plus faire semblant de ne pas adorer Lucas. Il était tout ce dont elle avait toujours rêvé sans jamais oser l'approcher.

Dans la douce obscurité, il n'était que pure masculinité lorsqu'il s'approcha du lit et s'étendit à côté d'elle sur la couverture ; elle-même était pelotonnée dessous, juste revêtue du mince tee-shirt que lui avait donné Tamsyn avec cet étrange commentaire : « C'est la seule odeur qui l'apaisera. »

Il l'enlaça d'un bras.

— Je voudrais être nu sous ces draps, avec toi.

Elle rougit tout en se sentant fière de pouvoir « exister » tout simplement. La mort l'attendait. Autant profiter du peu de vie qui lui restait.

— C'est comme ça que tu courtises tes futures maîtresses ?

Elle le taquinait. Et cela lui semblait des plus approprié, comme si elle aimait Lucas depuis toujours.

Il blottit sa tête contre son cou et lui prit la main.

— Seulement les femmes qui connaissent déjà chaque partie de mon corps, mes moindres désirs et tout ce qui me fait vibrer. Seulement toi.

Elle crut que son cœur allait cesser de battre.

— Tu m'as fait l'amour dans mes rêves, chaton. Alors, dans la réalité ?

Elle fut un instant fascinée par ces prunelles de félin qui brillaient étrangement.

— On voit toujours tes yeux dans le noir ?

— Non.

Il se pencha, lui mordilla la lèvre supérieure, la surprit, l'enivra…

—C'est juste que je ne veux pas manquer un centimètre de ton corps, dit-il en écartant la couverture.

Elle la remonta.

—Je ne suis pas responsable de tes rêves.

—Tu sais quel moment j'ai préféré ? dit-il contre sa bouche.

Sans attendre de réponse, il ajouta :

—C'était quand tu m'as goûté. Je n'ai jamais connu un tel orgasme dans la vie. J'étais furieux de me réveiller pour me retrouver seul.

Sascha ne pouvait plus respirer. Il faisait soudain bien trop chaud. D'un seul coup, elle repoussa la couverture, aussitôt aidée de Lucas. Elle s'aperçut, mais un peu tard, qu'elle avait les jambes dénudées jusqu'en haut des cuisses. Peu importait. Seuls comptaient les rêves.

—Comment peux-tu avoir vu mes rêves ? murmura-t-elle.

Son trésor le plus secret, le plus précieux. Dans ces rêves, elle voyait ce qu'elle aurait pu être si elle n'avait pas vécu dans la peau d'une Psi.

—Tu m'y as invité.

Il s'installa au-dessus d'elle, les genoux de part et d'autre de ses hanches et, sous son regard avide, se débarrassa de son tee-shirt noir.

—Tu sais ce que j'aime ? demanda-t-il.

L'esprit occupé de mille pensées, elle passa les ongles sur son abdomen tiède et dur comme l'acier, s'arrêtant quand elle l'entendit gémir.

—Je ne sais pas comment…, souffla-t-elle. Je ne l'ai pas fait exprès.

Jamais elle n'aurait eu le courage de le toucher si elle l'avait cru réel.

—Tu es une cardinale Psi.

Lorsqu'elle s'immobilisa, il lui prit les doigts et les mordilla. Le cœur retourné, elle libéra sa main et essaya de s'asseoir, mais il l'en empêcha.

—Non, chaton, attends. J'aime te voir comme ça.

Prenant appui sur ses paumes, il se mit à lui renifler le cou tel un grand fauve en chasse.

Exactement ce qu'il était.

Et puis il fit une chose totalement inattendue, d'une sensualité hallucinante ; sans prévenir, il lui mordilla doucement le sein à travers le tee-shirt. Elle se cambra, manquant de crier. Au lieu d'arrêter, il continua de plus belle, la grisant de désir. Il se redressa et plaça un genou entre ses cuisses pour les écarter délicatement.

—Tu sens mon odeur, ronronna-t-il contre sa gorge.

Il lui donna un coup de langue.

—Partout, tu sens mon odeur.

—Qu… quoi ? gémit-elle.

Il se mit à caresser du bout des doigts le sein qu'il avait délaissé jusque-là et elle dut se faire violence pour ne pas descendre les mains jusqu'à son entrejambe et défaire son jean. Elle savait exactement comment serait son membre. Chaud, dur, soyeux et parfait.

Chapitre 18

— **C**e tee-shirt est à moi. Lâchant son sein, il se rassit pour pouvoir lui caresser la poitrine des deux mains.

Tout son corps vibrait au rythme des palpitations de son bas-ventre.

— Pourquoi Tamsyn me l'a-t-elle donné ?

— Parce que tu sens mon odeur de toute façon.

Après une nouvelle étreinte, il lâcha sa poitrine pour soulever le bord de son tee-shirt.

— Mêmes ces fichus loups m'ont senti sur toi.

Elle savait qu'elle n'aurait pas dû se laisser faire, mais c'était ce dont elle avait toujours rêvé. Restait à savoir si elle allait survivre à l'enfer qu'elle venait de déchaîner. Lorsqu'il posa sa grande main virile sur son sexe, des centaines d'étoiles explosèrent derrière ses paupières closes… Il la caressa de la paume à travers sa culotte en coton, l'excitant à l'en rendre folle.

— Où est la dentelle ? demanda-t-il en s'immobilisant.

— Continue… n'arrête pas, implora-t-elle.

Il obéit immédiatement. Plus que jamais, ses yeux brillaient dans la nuit avec une intensité aussi belle que sauvage.

— Dans tes rêves, tu portais une culotte en dentelle.

— Les Psis ne portent pas ce genre de sous-vêtements fantaisistes.

Insatiable, elle remua contre lui et il comprit le message, transformant sa caresse en brusques rotations qui lui coupèrent la respiration. Noyée dans un torrent de sensations délirantes, elle oublia tout le reste pendant quelques instants.

De ses caresses tendres et sauvages à la fois, il l'amena au bord de l'orgasme et lui arracha un cri ; son esprit de Psi se moquant soudain de qui pouvait l'entendre. Puis une violente décharge de plaisir l'ébranla, la laissant trempée et comblée. Lorsqu'elle ouvrit les yeux, elle s'aperçut que Lucas n'avait pas bougé.

Il retira sa main pour la porter à sa bouche et se lécher les doigts ; jamais elle n'avait rien vu de plus érotique. Le corps toujours agité de spasmes, elle sentit un désir plus profond s'éveiller en elle.

—Ça va mieux ? demanda Lucas.

—Oui.

Elle remarqua alors l'érection qui gonflait la fermeture de son jean.

—Tu vas m'aider avec ça ?

Si elle n'avait pas fait ces rêves, si elle n'avait pas appris qu'il donnait beaucoup plus de plaisir qu'il n'en demandait, si elle n'avait pas déjà affronté ses mâles exigences et sa faim, elle se serait sans doute dérobée.

En se mordant la lèvre, elle promena un doigt sur sa braguette.

—Ne joue pas avec moi ! ordonna-t-il sans rien faire pour l'en empêcher.

—Dans mes rêves…, murmura-t-elle, admettant enfin ce qu'elle savait depuis le début.

Ces rêves avaient été beaucoup trop précis pour ne provenir que de sa seule imagination. Comment aurait-elle pu inventer cet amant farouche qui lui avait montré les chemins du plaisir alors qu'elle ne connaissait personne comme lui ?

— Dans mes rêves, tu m'as dit que tu aimais ma bouche.

— J'adore ta bouche.

Il avait replacé les mains de part et d'autre de sa tête et parlait tout contre ses lèvres, en l'embrassant avec tant de volupté que Sascha eut l'impression d'être l'incarnation de tous ses fantasmes réunis.

Elle n'arrivait plus à s'empêcher de l'enlacer par la taille et de lui enfoncer les ongles dans la chair. Il mêla sa langue à leur baiser et elle l'imita instinctivement. Sous ses doigts, elle ressentait la chaleur d'une peau sensuelle, le corps d'un homme qui ne refuserait jamais qu'on le touche.

— Les privilèges du contact rapproché, commenta-t-elle quand il la laissa respirer.

— On est bien au-delà, Sascha chérie, dit-il avec un sourire malicieux.

Il s'agenouilla entre ses jambes. Comprenant ce qu'il désirait, elle détacha le bouton de son jean. Il émit un soupir entre ses dents et, quand elle défit la fermeture tout entière, il hoqueta.

— Attention.

— Ne t'inquiète pas.

À présent que sa braguette était ouverte, elle voyait son érection tendre le coton de son boxer.

— Tu dois me laisser me relever.

Il réfléchit un instant, jouant avec son sein du bout des doigts à travers le tissu humide.

— Je n'en ai pas envie, dit-il.

Elle frémissait à chacun de ses mouvements.

— Comment veux-tu que je te… prenne dans ma bouche dans ce cas ?

Dans l'étincelante obscurité, elle venait de lancer une invitation érotique dont elle ne se serait jamais crue capable.

Il se déplaça si vite qu'elle s'en aperçut à peine ; elle eut au moins le plaisir de le voir se déshabiller complètement, debout près du lit. Pas besoin de lumière alors que sa peau semblait chatoyer d'une fine couche d'énergie sauvage. Elle ne pouvait qu'être fascinée par sa dangereuse beauté. Lorsqu'elle s'assit, il tourna brusquement la tête pour la clouer sur place.

— Je ne veux pas que tu bouges, lui ordonna-t-il sur le ton arrogant du chef qu'il était.

— Mais j'ai envie de bouger.

Si elle le laissait faire, ils allaient droit vers la catastrophe.

Il bondit ; en moins de temps qu'il n'en fallait pour le dire, elle se retrouva sur le dos et il s'allongea sur elle. D'une main, il lui bloqua les poignets au-dessus de la tête.

— Maintenant, tu es tout à moi.

On aurait dit un chat s'amusant avec sa proie.

Sauf que cette proie avait des griffes. Elle tendit son esprit vers lui et referma une paire de mains mentales sur l'érection qui lui effleurait le sexe. Lucas se cabra en rugissant.

— Qu'est-ce que tu fais, chaton ?

— Je joue. Laisse-moi faire.

Elle sentait sa présence partout, en elle et autour d'elle. Elle avait tellement envie de le goûter que ça faisait mal.

— Je ne suis pas d'humeur joueuse.

Il se pencha pour lui laper le sein toujours à travers le tee-shirt, dans un mouvement tellement félin qu'elle en poussa un gémissement.

— Tu ne veux pas que je…

Elle resserra ses mains mentales pour lui montrer ce qu'elle pourrait lui faire. Il lui mordit le cou assez fort pour la marquer mais pas la blesser.

— Arrête !

— Pourquoi ?

En cet instant, Sascha ne s'aperçut même pas qu'elle n'aurait pas dû communiquer aussi facilement avec lui, qu'il était un changeling et elle une Psi, et qu'aucun Psi n'avait jamais été capable d'accéder à l'esprit d'un changeling aussi facilement. Tout ce qu'elle savait, c'était qu'elle se consumait de désir pour lui.

Il se redressa, la tête renversée en arrière, les muscles du cou saillant. Laissant Sascha libre d'empoigner son érection. Il donna un coup de reins pour se loger plus profondément dans sa main. Sans trop savoir comment s'y prendre, suivant son instinct, elle glissa la jambe entre ses cuisses.

Sous son regard attentif, elle se tortilla sous lui jusqu'à se trouver juste en dessous de son érection. Elle s'accrocha à son bassin et se souleva pour le prendre dans sa bouche.

Le grondement sourd qu'il émit la fit frémir d'une peur délicieuse mais elle ne s'arrêta pas pour autant. Elle avait les privilèges du contact rapproché et comptait en profiter. Il avait encore meilleur goût que dans ses rêves, délectable comme le plus suave des chocolats, âpre comme le léopard qu'il était.

Sa nuque commençait à la faire souffrir mais elle ne voulait pas abandonner. Elle tira sur ses hanches et baissa la tête mais il refusa de suivre le mouvement et se glissa lentement hors de sa bouche, la rendant folle de désir.

— *Lucas, s'il te plaît !* l'implora-t-elle mentalement.

— À condition que tu me laisses te faire la même chose.

— *Tout ce que tu veux !* rétorqua-t-elle instantanément, tellement emportée par cette charge de plaisir sensuel qu'elle se sentait devenir son esclave.

Alors il la laissa continuer ; elle n'était plus que désir et ardeur, incapable de penser à autre chose qu'à ce qu'elle faisait en ce moment. Elle agrippa ses fesses musclées et il gronda quand elle promena sa langue sur son membre. Elle savait ce qu'il aimait, l'avait appris dans ses rêves qui n'en étaient pas. À présent qu'elle avait libre accès à ce corps, elle comptait bien employer tous ses talents à le satisfaire.

— Plus fort, chaton ! murmura-t-il d'une voix rauque.

Elle s'exécuta, enfonçant ses ongles plus violemment dans sa chair, provoquant une exquise douleur qui lui fit bander les muscles. À force de gémir, de lécher, de sucer, d'aimer et de donner, elle le fit jouir par vagues successives, dans un grondement sourd.

Quelque dix minutes plus tard, Sascha se rendit compte qu'elle portait toujours le tee-shirt. Elle tenta de se dégager de Lucas qui la coinçait complètement sur le lit mais celui-ci refusa de bouger, le visage enfoui dans son cou, léchant le sel de sa peau avec avidité.

Elle lui mordilla la gorge.

— Lucas.

Il répondit par un ronronnement qui résonna dans sa poitrine. La délicieuse sensation se répandit dans tout son corps, titillant chaque terminaison nerveuse au point que l'excitation se transforma en une douce douleur.

— J'ai envie d'enlever ce tee-shirt.

Elle avait trop chaud, se sentait prisonnière de ses vêtements. Elle ne supportait même plus sa culotte… Elle voulait sentir le corps en sueur de Lucas contre sa peau, pouvoir savourer chaque caresse sensuelle.

Il roula sur le côté. Ses yeux mi-clos émettaient une douce lueur verte dans la nuit tandis qu'il épiait chacun de ses mouvements. Dès qu'elle fut nue, il lui bondit dessus. Elle se retrouva de nouveau à sa merci, allongée sur le ventre, la vigoureuse érection de Lucas reposant dans le creux entre ses fesses.

—Mais tu…

Il fit courir ses ongles le long de ses côtes, la faisant frissonner.

—Je ne suis pas humain, Sascha. Je ne me laisse pas épuiser d'un seul coup.

Il lui mordilla l'oreille.

—Ah!

—Maintenant, c'est mon tour.

Il fit descendre ses dents le long de son épaule tout en glissant une main sous son corps pour enchevêtrer ses doigts dans les boucles soyeuses de son entrejambe.

Elle émit un son tellement empreint de désir qu'elle en fut elle-même surprise. Lucas sembla apprécier sa réaction. Il raffermit sa caresse, l'entraînant au bord de la folie.

—*Lucas,* chuchota-t-elle dans son esprit.

—Lève un peu les fesses, lui souffla-t-il à l'oreille tout en se relevant légèrement.

Confuse, mais prête à tout pour se laisser emmener où il le désirait, elle plia les genoux et se cambra. Il fit remonter sa main sur son ventre, tandis que de l'autre il lui pétrissait les fesses. Elle ne s'était jamais sentie aussi exposée, aussi vulnérable.

Il fit descendre sa main de ses fesses à l'intérieur de ses cuisses et lui fit doucement écarter les jambes. Un grognement sourd résonna derrière elle et tous les muscles de son corps se tendirent par anticipation.

— Ton odeur agit comme une drogue sur moi, dit-il d'une voix si éraillée qu'elle le comprit à peine.

Puis avec un autre murmure inarticulé il laissa une main reposer sur sa hanche et l'autre sur son ventre, et se pencha pour la goûter. Dès le premier coup de langue lascif, elle poussa un cri. Elle se mit à trembler de tout son corps et ce n'était que le début.

Prenant son temps, il la lapa comme un chat savourant un bol de lait. Ses veines se transformèrent en torrents de lave. L'afflux de sensations l'empêchait presque de respirer et elle se sentit rougir d'une chaleur qui n'avait rien à voir avec la moindre gêne.

Il fit de nouveau glisser sa main sur l'intérieur de ses cuisses, lui fit écarter un peu plus les jambes et s'aida de ses doigts pour mieux la goûter. Elle le laissa la guider, le laissa se délecter d'elle jusqu'à ce qu'elle en ait la tête pleine d'étoiles. Elle le laissa faire, tout simplement… Il en profita pleinement et elle découvrit ainsi quel effet cela faisait d'être aimée par un léopard dominant qui la considérait comme sienne.

Il n'y avait rien d'hésitant dans ces baisers intimes. Il la retenait de ses mains chaudes et puissantes tandis qu'il la dévorait avec une tendresse sauvage contre laquelle elle n'avait aucun moyen de se défendre.

— Pardon, chaton. Je vais trop vite, mais j'ai tellement envie d'être en toi.

Vite ? Il trouvait qu'il allait vite ? Quelle était donc sa définition de la lenteur ?

— *J'en ai envie aussi.*

Elle s'adressait à lui par la pensée, sans se rendre compte à quel point la communication était facile entre eux.

Elle se tendit d'anticipation lorsqu'elle le sentit se relever derrière elle puis poussa un léger cri quand il commença à s'enfoncer en elle. Elle avait l'impression qu'il pénétrait plus que son corps, qu'il s'emparait de son esprit. Et elle voulait qu'il aille plus loin.

Il donna un coup de reins en réponse à ses encouragements silencieux. Une pointe de douleur inattendue vint se mêler au plaisir.

—Que… Lucas?

—Chut. C'est fini, dit-il en lui embrassant les reins. C'est tellement bon, Sascha chérie. Je me sens si bien en toi. Je ne me contenterai pas d'une seule fois.

Ces murmures érotiques lui donnèrent des frissons. En même temps, il la guida de la main pour la ramener contre lui. Dos contre son torse, tandis qu'il était profondément enfoui en elle, elle sentit battre son pouls, exquise sensation, incomparable baiser charnel.

Obéissant à des instincts vieux comme la nuit des temps, elle se mit à rouler lentement des hanches. Il raffermit son étreinte, l'emprisonnant dans une cage de pur muscle. La chaleur qui émanait de lui la brûlait presque, comme si le corps de Lucas était bien plus chaud que le sien. Il fit remonter une main virile le long de ses côtes et la referma sur son sein avant de se mettre à lui titiller le mamelon. Elle poussa un cri et se remit à onduler du bassin.

Il lâcha son sein et la saisit par la hanche.

—Arrête! grogna-t-il.

Restant sourde à son ordre, elle intensifia ses mouvements.

Et sentit le léopard prendre le pas sur Lucas. Il se retira presque entièrement avant de s'enfoncer profondément d'un puissant coup de reins. Sascha se mit à trembler. Incapable de se contrôler, elle s'appuya contre Lucas.

Il referma les dents sur son cou pour la faire tenir tranquille tandis qu'il les amenait tous deux au comble du plaisir. Une emprise qui n'avait rien de déplaisant, juste tellement possessive que Sascha se sentit complètement à sa merci. Un simple rappel que son amant n'était pas humain… n'était pas Psi… n'était pas apprivoisé.

Et elle l'adorait ainsi.

Il fit glisser sa main jusqu'à son entrejambe et trouva le centre de son plaisir qu'elle brûlait de voir caressé. Il savait exactement comment s'y prendre pour la titiller. Elle poussa un cri du plus profond de son cœur et, emportée par l'extase, enfonça les ongles dans les biceps qui la retenaient.

Il grogna avant de lâcher la prise sur son cou et commença à aller et venir si vite et si fort qu'elle ne put plus suivre le rythme. Alors elle se laissa aller, acceptant son ardeur, son désir, son droit sur elle. Son corps explosa en mille éclats scintillants et des centaines de lumières colorées défilèrent derrière ses paupières closes.

Lucas la surprit en se retirant soudainement. Sans lui laisser le temps de protester, il la retourna face à lui et la fit asseoir sur ses genoux, les jambes autour de son bassin. Il s'enfonça si profondément en elle qu'elle ne put plus réfléchir.

—Ouvre les yeux, demanda-t-il contre sa bouche.

Elle obéit et aperçut aussitôt deux iris verts de félin.

—Pourquoi ?

—Pour le feu d'artifice, murmura-t-il dans un baiser.

Une fois encore, elle ne put le ralentir dans son mouvement, mais elle préférait chevaucher la tempête, la laisser l'envahir, la bousculer sans jamais la désarçonner. Ce fut la plus intime, la plus dangereuse, la plus merveilleuse danse de sa vie. Quand elle sentit ce corps musclé se mettre à trembler entre ses bras, ce fut toute sa féminité qui gémit de plaisir.

—Tu es à moi.

Ce furent les dernières paroles qu'il prononça avant un bon moment.

Ils achevaient leur petit déjeuner quand Lucas apprit à Sascha qu'il allait s'entretenir avec Hawke, le chef de meute SnowDancer, qu'elle n'avait jamais rencontré, du moins pas consciemment. Assis à leur table, Vaughn et Mercy levèrent la tête.

— Vous êtes de garde ici, leur dit-il. J'emmène Clay et Dorian.

Sascha avala une gorgée de thé en réfléchissant à ce qu'elle allait faire. Pas question de retourner chez elle. Jamais. Après la nuit qu'elle venait de passer dans les bras de Lucas, elle ne pourrait pas jouer son rôle de Psi parmi les Psis. Ses boucliers tenaient bon sur le PsiNet, mais il lui était devenu impossible de garder son masque dans le monde réel.

D'autant que Lucas l'avait marquée.

À l'instant où elle était entrée dans la cuisine, Tamsyn avait repéré la trace de morsure sur son cou. Sascha avait cru que la guérisseuse allait se fâcher étant donné la teneur de leur conversation de la veille, mais celle-ci avait simplement souri avant d'enchaîner.

— Toi, je parie que tu meurs de faim !

Jusque-là, personne n'avait fait allusion aux cris. Ni aux longues éraflures sur le bras de Lucas. Sascha en était presque morte de honte quand elle l'avait trouvé à table vêtu d'un tee-shirt à manches courtes. Au moins allait-il porter une veste pour son rendez-vous avec Hawke.

— Reste là, ordonna-t-il bien qu'elle n'ait pas esquissé un mouvement. Tu n'es pas encore assez forte pour retourner pirater le Net, même si on a accepté ce plan idiot. Ne t'occupe de rien. Repose-toi.

Il avait raison. Elle s'était littéralement épuisée à hanter l'esprit de Henry et il lui faudrait plus d'une journée pour s'en remettre.

— Il faudra qu'on y aille bientôt, protesta-t-elle, parce qu'ils vont finir par comprendre que je suis partie et tâcher de me récupérer.

Ses yeux verts de félin s'étrécirent.

— Personne ne te récupérera.

Il contourna la table pour l'embrasser devant tout le monde. Leur baiser n'eut rien d'une bise sur la joue. Elle s'accrocha à sa taille tandis qu'il s'emparait de sa bouche d'une manière ouvertement sexuelle et infiniment possessive.

Une minute après, il s'en alla, laissant Sascha pantoise. Les deux sentinelles qui avaient assisté à la scène étaient restées de marbre, pourtant Vaughn lui fit peur. Il n'était pas froid et distant comme Clay, mais une lueur sauvage éclairait son regard, si bien qu'elle se demanda à quel point il maîtrisait la bête en lui.

Mercy lui parut un peu plus aimable, cependant Sascha ne put s'empêcher de penser que les sentinelles désiraient la voir s'en aller. Comment leur en vouloir ? Elle appartenait à un peuple coupable d'avoir prêté main-forte à la pire des ordures. Qui savait dans quoi elle risquait d'entraîner Lucas ?

— C'est pour me protéger que vous restez là ? demanda-t-elle.

Ils hochèrent la tête.

— Merci.

Elle posa les mains sur la table et se força à regarder Vaughn dans les yeux.

— Je sais que je ne suis pas faite pour Lucas, mais il faut me le laisser encore quelques jours. Ensuite, je ne dérangerai plus personne.

Elle refusait de s'apitoyer sur son sort pour ne pas gâcher les moments merveilleux qu'elle vivait en ce moment, mais ce qu'elle venait d'énoncer était un fait.

Les changelings ne connaissaient pas l'étendue du PsiNet. Celui-ci avait des yeux et des oreilles aux quatre coins du monde. Impossible d'y échapper physiquement même si son esprit avait pu survivre à la séparation.

Où qu'elle aille, quoi qu'elle fasse, ils la pourchasseraient. Ils le feraient pour n'importe quel renégat car la dissidence sapait le protocole Silence. Sans parler du fait que son cas allait susciter des réactions extrêmes parce qu'elle était la fille de Nikita. Non seulement elle en savait trop, mais sa disparition allait frapper au cœur l'image d'invincibilité du Conseil.

Vaughn se pencha en avant, fixant sur elle ses étranges yeux dorés.

— Si j'avais pensé que tu risquais de faire du mal à Lucas, je ne t'aurais pas laissé la moindre chance.

— Autrement dit, si je respire encore, c'est que tu me fais confiance ?

Elle n'allait pas se laisser intimider comme ça même s'il lui donnait froid dans le dos.

Il esquissa un rictus.

— Non.

Mercy posa sa tasse de café.

— Arrête de l'asticoter, Vaughn ! Elle en a assez bavé comme ça.

— Je crois que notre Psi est beaucoup plus solide qu'elle en a l'air, n'est-ce pas, Sascha ?

Elle n'avait pas idée de ce qu'il cherchait en la dévisageant de ses yeux dorés inquisiteurs. Mais elle savait que ce qui l'observait n'était pas vraiment domestiqué.

— Question de vie ou de mort, répliqua-t-elle en soutenant son regard. Déjà enfant, je savais que si on découvrait ma différence je serais bonne pour la rééducation… une sorte de lobotomie.

Encore à présent, elle entendait les bruits de pas discrets et les murmures étouffés qui hantaient les couloirs du Centre.

Elle n'aurait jamais dû les entendre ni voir les créatures cauchemardesques qui les produisaient, mais Nikita l'y avait emmenée un jour. Sascha avait eu à peine dix ans à l'époque. Et les paroles de sa mère resteraient gravées dans sa mémoire pour l'éternité : *« Il faut toujours viser la perfection, Sascha. Voilà ce qui arrive quand on ne donne pas satisfaction. »*

Sascha n'avait compris qu'à l'adolescence pourquoi Nikita en était venue à de telles extrémités. Elle devait s'être rendu compte des défaillances de sa fille, avoir sondé son esprit avant qu'elle-même soit assez grande pour pouvoir se protéger.

Cette leçon brutale avait porté ses fruits : aux yeux du monde, Sascha n'avait jamais été que parfaite. Elle avait même convaincu Nikita que sa fille handicapée était devenue Psi dans l'âme. Jusqu'au moment où elle avait commencé à craquer.

— Je n'arrive pas à croire qu'ils infligent ça à leur propre peuple, maugréa Mercy, dégoûtée. Qui choisirait une vie pareille ? Je préférerais la mort.

— J'ai un service à vous demander à tous les deux, souffla Sascha, la gorge serrée.

Vaughn haussa un sourcil. Il lui avait laissé la vie sauve, mais il pouvait très bien revenir sur cette idée.

— Si je suis capturée pendant l'exécution du plan, si je suis envoyée au Centre au lieu d'être abattue, je vous demande de me tuer. Je ne pourrai pas le faire moi-même parce qu'ils auront bloqué mon esprit.

À l'aide de camisoles mentales qui achevaient de vous faire perdre la raison.

— Ce sera à Lucas de le faire, décréta Mercy d'un ton sans appel.

Malgré sa beauté, elle était soldat avant tout. Sa condition de femme ne venait qu'en second.

— Je ne veux pas.

Plus à présent que Sascha savait ce qu'il en coûterait à Lucas.

— Je ne veux pas l'obliger à regarder mourir quelqu'un qu'il aime.

Elle lut dans le regard de Vaughn qu'il avait compris à quoi elle faisait allusion.

— Même si vous ne ressentez rien pour moi, insista-t-elle, faites-le pour lui. Il n'a pas besoin de me voir transformée en légume.

Lorsque Vaughn se leva, elle crut qu'il allait rejeter sa demande. Mais, au lieu de quitter la pièce, il vint se placer derrière sa chaise. Prenant appui sur le dossier, il se pencha et posa les lèvres sur sa nuque. Elle se figea, sentant aussitôt la puissance de ce dangereux mâle. Il pourrait lui briser la nuque d'une seule main.

CHAPITRE 19

— Tu as le privilège du contact rapproché, souffla-t-il en lui mordillant la peau. Tu fais partie de la meute.

Elle n'aurait jamais cru entendre ça.

Mercy posa la main sur le poing serré de Sascha.

— On ne laisse pas les membres de la meute mourir sans combattre.

— Vous ne comprenez pas, répondit-elle, les larmes aux yeux.

Vaughn se redressa après lui avoir mordu l'oreille au passage et lui posa les mains sur les épaules.

— On comprend que tu crois le PsiNet tout-puissant. Parce qu'ils t'ont répété ça toute ta vie. (Il se rapprocha de la table, à côté d'elle.) Mais les règles ont changé.

— Quelles règles ? demanda-t-elle, déçue que les sentinelles refusent de voir la vérité en face. Ils sont toujours aussi mortellement puissants.

— Mais ils n'ont jamais rien vu comme toi, dit Mercy.

— Moi ? Je ne suis qu'une Psi défectueuse.

— Tu crois ? rétorqua Vaughn en laissant courir un doigt sur sa joue. Tu ne serais pas autre chose ?

De nouveau, elle se figea, sans trop savoir comment réagir. Elle avait bien vu que les léopards avaient le contact facile mais n'aurait jamais cru recevoir de telles preuves d'affection. Surtout de la part de ces implacables sentinelles.

Elle allait répliquer quand elle se rappela les dossiers sur sa famille qu'elle avait récupérés sans jamais les ouvrir.

— Il faut que je réfléchisse, dit-elle en se repliant déjà dans son esprit.

Les deux autres ne dirent plus rien, assurant seulement sa protection alors qu'elle restait là, assise, à tourner des pages et des pages de données mentales. À un moment, Tamsyn entra dans la cuisine pour préparer des cookies. Du coin de l'esprit, Sascha ressentit à quel point la guérisseuse était désespérée d'être séparée de Julian et Roman. Cette nuit-là, Lucas lui avait révélé la vraie raison de leur absence, lui confiant des informations dont elle-même ne se serait pas crue digne. Tamsyn ne pouvait ni ne devait partir avec ses enfants : elle était la guérisseuse, on aurait besoin d'elle si le sang coulait.

Sans même s'en rendre compte, Sascha s'empara de la tristesse de Tamsyn et la prit en elle. Comme chaque fois, ces émotions étrangères s'entassèrent comme des pierres autour de son cœur, mais elle savait pouvoir les surmonter. Elle avait le pouvoir de neutraliser ces sentiments négatifs.

Elle ne savait pas depuis combien de temps elle était assise là quand elle fut tirée de sa transe par un baiser dans le cou. Un seul mâle avait le pouvoir de l'ébranler à ce point. Clignant des yeux, elle se retourna. Lucas se tenait derrière elle, arborant une expression sévère.

— Qu'est-ce que tu fabriques ? demanda-t-il en la faisant se relever.

— Je consulte des informations que j'ai volées lorsque j'ai piraté le Net.

Pourquoi était-il en colère ? Ses marques de Chasseur apparurent plus nettes que jamais.

— Je t'ai dit de rester tranquille.

— Je n'ai pas bougé, dit-elle, agacée. Qu'est-ce qui te prend ?

Pour toute réponse, il émit un grondement qui lui donna la chair de poule.

Soudain, elle se souvint de la présence des autres dans la pièce. Dorian et Clay venaient de rejoindre Vaughn, Mercy et Tamsyn. Ils donnaient l'impression de s'occuper de leurs affaires, mais Sascha savait très bien qu'ils écoutaient.

— Lucas…, commença-t-elle, voulant l'entraîner dans un coin plus tranquille.

— Je t'ai bien dit de ne pas retourner sur le PsiNet ! éructa-t-il.

— Je n'y suis pas allée ! Je ne suis pas complètement idiote, non plus ! Qu'est-ce que tu croyais ? Que j'allais rester là… à faire des gâteaux en ton absence ?

Un petit rire étouffé la fit se retourner.

— Sauf ton respect, Tamsyn.

— Je sais, ma belle, dit la guérisseuse en versant du chocolat dans un bol. Tu n'es pas du genre à faire de la pâtisserie.

— Tu étais censée te reposer l'esprit, reprit Lucas. Et ne me dis pas que ce que tu faisais ne rognait pas le peu d'énergie qui te reste.

L'attrapant par la nuque, il l'attira vers lui.

Même s'il prenait garde à ne pas abuser de sa force, le geste n'en restait pas moins dominateur.

— Arrête !

Il était peut-être chef de meute, mais elle était une cardinale.

Sans se donner la peine de lui répondre, il aboya sur ses sentinelles :

— Qu'est-ce qui vous a pris de la laisser désobéir à mes ordres ?

Elle lui donna un coup de pied au tibia. Il ne grimaça même pas.

— Tu vas me le payer, marmonna-t-il.

Alors elle explosa. Ses pouvoirs de cardinale ne s'étaient certes pas développés mais elle disposait d'une petite aptitude que peu de gens connaissaient. Avec son esprit, elle repoussa Lucas si violemment que celui-ci recula de près d'un mètre avant de seulement ciller.

Tout le monde en resta pétrifié.

Sascha se rendit alors compte qu'elle venait d'attaquer le chef de meute de DarkRiver. Tant pis. Il s'était conduit comme une brute épaisse. Les mains sur les hanches, elle soutint le regard du léopard, comme si cet effort télékinétique ne l'avait pas complètement épuisée.

— Tu veux jouer ?

Jamais elle n'aurait lancé un tel défi auparavant.

— Oh oui, chaton, je ne demande que ça !

Il s'approcha d'elle à la vitesse de l'éclair dans un mouvement qui mêlait exaltation et défi.

Elle était prête. Faisant appel à ses dernières forces, elle bondit sur la table tel un félin. Elle avait observé les mouvements gracieux des léopards, et son esprit de Psi était à présent capable de les reproduire à la perfection. Lucas écarquilla les yeux.

— Tu as gardé quelques secrets.

— Pauvre chou.

Il esquissa un sourire.

— Viens ici.

— Tu seras sage ?

— Non.

Elle se mordit les lèvres et descendit de la table, se sentant ridicule à présent que Lucas ne la pourchassait plus. Il reposa la main sur sa nuque d'un geste possessif. À cette différence

302

près que la sensualité avait remplacé la colère. Il l'embrassa, mettant le feu à toutes ses terminaisons nerveuses.

Quand il se redressa, elle prit quelques secondes pour récupérer son souffle.

— Tu sais ce que c'est que l'intimité ? demanda-t-elle, écarlate.

Impossible de contenir davantage les réactions de son corps ; elle savait que ses dernières défenses avaient grillé cette nuit-là.

Tamsyn éclata de rire.

— Pardon, je n'ai pas pu m'empêcher d'écouter !

Sascha se dégagea et fila rejoindre la guérisseuse, Lucas sur ses talons.

— Quoi ? lança-t-elle.

La femme leva les yeux au ciel.

— Les mâles de DarkRiver sont sacrément possessifs et totalement exhibitionnistes pendant la danse nuptiale.

Sascha consulta son dictionnaire mental de terminologie changeling mais ne trouva rien.

— « La danse nuptiale » ?

Mercy siffla. Dorian frémit. Tamsyn se replongea dans la confection de sa pâte. Quant à Clay et Vaughn, ils avaient mystérieusement disparu.

— Je crois qu'on ferait mieux d'en discuter là-haut.

— Ah bon ? susurra-t-elle. Tu as envie d'intimité, maintenant ?

Sans lui laisser le temps de protester, il la prit dans ses bras et grimpa les marches de l'escalier quatre à quatre. Une fois qu'ils furent arrivés dans la chambre, il la jeta sur le lit avant de s'allonger près d'elle.

— Non…

Elle voulut se lever mais il l'immobilisa d'une jambe sur les siennes.

—Pas de ça, chaton.

Ce qui suffit à lui donner assez de force pour le repousser. Il revint à la charge immédiatement.

—Il va falloir qu'on discute de tes manières, murmura-t-il d'un ton plus amusé que contrarié.

—Je pourrais te réduire l'esprit en bouillie si je le voulais.

—Et alors qui te lécherait jusqu'à l'orgasme ?

—Tu ne peux dire des choses pareilles ! s'emporta-t-elle.

—Pourquoi ?

Il écarta les pans de son chemisier blanc. Elle ne s'était même pas aperçue qu'il l'avait déjà déboutonné. Il fit glisser ses longs doigts sur sa poitrine et se mit à lui caresser les seins à travers son soutien-gorge.

—Lucas…, gémit-elle.

—Lorsque deux léopards veulent s'unir pour la vie, ils exécutent ce qu'on appelle « la danse nuptiale ».

Saisie de peur, elle rouvrit les yeux.

—Et qu'arrive-t-il si l'un des deux meurt ?

—Le survivant ne s'unit plus jamais.

D'une main possessive, il écarta le tissu du soutien-gorge pour lui caresser langoureusement le téton.

—Non, Lucas. (Elle essaya de se dégager mais il ne la laissa pas faire.) Arrête ! Je risque de ne pas survivre à cette semaine.

—Tu n'iras nulle part, gronda-t-il, plus dominateur que jamais. (Ses yeux n'avaient plus rien d'humain.) Tu m'appartiens.

Elle avait attendu toute sa vie qu'on lui dise une telle chose mais, à présent, elle ne pouvait accepter qu'il se lie à elle.

—Je n'ai pas mon mot à dire ?

— Tu as fait ton choix lorsque tu m'as mêlé à tes rêves, attiré dans ton esprit. Et tu n'as fait que le confirmer lorsque tu m'as offert ton corps.

Impossible de laisser Lucas sans compagne pour le restant de ses jours.

— Je refuse de coopérer.

— Mais si !

Il pencha la tête et se mit à lui sucer le téton.

— Arrête ! dit-elle en passant les doigts dans la chevelure soyeuse de Lucas.

Il ronronna de plaisir et, de l'autre main, se fraya un passage entre ses cuisses. Elle en sentit la chaleur rugueuse à travers l'épaisseur de son pantalon.

Elle lui tira la tête en arrière. Il en profita pour se tourner vers son autre sein qu'il entreprit de mordiller à travers le soutien gorge tout en lui caressant le ventre. Impossible de réfléchir dans ces conditions. Pourtant, il fallait bien qu'elle lui parle, qu'elle se fasse comprendre.

— Tu ne me connais pas.

Il releva la tête.

— Je te connais par cœur.

— Non. Lucas, je ne suis pas changeling mais Psi. C'est mon esprit qui me définit.

— Menteuse.

Une autre petite morsure la fit tressaillir, lui rappelant qu'elle était aussi faite de chair et de sang.

— Tu es aussi animale que moi, lui souffla-t-il à l'oreille. Aussi sensuelle, aussi affamée, aussi insatiable.

Remuée par ses paroles, excitée par ses caresses, elle parvint quand même à secouer la tête.

— Je pourrais te tuer d'une seule pensée.

Il frottait la joue contre son sein.

— Tu t'en sens capable, chaton ?

Cette simple phrase lui permit de gagner la bataille. Sascha tenait plus à Lucas qu'à sa propre vie.

— Arrête, avant qu'il soit trop tard !

— Personne ne peut arrêter ça. Je tuerai celui qui essaiera.

Elle devait à tout prix l'empêcher de se lier à une femme si abîmée qu'elle ne savait même plus si elle était encore Psi.

Le lendemain, Sascha s'était installée dans le séjour du refuge afin d'explorer les arguments susceptibles de convaincre Lucas de la solidité de son plan. Malheureusement, elle n'avait pas encore trouvé le moyen de créer une diversion qui permettrait au tueur de la trouver en premier. Elle avait passé toute la journée à chercher mais n'avait rien conçu d'autre qu'une « bombe » rudimentaire.

Si elle ne trouvait rien avant le lendemain, elle devrait s'en contenter. Brenna avait assez souffert. Au moins ni Enrique ni Nikita n'avaient encore cherché à la joindre. Sans doute étaient-ils trop occupés à traquer le tueur eux-mêmes.

Lucas n'avait cessé d'aller et venir, et elle en avait conclu qu'il prenait ses dispositions pour le cas où ils ne parviendraient pas à sauver la SnowDancer disparue. En ce moment, il se tenait devant la fenêtre, à scruter la nuit. Sa peau dorée brillait à la lumière des lampes du séjour.

— De quoi parlent ces informations que tu as volées ? demanda-t-il en se retournant.

C'était à peine s'il avait ouvert la bouche de toute la journée, mais il lui avait souvent effleuré la main ou le visage.

Elle restait blottie sur le canapé, à l'observer avec méfiance telle une gazelle face à un lion. Lucas n'était ni humain ni Psi. C'était un prédateur qui avait décidé qu'elle lui appartenait. Elle devrait faire appel à toutes ses ressources pour lui échapper avant qu'il les détruise tous deux.

Même s'il ne la laissait pas mettre son plan à exécution, les mercenaires du Conseil la pourchasseraient à travers le PsiNet dès que ses boucliers défaillants auraient révélé ses imperfections. Ils commençaient déjà à montrer des signes de faiblesse. Sans doute ne pourrait-elle se sauver, mais au moins elle sauverait Lucas. Elle ne le condamnerait pas à une vie sans compagne, même si elle désirait plus que tout qu'il lui appartienne.

— L'histoire de ma famille.

La frêle silhouette de Tamsyn apparut sur le seuil, suivie de celle plus massive de Nate.

— J'espère qu'on ne vous dérange pas.

— Pas du tout, s'empressa de répondre Sascha, trop heureuse de cette diversion. Je disais à Lucas que j'avais volé des informations concernant ma famille sur le PsiNet.

Celui-ci vint s'asseoir près d'elle, l'œil soupçonneux, ce qui rappela à Sascha ce que lui avait confié Tamsyn lorsqu'elles s'étaient retrouvées seules : à ce stade de la danse nuptiale, les léopards se montraient très ombrageux, prêts à considérer tout nouveau venu comme une menace.

Elle avait conseillé à Sascha de ne pas le contrarier, la prévenant qu'on ne se disputait pas avec un mâle dominant en pleine danse nuptiale. Si Sascha avait compris l'avertissement, elle estimait ne pas pouvoir le respecter dans la mesure où cela devrait coûter une vie de solitude à celui qu'elle adorait. Néanmoins, elle ne protesta pas quand il s'assit près d'elle et le laissa même lui masser les mollets.

— Pourquoi tu as besoin de voler ce genre d'information ? demanda Nate en prenant place le plus loin possible d'elle.

Tamsyn vint s'asseoir sur ses genoux et lui passa un bras autour du cou.

— Les dossiers papiers de la famille ont été détruits dans un incendie, expliqua Sascha. Il ne nous restait que les enregistrements du PsiNet mais on nous a dit qu'ils avaient été inexplicablement altérés.

Sascha l'avait toujours regretté, convaincue que ces fichiers recélaient de nombreuses informations qu'elle ignorait.

— C'était vrai ? s'enquit Lucas.

— Non. Tout est là. Des siècles d'histoire.

Des archives très détaillées, cachées à tous ceux qui auraient dû y avoir accès. Qu'est-ce que le Conseil dissimulait encore ? Combien d'autres informations étaient-elles considérées comme confidentielles ?

— Qu'est-ce que tu as découvert ? demanda Tamsyn en se pelotonnant contre Nate avec une extraordinaire sensualité.

La nature pragmatique de la guérisseuse avait presque fait oublier à Sascha que celle-ci était également une panthère.

— Rien d'extraordinaire, du moins jusqu'à ce que je tombe sur mon arrière-grand-mère, Ai.

Sans s'en rendre compte, elle s'était rapprochée de Lucas, jusqu'à se retrouver presque sur ses genoux. Il avait étendu un bras sur le dossier du canapé et continuait à lui caresser la jambe de l'autre.

— Tout ce qui la concernait était marqué d'une étiquette rouge.

— Ça correspond à un code de référencement ? s'enquit Nate en caressant la nuque de sa compagne.

La complicité du couple frappa Sascha. Jamais une Psi ne se mettrait en position de vulnérabilité face à un homme plus puissant qu'elle. Pourtant Tamsyn s'était abandonnée à Nate sans hésiter. Tout comme Sascha l'avait fait la veille, lorsqu'elle avait laissé Lucas lui faire l'amour comme il l'entendait. Ces hommes ressentaient certainement les émotions négatives qui avaient poussé les Psis à mutiler leurs propres enfants, mais ils étaient également capables d'attentions qu'aucun Psi ne connaîtrait jamais.

— Pas que je sache.

Elle s'aperçut que Lucas l'observait avec une telle intensité qu'il semblait lire dans ses pensées.

— J'ai que Henry et Shoshanna Scott manigancent quelque chose de leur côté. Je ne vois pas ma mère les autoriser à fouiller dans les archives de notre famille.

Une branche d'arbre projeta des ombres mouvantes à travers la fenêtre. Sascha s'aperçut qu'elle était installée sur les genoux de Lucas qui la retenait d'une main tout en lui caressant la cuisse de l'autre. Le puissant désir qu'il éveillait en elle – si puissant qu'il passait outre aux solides défenses mentales qu'elle avait dressées pour garder ses distances – aurait dû l'effrayer. Pourtant, elle n'avait qu'une seule envie : se frotter contre son corps chaud et viril jusqu'à ce que les sensations emportent tout sur leur passage.

— Chaton, que signifiait cette étiquette ?

Les intonations impérieuses avaient fait place à un murmure langoureux, comme si, en se laissant approcher, elle l'avait apaisé.

— Je ne suis pas sûre mais je crois que ça avait un rapport avec ses talents de Psi.

Elle posa la tête sur le torse de Lucas avant de partager sa découverte la plus effrayante.

— J'ai cherché dans les fichiers plus récents et j'en ai trouvé une autre.

Personne ne dit rien.

— Sur mon dossier.

Elle repensa à l'intérêt que lui portait Enrique. Quelqu'un connaissait son handicap ou l'avait deviné. Et ce quelqu'un traquait ses éventuels faux pas. Il n'y aurait rien d'extraordinaire à ce que ce soit Enrique qui tire les ficelles des deux côtés, en se servant de Nikita et de Henry.

— Tu sais pourquoi ils vous ont traitées ainsi, Ai et toi ?

Lucas avait repris sa voix impérieuse. Sascha déboutonna le haut de la chemise de Lucas, afin de poser la main contre son cœur qui s'affolait. Presque immédiatement, elle sentit son agressivité refluer. Elle ne s'étonnait plus de savoir comment apaiser son compagnon, cela faisait partie de la magie de ces instants.

— La terminologie qu'ils utilisaient alors était différente de celle d'aujourd'hui. Ai était une E-Psi. On ne dit plus ça de nos jours.

— Qu'y avait-il d'autre dans son dossier ? demanda Tamsyn, les sourcils froncés.

— Ai est née en 1973. Silence a été mis en place en 1979, quand elle avait six ans. Tous les enfants de moins de sept ans ont été automatiquement intégrés au protocole.

Impossible d'imaginer ce que cette petite fille avait pu ressentir quand on lui avait ordonné d'oublier tout ce qu'elle avait appris à révérer.

— Combien en ont-ils perdus ? s'enquit doucement Tamsyn.

Ses connaissances de guérisseuse lui avaient permis de comprendre le problème immédiatement.

— Je ne sais pas. On en a soigneusement effacé le nombre mais tout le monde sait que ça a été catastrophique. Les enfants de cette phase transitoire ont eu un très faible taux de survie.

Lucas avait défait sa natte et lui caressait les cheveux.

— Mais Ai s'en est tirée, dit-il.

—Oui. Son dossier disait que sa mère, Mika, était l'une des plus farouches opposantes de Silence. Au début, j'ai cru que c'était pour ça qu'Ai avait été signalée, mais il y avait autre chose de plus bizarre encore. Elle était E-Psi 8,3 à la naissance. Pourtant, après Silence, elle est devenue non-spécialiste de niveau 6,2.

On avait détruit bien davantage que l'âme d'Ai.

Sascha avait longuement pleuré sur ces deux femmes qu'elle n'avait pas eu la chance de connaître. Qu'avait pu éprouver Mika en voyant l'enfant qu'elle avait nommée Ai – ce qui signifiait « amour » dans sa langue – obligée de renoncer à toute émotion ?

—Je suis un peu perdue là, murmura Tamsyn.

—Les Psis sont classifiés en fonction de leur puissance et de leur spécialisation. Par exemple, ma mère est une Tp-Psi 9,1. Ce qui signifie que ses principales aptitudes relèvent du domaine de la télépathie. Comme la plupart des Psis, elle a d'autres talents mais ceux-ci sont moins développés, ils sont inférieurs au rang 2 sur notre échelle de classification.

Elle marqua une pause pour s'assurer qu'ils avaient bien compris.

—Continue, dit Tamsyn.

—Il y a aussi les Tk-Psis.

—Pour la télékinésie, devina Nate.

—Oui. Les M sont les médecins. Ils peuvent examiner l'intérieur d'un corps afin de trouver les causes physiques d'une maladie. Les changelings et les humains sont le plus souvent confrontés à des Psis de ces trois classes, mais il en existe beaucoup d'autres. La télépathie est une aptitude plutôt courante. La plupart des Tp-Psis développent des pouvoirs connexes.

Comme sa mère avec ses poisons viraux et le don de Ming LeBon pour le combat mental.

— Les M-Psis sont moins communs mais il existe des champs de spécialisation encore plus rares comme la psychométrie, la téléportation par télékinésie ou encore la transmutation : la capacité à forcer un objet physique à changer de forme. Les plus insolites sont les C-Psis.

Lucas glissa sa main brûlante sous le chemisier de Sascha pour lui caresser le dos, et elle n'avait aucune envie de se soustraire à son contact. Elle devait se battre autant contre elle-même que contre lui pour respecter l'importante décision qu'elle avait prise. Sans parler du reste de la meute.

Les léopards avaient resserré les rangs. Personne n'avait voulu lui dire en quoi consistaient les dernières étapes de la danse nuptiale afin qu'elle ne sache comment les éviter. Elle était la compagne choisie par leur mâle dominant et ils n'allaient pas lui donner la chance de s'échapper. Même Vaughn avait refusé bien qu'elle ait tenté de lui expliquer que cela sauverait la vie de Lucas. Aucun d'entre eux ne connaissait la puissance du PsiNet. Nul ne pouvait le combattre.

CHAPITRE 20

— C-Psi, murmura Lucas. Laisse-moi deviner : clairvoyant.

— Oui. De nos jours, ils sont essentiellement engagés par les hommes d'affaires pour prévoir les tendances du marché, mais j'ai entendu dire qu'autrefois ils travaillaient souvent pour la Sécurité et le gouvernement afin d'empêcher les meurtres et les catastrophes en tout genre.

Si les Psis n'avaient pas cédé à l'appel de l'argent, oubliant au passage les émotions humaines que causaient la mort et le deuil, peut-être les parents de Lucas seraient-ils encore vivants. Comment aurait-il pu ne pas haïr son peuple ? Ne pas la haïr, elle ?

— Mais pas de E-Psi, fit remarquer Tamsyn.

Sascha se rembrunit.

— Non. Ça ne rime à rien. Si certaines spécialités sont rares, elles ne disparaissent jamais sans laisser de traces.

— Tu as vérifié le système de classification ? demanda Lucas.

Elle fit « oui » de la tête sans toutefois préciser qu'elle avait effectué une rapide incursion sur le PsiNet à cet effet.

— Ça n'était pas caché. Ils devaient croire que personne n'irait vérifier. Jusqu'à Silence, on trouve mention de E-Psis. Ils ont disparu peu après la mise en place du protocole et aucune autre appellation n'est apparue. Mais je ne sais pas quelle était leur aptitude.

—Quelle est ta classification ? demanda Nate.

C'était la question à laquelle elle ne voulait pas répondre, celle qui prouvait à quel point elle était inutile.

—Je n'en ai pas.

—Pourtant, je sais que tu es télépathe, objecta Tamsyn. Les petits m'ont dit que tu leur avais parlé.

Sascha sourit au souvenir de l'accueil espiègle de Julian et Roman.

—La télépathie est une notion de base essentielle à la survie.

Sans laquelle la liaison avec le Net ne pourrait être ni créée ni maintenue.

—Tous les Psis la possèdent au moins au rang 1. En ce qui me concerne, je suis Tp 3,5, Tk 2,2 et j'ai quelques autres dons à des degrés négligeables.

—Tu es une cardinale, affirma Lucas comme pour la réconforter. Ça veut dire que tu possèdes beaucoup de pouvoirs.

—Oh non ! Ça veut juste dire que j'en ai le potentiel. Les cardinaux dépassent tous le rang 10 dans leur spécialité majeure… On ne sait pas mesurer la puissance au-delà. Ce n'est pas comme si c'était indispensable pour déterminer si quelqu'un est ou non un cardinal.

Ses yeux l'avaient marquée dès la naissance.

—Dans mon cas, la question ne s'est jamais posée, dit-elle en haussant les épaules comme pour montrer qu'elle n'y attachait pas d'importance. D'après ma mère, ça n'aurait pas dû m'empêcher d'entrer au Conseil mais je crois qu'elle voulait m'aider.

Quitte à en passer par le meurtre.

—Au bout d'un moment, elle a cessé d'y faire allusion. Nous savions toutes les deux que je ne serais jamais assez puissante pour survivre dans ce milieu.

Tamsyn repoussa Nate et se mit à faire les cent pas, sous le regard perplexe de son compagnon.

— Je ne suis pas Psi, Sascha, mais je sens ton pouvoir aussi bien que je sens celui de Lucas.

Sascha pencha la tête sur le côté.

— Je ne suis pas certaine…

— Les Psis pensent que nous ne pouvons pas les détecter mais certains d'entre nous possèdent ce don, annonça Tamsyn avec un sourire félin. Demande à Lucas.

Celui-ci arborait la même expression que la guérisseuse.

— Explique-moi.

— Quelle exigence! Bon, chaque fois que tu recours à un pouvoir Psi, je le sais. En outre, je peux sentir les pics d'activité Psis. Et toi, chaton, tu n'atteins le rang 3 en rien du tout.

— Impossible, railla-t-elle. Je n'ai pour ainsi dire utilisé aucun pouvoir Psi depuis que tu me connais. Quand je t'ai bousculé par télékinésie, je n'ai fait appel qu'à très peu de puissance. Tu n'as pas de don.

Il se pencha et lui mordit la lèvre.

— Tiens, ça, c'est pour m'avoir poussé.

Elle grimaça.

— Méfie-toi, je pourrais utiliser mes pouvoirs de transmutation sur toi… si tu veux avoir les cheveux verts…

Elle bluffait mais eut la satisfaction de constater qu'il se renfrognait, comme s'il se demandait à quel point il devait la croire.

— Tu possèdes des pouvoirs, intervint Tamsyn. Qui sait si tu n'es pas une E-Psi comme ton arrière-grand-mère? Cette spécialité n'est sans doute plus autorisée, voilà pourquoi ils t'auraient classifiée dans les non-spécialisés et décrétée dépourvue de pouvoir. À force de répéter les mêmes mensonges, on finit par convaincre, même si ça ne tient pas debout.

— Quand j'étais petite, les professeurs me disaient toujours que j'avais un énorme potentiel et que c'était bien dommage qu'il reste bloqué. Qu'est-ce que… ?

Lucas s'était relevé si brusquement qu'elle en perdit le fil de ses idées.

— Chut ! lui intima Nate en désignant la cour.

— Où sont Vaughn et Clay ? souffla Lucas.

— De l'autre côté, répondit Nate. Tammy, emmène Sascha.

— Je reste. C'est aussi mon combat.

Lucas la fusilla du regard.

— Non, ça ne l'est pas. Ce sont des SnowDancer. Tammy !

La guérisseuse prit Sascha par le bras.

— Allez, suis-moi, lui glissa-t-elle à l'oreille. Lucas ne pourra pas se concentrer si tu restes dans les parages.

Sa fureur protectrice le reprenait. D'un côté, Sascha en était contrariée, de l'autre, elle ne voulait pas mettre Lucas en danger. Elle suivit Tamsyn à l'étage, vers une chambre sans fenêtre.

Elles croisèrent Dorian, vêtu de noir des pieds à la tête. Posant un doigt sur ses lèvres, il leur fit signe de continuer à monter. Sascha se figea en détectant la colère froide qui émanait de lui, si violente qu'elle menaçait tous ceux qui pourraient se trouver sur son passage.

— Viens vite ! la pressa Tamsyn.

Dorian grimaça en lui indiquant le chemin. Sascha se força à repartir, bien consciente qu'elle ne pourrait rien pour Dorian tant qu'il serait bien déterminé à alimenter sa propre fureur.

Elle se tourna vers Tamsyn à la minute où elles eurent refermé la solide porte en bois de la chambre.

— Comment tu peux supporter ça ? Être mise à l'abri, alors qu'ils affrontent le danger ?

— Je suis guérisseuse. Si je meurs, beaucoup auront à en souffrir. Je ne livre mes combats qu'après les leurs.

Une intense émotion soulignait chacune de ses paroles.

— Au moins, tu peux lutter. Ils auraient dû accepter mon aide. Je possède assez de pouvoirs Tk et Tp pour semer la pagaille.

— Ils n'auront sans doute pas recours à la violence. Les loups ont signé un pacte avec nous. (Tamsyn ne semblait qu'à moitié convaincue par ses propres arguments.) Mais j'ai une idée.

Sascha allait et venait comme un lion en cage ; elle n'avait plus rien de la Psi tranquille qu'elle prétendait être.

— Quoi ? C'est idiot de se laisser enfermer quand on est parfaitement capable de se protéger soi-même.

— En descendant, tu rendrais Lucas vulnérable. Si les SnowDancer s'aperçoivent que la danse nuptiale n'est pas achevée, ils se serviront de toi pour le déstabiliser.

— Comment le sauraient-ils si on ne le leur dit pas ?

— Je ne sais pas trop, avoua Tamsyn après une hésitation. Ce sont des loups, pas des félins. Leur odeur est très différente de la nôtre… Ils doivent considérer que tu appartiens déjà à Lucas.

Sans trop savoir pourquoi, Sascha sourit.

— Comment pouvez-vous parler aussi facilement d'appartenir à quelqu'un ? Je croyais que les changelings prédateurs étaient naturellement indépendants.

— C'est simple. Parce que Lucas t'appartient également.

Tamsyn lui avait pris les mains et, malgré son agacement, Sascha la laissa faire car elle sentait son besoin de contact.

En bas, Nate affrontait les loups et, malgré la logique de ses déclarations, la guérisseuse était terrifiée. Instinctivement, Sascha la prit dans ses bras.

— Pourquoi me traites-tu comme un membre de la meute ?

— Tu portes l'odeur de Lucas. Enfin, ce n'est pas vraiment une odeur… C'est difficile à expliquer.

Tamsyn se dégagea comme si elle avait reçu ce qu'il lui fallait de réconfort.

— Nos cœurs et nos corps te reconnaissent. Nous savons que tu es l'une des nôtres.

— Mais je ne suis pas encore en couple avec Lucas ! protesta Sascha, qui se sentait comme prise au piège.

Elle ne pouvait ni ne voulait détruire ces gens qui représentaient désormais tout pour elle. Si Lucas s'effondrait, DarkRiver éclaterait. La meute continuerait d'exister, avec les redoutables sentinelles à sa tête, mais tous seraient brisés. Elle ne pouvait leur infliger ça.

— C'est comme si c'était fait, rétorqua Tamsyn. Et ne me demande pas quelles sont les dernières étapes à franchir. Je ne peux pas te le dire. C'est différent pour chaque couple… (Elle soupira.) Mais, en général, le mâle sait ce qu'il faut faire… Je suppose que la nature l'a voulu ainsi afin d'empêcher les femelles les plus indépendantes d'opposer une trop grande résistance.

— Il ne me le dira jamais, souffla Sascha en se laissant lourdement tomber sur le sol. Je pars à la dérive et je refuse d'entraîner Lucas dans ma chute.

Tamsyn s'agenouilla devant elle.

— Tu n'as pas le choix. Cette union, ce n'est pas comme un mariage. Le divorce n'existe pas. Lorsqu'un léopard trouve son âme sœur, il est impossible de faire marche arrière.

— Mais je vais le détruire ! gémit Sascha.

— Peut-être. À moins que tu le sauves. Tu sais, sans toi, Lucas serait sans doute devenu une bête sauvage, un prédateur sans foi ni loi.

— Mais non !

Tamsyn s'assit en tailleur à côté d'elle.

— Il a été baptisé dans le sang, Sascha. N'oublie jamais ça. Tu sais comment il était avant de te rencontrer ? Tu sais où il allait ? Il devenait à vue d'œil plus autoritaire, plus strict, particulièrement avec les enfants. Et je n'y pouvais rien.

Sascha se sentit transportée par la passion qui transparaissait dans la voix de la guérisseuse.

— Bien sûr, c'est notre chef. Nous le suivrions jusqu'en enfer s'il le demandait. Mais il ne suffit pas d'une main de fer pour diriger et il était en train de perdre ses autres qualités.

— Il se montre pourtant si gentil avec Kit ! dit Sascha en se rappelant toutes les fois où elle les avait vus ensemble.

— Il y a cinq mois, peu après que nous avons perdu Kylie, il a interdit à Kit de courir seul.

— Pourquoi ?

— Parce qu'il voulait le protéger. (Tamsyn secoua la tête.) Kit a l'étoffe d'un futur chef… Le faire constamment accompagner par une baby-sitter risquait de nuire à son développement et il aurait fini par se détourner de nous. Plus que les autres jeunes, il a besoin de laisser sa bête vagabonder en toute liberté.

— Et tu as persuadé Lucas de changer d'avis ?

— Non, Sascha. C'est toi.

Tamsyn posa la main sur le genou de Sascha.

— Kit était sur le point de se rebeller lorsque Lucas l'a emmené courir peu après t'avoir rencontrée. Quand il est revenu, Kit n'était pas avec lui.

— Il l'a laissé tranquille ?

Sascha savait qu'une telle décision avait sûrement pesé à Lucas. Protéger les siens était une obsession chez lui. Mais il n'avait pas le droit de céder à ses pulsions pour ne pas étouffer ceux-là même qu'il voulait mettre à l'abri.

— Tu le pousses à réfléchir, reprit Tamsyn, à voir au-delà de ses émotions.

— Je crois que tu m'accordes trop de crédit, alors que je ne comprends pas mes propres sentiments.

— Je crois savoir ce qu'est un E-Psi.

— Tu crois que E correspond à Émotion, n'est-ce pas ? dit Sascha en se tordant les doigts. J'y ai déjà pensé, mais ça ne colle pas. Avant Silence, tous les Psis ressentaient des émotions.

— Dans tout le pays, les guérisseurs changelings ont conclu une sorte de pacte, dit Tamsyn comme si elle changeait complètement de sujet. Nous partageons nos connaissances même si nos meutes sont ennemies. Les chefs ne tentent même pas de nous en empêcher. Ils savent que nous sommes guérisseurs parce que nous ne pouvons pas être autre chose… Nous refusons de dissimuler une information qui pourrait sauver une vie.

— Et les Psis se disent éclairés…, murmura Sascha, frappée par la sagesse de ces prétendus animaux. Nous ne donnerions pas d'eau à un ennemi mourant devant notre porte.

— Toi tu le ferais, Sascha. Et tu es aussi Psi. Peut-être y en a-t-il davantage comme toi que tu le crois.

— Si tu savais comme je l'ai désiré… Je ne veux pas me retrouver seule, Tamsyn. Je ne veux pas mourir abandonnée dans le froid et le silence.

Voyant ses larmes, Tamsyn secoua la tête.

— Tu ne seras plus jamais seule. Tu fais partie de la meute. (Elle posa la main sur celle de Sascha.) N'aie pas peur de lâcher le PsiNet. Nous te rattraperons.

Sascha éprouvait un besoin désespéré de lui dire la vérité mais ne pouvait pas se le permettre. Si un seul léopard l'apprenait, Lucas ne la laisserait jamais mettre son plan à exécution. Elle devait le faire sinon les SnowDancer déclareraient la guerre. Et, dans un conflit opposant les plus dangereuses meutes du pays aux Psis, des milliers de gens mourraient, les coupables comme les innocents.

Personne ne devait connaître l'ultime secret du PsiNet, qui ne fournissait pas que des informations, mais donnait aussi la vie. On ignorait quand et comment il avait été créé. Selon la théorie la plus répandue, il se serait autogénéré pour permettre aux esprits Psis de s'alimenter les uns les autres.

Privés de cette communication, ils se repliaient sur eux-mêmes et mouraient. Même un Psi dans le coma conservait son lien avec le PsiNet, car son corps savait que cette connexion assurait sa survie. À l'instant où Sascha se déconnecterait du Net, elle serait happée par les ténèbres.

— Merci, dit-elle en masquant sa peur.

La guérisseuse lui serra la main.

— La raison pour laquelle je t'ai parlé du pacte des guérisseurs, c'est que nous avons une longue tradition orale. Je vais te raconter l'histoire des guérisseurs de l'esprit. Ils ont disparu de la circulation depuis près de cent ans. Intéressant, non ?

— « Des guérisseurs de l'esprit » ?

—Oui. Apparemment, ils pouvaient délivrer les gens de la souffrance et de la rage en leur apprenant à passer outre aux émotions. Ils pouvaient aussi guérir ceux qui avaient été maltraités, violentés, meurtris de mille façons. Ils soignaient des blessures qui, autrement, auraient détruit les gens. On les vénérait parce qu'ils absorbaient tous ces fardeaux qu'ils prenaient aux autres. Ils avaient le pouvoir d'alléger les pires tourments.

Sascha n'en revenait pas et tremblait de tous ses membres. Toutes ces fois où elle avait cru libérer les autres de leurs chagrins, qu'elle avait senti leurs lourdes émotions peser sur son cœur… elle ne se l'était donc pas imaginé.

—Ils guérissaient les âmes, murmura-t-elle.

Explication qui lui correspondait parfaitement. Pas étonnant qu'elle parte en lambeaux à présent. Ses pouvoirs de cardinale avaient été férocement contenus pendant vingt-six ans, croissant constamment sans jamais se libérer. Elle avait atteint le point de rupture.

—Je crois que c'est ton cas, Sascha. Tu es une guérisseuse d'âmes.

Une larme coula sur la joue de Sascha.

—Ils m'ont dit que j'étais brisée, handicapée.

À cause de leurs mensonges, elle avait réprimé sa lumière, son arc-en-ciel d'étoiles, emprisonnant ses dons de guérisseuse.

—Ils m'ont estropiée. Et ils le savaient forcément !

Sa mère avait certainement reconnu la nature de l'esprit unique de sa fille. Elle faisait partie du Conseil, elle connaissait leur histoire, ce qu'il fallait cacher… ce qu'il fallait détruire.

—Quand ils ont voulu détruire la violence, dit Tamsyn en lui passant un bras autour du cou, ils ont aussi détruit l'un de leurs plus précieux trésors.

Lucas sortit dans la cour, Nate et Dorian à ses côtés. Vaughn et Clay restèrent cachés dans l'ombre et Mercy rôdait à la cime des arbres derrière les SnowDancer.

Hawke l'attendait, flanqué de ses deux lieutenants. Indigo, une femme d'une beauté renversante, avait les yeux froids d'une louve des neiges. Grande et mince, elle était sans aucun doute mortellement dangereuse. Riley, quant à lui, avait l'apparence d'un mâle solide mais peu rapide. Illusion. Il pouvait renverser en quelques dixièmes de seconde un loup adulte. Sans changer de forme.

— Que fais-tu ici ? demanda Lucas.

Hawke s'avança d'un pas et Lucas l'imita. Deux chefs de meute en territoire neutre… sauf qu'il s'agissait d'un refuge DarkRiver. Les loups devaient avoir d'excellentes raisons pour s'y risquer. Contrairement à la première fois où il était venu seul, Hawke avait commis là une agression caractérisée.

— Nous voulons parler à ta Psi, dit celui-ci de but en blanc.

— Non, laissa tomber Lucas, furieux.

— Je te fais confiance, félin, mais les Psis c'est une autre histoire.

La soif de sang de Hawke était lisible dans ses yeux.

— Je ne confierai pas la vie des miens à l'une de ces créatures sans l'avoir d'abord rencontrée. Voilà quatre jours que Brenna a été enlevée… Après-demain, il la tuera. Et tu nous demandes d'attendre ?

— Si tu me fais confiance, pourquoi veux-tu la voir ?

— Tu ne ferais pas la même chose à ma place ? Si Rina était aux mains de ce monstre ? Nous ne sommes pas là pour nous battre, alors dis à ta panthère là-haut dans les arbres de se tenir tranquille.

Lucas n'était pas le moins du monde surpris qu'il ait perçu l'odeur de Mercy. Ce type n'était pas chef de meute par hasard. Lucas non plus.

— Ce n'est pas de Mercy que tu devrais te méfier.

— Bon sang, Lucas ! tu ne vas quand même pas briser notre alliance pour une putain de Psi. Ils ne valent…

Lucas lui envoya son poing dans la mâchoire. Le loup tomba à la renverse. Des grondements s'élevèrent à travers la cour alors que sentinelles et lieutenants s'apprêtaient au combat.

CHAPITRE 21

Debout devant le loup à terre, Lucas s'efforçait de ne pas montrer les crocs.

— Elle est mienne. La prochaine fois, réfléchis avant d'ouvrir ta grande gueule.

En se relevant, Hawke fit signe à Indigo et Riley de se tenir tranquilles puis se frotta la mâchoire.

— Bon sang, Lucas ! tu aurais pu me dire que c'était ta compagne. Tu as un sacré crochet du droit.

— Tu n'as rien à faire ici.

— C'est moi qui t'ai ramené ta Psi saine et sauve.

Malgré sa colère, Lucas dut bien reconnaître que Hawke avait raison. Il avait le droit de rencontrer la femme à qui il était censé confier la vie de l'une des siens. De même, Riley devait pouvoir s'assurer que la vie de sa sœur était en de bonnes mains.

— Tous tes loups sont au courant pour ce refuge ? reprit Lucas.

— Non. Pas plus que tes léopards ne connaissent l'emplacement de nos tunnels.

Une façon de rappeler qu'il savait que Lucas et ses sentinelles avaient eux aussi découvert la principale tanière des SnowDancer.

Depuis le début, les deux alliés étaient restés prudents dans leurs relations. Deux prédateurs se tournant autour en se demandant quand l'autre allait mordre. Il était temps de faire évoluer leurs rapports, de construire une force propre à impressionner les Psis.

— Je vais t'inviter dans cette maison.

Tous leurs échanges s'étaient jusque-là déroulés en plein air, loin de leurs tanières. Sans l'exprimer ouvertement, ils savaient qu'ainsi ces abris ne seraient pas corrompus par la violence si les pourparlers tournaient au bain de sang. Leur fragile traité de paix ne suffisait plus. Lorsque les lieutenants SnowDancer avaient traité les jeunes de DarkRiver comme les leurs, ils avaient fait passer un message subtil dans ce sens. À présent, avec son invitation, non seulement Lucas acceptait-il cette offre mais il proposait même d'aller plus loin.

Hawke l'observa de ses yeux bleu glacier sans ciller.

— Voilà une belle preuve de confiance !

— Ne me la fais pas regretter, dit Lucas en lui tendant le bras.

L'autre chef le saisit par le coude et tous deux s'étreignirent rudement. Lorsqu'ils se séparèrent, Lucas prit la direction du refuge. Hawke le suivit, ses lieutenants sur les talons.

— Sauf-conduit, lança Hawke assez fort pour être entendu des autres changelings.

Lucas pensa à cette guerre sur le point d'éclater, à la sécurité des siens. Puis à ce qu'ils exigeraient de lui, ce qu'il n'aurait pas le droit de leur refuser. Ils avaient beau être de dangereux prédateurs, ils étaient également bien plus humains que les Psis ne le seraient jamais.

— Sauf-conduit, répéta Lucas.

En prononçant ces simples mots, ils venaient de transformer leur alliance en lien de sang. Ils venaient d'accorder à leurs deux meutes le droit de circuler librement sur leurs territoires respectifs. D'aller et venir sans aucune des restrictions qui s'appliquaient jusqu'à présent. Mais ce n'était pas le plus important.

Désormais, les loups viendraient en aide aux léopards et inversement.

Quel que soit leur adversaire.

Dans la maison, lieutenants et sentinelles formèrent un cercle protecteur tout en se surveillant du coin de l'œil. Même s'ils étaient liés par le sang à présent, il leur faudrait du temps pour se faire pleinement confiance.

Lucas fit signe à Dorian d'aller chercher Sascha. Malgré son désir de s'en charger lui-même, de la protéger du début à la fin, il ne pouvait laisser les siens seuls avec les loups, ni révéler son besoin de tout contrôler qui avait atteint des proportions démesurées depuis qu'ils étaient entrés dans la dernière phase de la danse nuptiale.

Il ne fallait pas que Hawke s'aperçoive que le rituel n'était pas achevé. Cela n'aurait pas de conséquences sur leur pacte, mais risquait d'ôter au chef SnowDancer toute considération pour Sascha.

La bête en Lucas n'était pas convaincue par cette argumentation logique. Elle désirait voir Sascha. Tout de suite. Il devenait difficile pour Lucas de s'opposer à la possessivité du léopard. À ce stade, il ne faisait même plus confiance aux sentinelles. C'était le prix à payer quand on était à la fois félin, chef de meute et Chasseur.

Personne ne dit mot jusqu'à ce que Sascha entre dans la pièce, suivie de Tamsyn, puis de Dorian. Tammy n'aurait pas dû être là, n'aurait pas dû s'exposer au danger. Il serait déjà assez difficile aux sentinelles de protéger une de leurs femmes. Nate avait l'air furieux contre sa compagne. De par sa seule présence, elle affectait leur aptitude à les défendre.

— Tamsyn, dit Lucas en attirant Sascha vers lui. Va-t'en.

Il lui donnait rarement des ordres et se trouvait trop coulant avec elle. Il savait même pourquoi.

Non pas parce que sa propre mère avait été guérisseuse, ainsi que le supposaient beaucoup. Non, c'était parce qu'il savait ce qu'elle s'était infligé pour tenter de sauver son père, Carlo. Elle s'était quasiment tuée à la tâche, donnant tout ce qu'elle avait, du haut de ses dix-sept ans. Et, quand on avait retrouvé Lucas, elle avait poussé à bout son âme déjà épuisée et jeté ses dernières forces dans la bataille.

Néanmoins, en ce moment, il ne pouvait se permettre de l'affronter, de dévoiler la moindre faiblesse. Si elle ouvrait la bouche, il devrait se montrer implacable. Et il ne voulait pas se comporter ainsi avec Tammy. À son grand étonnement, ce fut Sascha qui prit la parole.

— Elle doit rester.

Les SnowDancer haussèrent les sourcils mais demeurèrent attentifs. Les compagnes des chefs de meute avaient droit à leur respect et tant mieux si elles faisaient preuve de caractère.

— Pourquoi ça ? demanda Hawke en se retournant.

Lucas s'interposa entre les deux femmes et le chef des SnowDancer.

— Ça ne te regarde pas. Tu es venu voir Sascha. La voici.

Comme il n'avait pas l'air de vouloir bouger, Sascha dut se hisser sur la pointe des pieds pour pouvoir croiser le regard du loup.

— Je sais que tu ne me fais pas confiance, commença-t-elle. Je sais également que tu détestes les Psis de toutes tes forces.

Serrant les dents, l'air glacial, Hawke la dévisageait sans répondre.

— Mais c'est à Lucas qu'il faut faire confiance… pas à moi.

— C'est ton compagnon, ricana Hawke. Je ne vois pas en quoi ça le rendrait impartial.

N'ayant aucun moyen de l'avertir des conséquences, Lucas s'attendait à la voir protester qu'elle n'était en rien engagée.

Sascha glissa une main sur le ventre de Lucas, donnant envie à sa panthère de ronronner, avant de reprendre :

— Tu crois vraiment qu'il s'unirait avec quelqu'un qui mettrait sa meute en danger ?

— Exactement, renchérit Lucas, soulagé qu'elle ne rejette pas leur lien. Tu me fais confiance ou non ?

— Comment sais-tu qu'elle n'a pas pris le contrôle de ton esprit ?

— Tu sais aussi bien que moi que les Psis ne peuvent pas maîtriser nos esprits plus de quelques minutes. Elle aurait dû non seulement me manipuler moi mais aussi tout mon entourage.

Lucas surveillait Hawke dans ses moindres mouvements, laissant Indigo et Riley aux sentinelles. Il avait l'impression que ce dernier était le plus dangereux des deux. Tout comme Dorian, il avait perdu une sœur à cause de ce tueur.

— Un Psi ne travaille jamais seul, décréta Hawke.

— Et ne ressent pas non plus d'émotions, intervint Sascha après avoir déposé un baiser dans le cou de Lucas. Pourtant, j'en éprouve tellement qu'elles risquent de me détruire.

Impossible de la contredire. Sensuelle, belle, féminine. Son désir pour Lucas était comme un chant de sirène pour tous les mâles encore célibataires dans la pièce. Ils ne pouvaient pas plus ignorer son appel qu'ils ne pouvaient cesser de respirer.

Tous les instincts de Lucas lui criaient de la prendre là, sur-le-champ, afin de bien leur montrer à tous qu'elle lui appartenait. Refouler ce désir primitif ne fit qu'accentuer son désir, l'amenant à deux doigts de laisser le contrôle à sa panthère.

— Dans ce cas, tes yeux ne servent à rien, dit Hawke en croisant les bras. Tu es plus faible que ceux que nous combattons.

— Parce que, selon toi, une émotion représente une faiblesse ?

Tamsyn essayait en vain de s'avancer devant Lucas. De sa place, Nate l'observait d'un air mauvais, comme pour lui intimer de se taire, mais la guérisseuse n'avait jamais été très obéissante.

— Elle n'est pas des nôtres, reprit Hawke. Sa force lui vient de son absence d'émotions. Si elle en ressent, elle ne vaut plus rien. Nous n'allons pas confier la vie de Brenna à une Psi déficiente qui pourrait s'écrouler à tout instant.

Lucas sentit les griffes du léopard sur le point de lui percer la peau.

— Méfie-toi de ce que tu dis de ma compagne, Hawke. Je ne voudrais pas avoir à te tuer.

Sascha passa les deux bras autour de sa taille.

— Lucas, il a raison, souffla-t-elle. Si je suis faible, je ne servirai à rien.

— Tu n'es pas faible.

Il lui tenait les mains d'un geste possessif, afin de bien démontrer à l'assistance que cette Psi lui appartenait et qu'il ne la laisserait jamais lui échapper.

— Mais je ne le suis pas, poursuivit-elle. Je suis une E-Psi cardinale.

Hawke ne put dissimuler sa surprise.

Lucas se demandait ce que Sascha avait découvert qui lui permette de faire une telle déclaration avec autant d'assurance, mais ce n'était pas le moment de lui poser des questions.

— Je veux voir son visage, dit le loup.

Lucas se raidit. Sascha le caressa avant de rompre leur étreinte.

— Laisse-moi faire. C'est mon combat cette fois.

Son ton angoissé le transperça, passa au travers de la bête jusqu'à l'homme. Il la fit passer devant elle, prêt à intervenir si nécessaire.

— Vous clignez de l'œil de travers, toi ou tes lieutenants, et je vous coupe en deux.

Ce n'était pas une menace mais une simple constatation.

— Ça va, dit Hawke.

— Qu'est-ce que tu veux voir ? demanda Sascha en inclinant la tête de côté.

Elle ne quittait pas Hawke du regard. Ce loup était encore plus sauvage que Dorian, sa bête à peine séparée de son humanité.

— Prouve que tu es bien celle que tu dis.

— Tu y tiens ? souffla-t-elle.

— Oui.

Prenant une inspiration, elle ferma les yeux et perçut aussitôt la présence possessive, dominante de Lucas, toute de force et de cœur. Mais dessous se cachait la peine lancinante éprouvée par le jeune garçon qu'il avait été, et qui suscitait en lui ce tel besoin de protéger les autres. Elle sentit également sa détermination à la garder, bien que ce soit le genre de chose qu'elle ne permettrait jamais. Il avait déjà passé son enfance sans parents, elle ne pouvait le condamner à une vie sans compagne.

Derrière son léopard, elle percevait la sourde colère qui habitait Dorian, tellement atteint qu'il lui faudrait passer des années à apaiser son angoisse. Sauf qu'elle ne disposait pas de ce temps-là. Tamsyn n'était que joie et gentillesse, puissance et attention. Les soldats des deux groupes émettaient leurs propres odeurs émotionnelles. Mais c'était Hawke qu'elle cherchait et qu'elle finit par trouver.

Les émotions du loup la terrorisèrent. Elle n'avait jamais ressenti de rage aussi pure, aussi brute, aussi violente. Une cicatrice à l'âme. Hawke pouvait fonctionner, pouvait régner mais jamais cet homme n'aimerait, pas tant qu'il se laisserait aveugler par ce voile rouge de sang et de mort.

Sascha ignorait s'il sentait ce qu'elle faisait, s'il y trouverait la preuve qu'il cherchait. Tout ce qu'elle savait, c'était qu'elle ne pouvait le laisser partir sans tenter d'apaiser les blessures qui le consumaient. Pas plus que Dorian, elle ne pourrait le guérir du jour au lendemain, mais peut-être parviendrait-elle à lui donner un peu de répit.

L'enveloppant de ses bras mentaux, elle chassa colère et violence pour lui rendre joie, rire et plaisir. À sa surprise, elle le sentit réagir comme Lucas. D'abord il sursauta puis tenta de la chasser. Même s'il n'était pas Psi, il savait dire « non ».

Elle se retira aussitôt.

En rouvrant les yeux, elle vit qu'il la contemplait comme s'il voyait un fantôme.

— Je n'aurais pas cru que les empathes existaient encore, gronda-t-il.

« Empathe. »

Le mot qui avait été systématiquement effacé du lexique Psi.

— Moi non plus, murmura-t-elle en s'appuyant contre Lucas.

Celui-ci l'étreignit et elle crut sentir affleurer sur la peau du changeling la fourrure du léopard.

— Tu pourrais mener une attaque à l'aide de tes pouvoirs ? demanda Hawke en observant leur étreinte.

— Pas en douceur. (Elle y avait déjà réfléchi.) Mais ça me permettra de rester vivante le temps de vous transmettre les informations pour retrouver Brenna.

Lucas resserra son étreinte.

— Je ne la laisserai pas mettre son plan à exécution tant que nous ne serons pas sûrs de la tirer saine et sauve du Net.

Hawke se décala sans la quitter des yeux et elle comprit. *Il savait.* D'une façon ou d'une autre, le chef des SnowDancer savait qu'il était impossible de se déconnecter du PsiNet. Elle l'implora du regard de n'en rien dire. Si Lucas apprenait la vérité, il ne la laisserait jamais y aller. *Jamais.*

Or elle devait le faire, ne serait-ce que pour compenser une vie entière d'échecs en sauvant cette lumière vibrante avant que la sienne s'éteigne pour toujours.

— Désolé, ma jolie, dit-il en levant les mains, mais tu es sa compagne. Je ne vais pas te laisser te suicider au risque de voir Lucas réclamer ma peau. Ça le mettrait dans un tel état que je ne préfère pas m'y risquer.

L'étreinte de Lucas se transforma en étau.

— Qu'est-ce qu'il raconte, Sascha ?

Il n'avait pas l'air d'apprécier du tout qu'elle ait cherché à lui cacher quelque chose.

— Quant à toi, Hawke, ajouta-t-il, tu peux partir maintenant. Tu as eu ce que tu voulais.

— Il nous reste deux jours pour peu que le tueur s'en tienne à son mode opératoire. Protège ta femme, léopard.

Là-dessus, les loups s'en allèrent, suivis à la trace jusqu'à leur sortie du territoire de DarkRiver par Mercy, Clay et Vaughn.

Lucas n'attendit pas le retour des sentinelles.

—Nate, Dorian, sécurisez le refuge.

—Lucas, commença Tamsyn, tu devrais peut-être…

—Ne te mêle pas de ça ! lui cria-t-il comme il ne l'avait jamais fait auparavant. Nate, si tu veux que ta compagne passe la nuit, tu as intérêt à la surveiller.

Il ne plaisantait pas. Savoir que Sascha lui avait caché des choses l'avait mis hors de lui.

« Je ne vais pas te laisser te suicider… »

Que savait ce loup qu'il ne savait pas ?

—Tu ne parles pas à Tammy comme ça, lui ordonna Sascha.

—Je parle aux membres de ma meute comme j'en ai envie. Tant que tu ne te seras pas expliquée, tu n'auras plus voix au chapitre.

L'attrapant par le bras, il l'entraîna dans l'escalier.

Un coup psychique le frappa en pleine poitrine mais il s'y était attendu et l'encaissa avec un grognement.

—Tu n'es pas une Tk si puissante que ça, chaton.

Dominé par son instinct de félin, il en oubliait ses manières.

—Arrête, Lucas. Lâche-moi !

Elle essaya de se libérer, lui envoyant un coup de pied au tibia.

Excédé de la voir ainsi se débattre, il la saisit par la taille, la balança sur son épaule et grimpa en hâte. Elle ne pesait rien pour un changeling, ses coups de poing dans le dos ne lui faisaient pas plus mal que des caresses. Malgré ses cris, il la déposa dans la chambre et ferma la porte à double tour.

De nouveau, elle lui décocha un crochet au visage que seuls ses réflexes foudroyants lui permirent d'éviter. Il lui bloqua les mains dans le dos avant qu'elle recommence.

Écumante de rage, elle lui parut soudain totalement différente de la Psi qu'il connaissait.

Une étincelle de désir lui embrasa le bas-ventre, éveillée par l'incroyable pureté des émotions de Sascha. Une compagne digne de lui, grogna la panthère au fond de lui. Cette femme ne se laisserait jamais écraser par ses exigences. Elle lui correspondait à la perfection. Elle se battrait jusqu'à la mort pour lui, comme sa mère s'était battue pour son père.

— Si tu ne me lâches pas immédiatement, je te jure que je t'envoie dans les vapes. J'ai assez de puissance Tk pour démolir ta tête de mule.

— Je ne bouge pas tant que tu ne m'auras pas expliqué ce que voulait dire Hawke.

L'odeur de Sascha s'infiltrait dans ses poumons, alimentant le brasier de sa possessivité.

— Ce n'est pas ton problème.

— Pour quoi veux-tu me faire passer ? Ma propre compagne qui me cache des choses ?

Un instant, elle parut déconfite.

— Il ne devait pas savoir. Personne ne devait…

— Pourtant il sait, et j'en ai le droit moi aussi. Tu es à moi.

— Pas de ça avec moi, tu veux ? Tu n'es pas mon chef.

— Mais je suis ton compagnon, dit-il en lui effleurant rudement la joue. J'ai certains droits.

— Tu n'es pas mon compagnon, protesta-t-elle sans conviction.

— C'est ça, chaton. Tu sais très bien que je ne vais pas lâcher prise, même si tu supplies à genoux.

— Pourquoi ? Nous n'allons pas laisser cette fille mourir alors que je peux la sauver. Si je te dis tout, tu voudras m'en empêcher.

— Tu crois que je ne vais pas t'en empêcher immédiatement ?

— Tu ne peux pas. Je peux m'immerger dans le PsiNet même du fond d'une prison.

Il lui tenait les poignets d'une seule main, craignant encore qu'elle cherche à lui arracher les yeux dès qu'il la lâcherait, comme le feraient certaines femmes de sa connaissance. De l'autre, il lui caressa la nuque.

— Oui, mais peux-tu le faire si tu es inconsciente ?

— Tu ne vas pas…

— Pour te protéger, je ferais bien pire que t'assommer.

— Un de ces jours, il va falloir qu'on discute de ton côté dominateur.

— Ce n'est pas un côté, c'est moi tout entier.

Pour elle, il consentirait bien à faire un effort, mais certainement pas sur ce sujet.

— Tu vas parler ou je dois te cogner tout de suite ? Tu sais combien il va m'en coûter de te faire ça ?

La sentant fléchir, il finit par lui lâcher les mains. Au lieu de le frapper, elle posa les paumes sur son torse.

— *Lucas.*

Ses yeux avaient viré au noir absolu. Il ne distinguait rien que son reflet dans leurs profondeurs ténébreuses.

— Se connecter au PsiNet n'est pas un choix pour nous. Nous en avons besoin, c'est tout.

— On a besoin de nourriture et d'eau. Mais pourquoi le Net ?

— Mon esprit ne fonctionne pas comme le tien… Il a besoin d'être alimenté par les impulsions électriques d'autres esprits.

Elle agrippa son tee-shirt et le léopard comprit en même temps que l'homme.

— Donc, une fois que tu auras dévoilé ton esprit pour appâter le tueur et que les Conseillers auront compris que tu es une empathe, il n'y aura pas d'échappatoire possible ?

Il était tellement furieux qu'il pouvait à peine parler.

CHAPITRE 22

— Il n'y a jamais eu d'échappatoire pour moi, précisa-t-elle. Mes boucliers sont sur le point de céder. Mon plan n'y changera rien, il ne fera qu'accélérer le processus.

Comme il ne répondait pas, elle tira sur son tee-shirt.

— Il faut que je le fasse. Je dois essayer de sauver Brenna… Laisse-moi mourir dignement…

De tout son être, il refusait l'idée qu'elle puisse mourir pour en sauver une autre, un simple nom, une image. Alors qu'elle était Sascha Duncan, son âme sœur.

— Non.

Son ton sec la fit sursauter. Il ne semblait même pas vouloir y réfléchir.

— Jamais je ne me le pardonnerai si Brenna meurt.

— Ça m'est égal.

— Hawke s'en prendra à toi.

— Sûrement pas. Les loups aussi s'unissent pour la vie. Il sait que je ne vais pas te sacrifier pour un membre de sa meute. Elle ne représente rien pour moi.

Les yeux qui la dévisageaient n'étaient plus humains. Elle tenta de le repousser, mais il refusa de la lâcher.

— Tu n'as pas le droit de décider à ma place !

— J'ai toutes sortes de droits sur toi.

— Ma mère, Lucas ! Ma mère cache un meurtrier. Comment veux-tu que je réagisse à ça ?

La honte était sa compagne de tous les jours.

— Nikita n'a rien fait de plus que te donner la moitié de tes gènes. En quoi a-t-elle jamais été une mère pour toi ? Ne te punis pas à sa place. Elle n'en a rien à faire.

Elle accusa le coup.

— Moi si.

— Et moi je tiens à toi.

Cela continua ainsi la moitié de la nuit. Sascha avait presque envie de mettre son plan à exécution sans le consentement de Lucas. Cependant, elle savait que ce serait inutile… du moins tant qu'elle n'aurait pas trouvé le moyen de créer une diversion.

En principe, une diversion physique devrait faire l'affaire pourvu qu'elle soit à grande échelle ; elle attirerait l'attention des Psis à San Francisco et ses alentours immédiats. Si DarkRiver et les SnowDancer collaboraient, ils pourraient créer une multitude d'incidents au même moment pour semer la confusion.

Dans la mesure où le tueur devait se trouver dans les parages, puisqu'il ramenait toujours ses victimes dans un endroit qu'elles connaissaient, cela devrait suffire. Le PsiNet était gigantesque mais l'emplacement physique d'un Psi pouvait déterminer sa rapidité à se déplacer d'un esprit à l'autre. C'était une question de connexions… de liens.

Elle était convaincue que si on lui offrait un esprit alléchant sur un plateau leur proie serait incapable de résister à ses pulsions meurtrières et mordrait à l'hameçon. Il suffirait alors d'un seul coup d'œil à Sascha. Avec ses dons d'empathie, elle devrait pouvoir détecter sa fureur sur-le-champ.

Ce plan pourrait fonctionner. Malheureusement, elle avait besoin de l'aide des changelings. Mais Lucas n'avait pas l'air près de changer d'avis. Sans son accord, elle savait que personne ne voudrait l'aider. Même les loups reculeraient, qu'il s'agisse de sauver ou non la vie d'une des leurs.

Elle lutta contre son léopard de toute sa volonté.

Et échoua.

Longtemps avant l'aube, Hawke appela pour annoncer que ses SnowDancer pourraient fournir la diversion nécessaire.

—Comment ça ? demanda Lucas.

À vrai dire, il n'était guère intéressé. Tant que le succès de cette entreprise signifierait la mort de Sascha, rien ne se passerait. En ce moment, il n'arrivait pas à penser à autre chose. *« Mes boucliers sont sur le point de céder. »* Jamais il ne laisserait quoi que ce soit accélérer le processus, du moins pas tant qu'ils n'auraient pas trouvé un moyen de la protéger du Conseil.

—Je te conseille de venir voir, dit Hawke après un court silence. Amène ta Psi avec toi.

Lucas savait exactement où se trouvait la tanière de Hawke, gardée vingt-quatre heures sur vingt-quatre par des loups qui n'hésiteraient pas à lui sauter à la gorge.

—Sauf-conduit, rappela-t-il.

—Ne m'insulte pas, félin. Je ne reviens jamais sur mes promesses. Viens aussi vite que tu peux… la meute commence à s'énerver. Si on ne se lance pas bientôt sur le PsiNet, je devrai donner l'ordre de descendre autant de Psis haut placés que possible. Nous avons déjà du monde autour des résidences de chaque Conseiller. Il y en aura bien un qui finira par parler si on en saigne assez.

Il raccrocha.

—Qu'est-ce qu'il raconte ? demanda une voix endormie.

En se retournant, Lucas trouva Sascha assise sur le lit, derrière lui. Il avait envie de mentir, de la protéger, mais tous deux n'en étaient plus là.

—Il dit qu'il peut faire diversion.

Sascha fronça les sourcils.

—C'est la partie la plus délicate du plan, marmonna-t-elle. Avec une diversion physique, il reste toujours un risque de ne pas éloigner assez de Psis pour que le tueur me détecte avec une longueur d'avance. Je me demande ce que va proposer Hawke.

Il avait envie de la secouer. La partie la plus délicate du plan était celle dont sa vie dépendait.

—Habille-toi. On va chez Hawke.

Un quart d'heure plus tard, ils se retrouvèrent en bas. Lucas dit à Nate et à Mercy de rester sur place pour surveiller le refuge.

—Il n'y aura plus que moi ici, protesta Tamsyn. Laisse-moi venir, comme ça, tu n'auras pas besoin de laisser deux sentinelles derrière toi.

—Tu es notre guérisseuse, dit-il en lui caressant la joue comme pour se faire pardonner son emportement de la veille. Nous avons besoin de toi au cas où il faudrait soigner certains d'entre nous.

Elle serra les dents mais n'insista pas et finit par l'étreindre.

—Fais attention à toi.

La tanière de Hawke était située au cœur de la Sierra Nevada, à plus de mille mètres de hauteur. Lucas conduisait le 4 × 4 sur une piste à peu près invisible, jurant chaque fois qu'une branche effleurait la carrosserie.

—S'il n'y avait eu que toi et ta meute, tu aurais pu courir avec eux, fit remarquer Sascha en inspectant le paysage encore mal éclairé par une aube grise.

—S'il n'y avait eu que moi et ma meute, on n'aurait pas eu la moindre chance de sauver cette fille.

Son portable résonna étrangement dans le silence. Elle vérifia l'écran.

—C'est ma mère. Je ne décroche pas. Si elle me pose la question, je dirai que je l'avais oublié dans ma voiture.

—Et Enrique ?

—J'ai l'impression qu'il est trop occupé à chercher le tueur lui-même.

Elle se pencha en avant et plissa les yeux.

—Je n'arrive pas à les voir.

—Évidemment que non. C'est leur boulot.

Vaughn et Clay couraient à leurs côtés ; ils avaient abandonné leur véhicule quelques kilomètres plus loin, à l'entrée du territoire de Hawke. Ils étaient parfaitement capables d'infiltrer le territoire des SnowDancer et ils l'avaient déjà fait auparavant, avec Lucas à leurs côtés. Quant à Dorian, il s'était garé le premier pour se déplacer à travers les arbres. Il avait déjà appelé sur une ligne sécurisée afin de leur signaler qu'il était en place au-dessus de la tanière.

Sascha désigna les murs d'un grand pavillon à demi caché par les troncs des pins qui peuplaient la colline.

—C'est cette maison ?

—Non. (Lucas sourit de l'ingéniosité des loups.) Mais ça doit bien tromper ceux qui voudraient s'y risquer.

—C'est un décor ? Il a l'air tellement réel !

—Il est réel. Seulement ce n'est pas leur tanière. (Il contourna la maison et gara la voiture.) Reste à l'intérieur jusqu'à ce que je vienne t'ouvrir.

Pour une fois, elle ne protesta pas.

—C'est ton monde, Lucas. Je n'y connais rien.

Il lui caressa encore la joue avant de sortir et de faire le tour du 4 × 4 pour arriver à hauteur de la portière passager. Il savait que personne ne l'attaquerait par-derrière. De même Dorian ne tirerait jamais sur un loup désarmé depuis sa cachette dans les arbres. Ils étaient des animaux mais les deux meutes respectaient un code d'honneur que la plupart des Psis ne comprendraient jamais. S'ils devaient se battre, ce serait toujours face à face, à coups de griffe et de crocs.

Néanmoins, Lucas ne voulait pas prendre le moindre risque avec la vie de sa compagne. Il huma l'air pour vérifier que Vaughn et Clay se trouvaient dans les parages. Comme il s'y attendait, leurs odeurs se mêlaient à celles de plusieurs loups, mais aucun d'eux n'approcha. Bien. Il ouvrit la portière de Sascha et elle descendit.

—Reste derrière moi, dit-il en se plaçant devant elle.

—Je perçois cinq signatures émotionnelles que je ne connais pas.

Il haussa les sourcils.

—Je ne savais pas que tu pouvais faire ça.

—Je me suis entraînée. (Elle paraissait presque fière d'elle-même, comme si elle surmontait désormais sa peur d'être «handicapée».) Vaughn est devant nous et Clay derrière.

—Allons-y.

Il entra dans la forêt qui semblait s'étendre à l'infini, avec ses pins tellement serrés qu'ils bloquaient souvent la lumière du soleil. Après cinq minutes de marche, Lucas trouva le sentier soigneusement camouflé sous des amas d'aiguilles desséchées.

—En général, expliqua-t-il à Sascha, ceux qui parviennent jusqu'ici tombent sur un comité d'accueil. On n'a jamais retrouvé les restes de ceux qui s'y sont risqués.

Le prédateur en lui ne pouvait s'empêcher d'apprécier l'efficacité des loups.

—Tu crois qu'ils les mangent ?

L'humour noir de sa compagne le fit sourire.

—Non ! même les loups refuseraient de se nourrir de charogne humaine.

Elle lui posa la main sur l'épaule. Lucas se détendit en s'apercevant qu'elle commençait à lui faire tellement confiance qu'elle ne s'en rendait même plus compte.

Une demi-heure plus tard, ils atteignirent le bout du chemin, bloqué par l'abrupte paroi d'une montagne qui semblait s'élever jusqu'au ciel. On avait l'impression que le sentier s'arrêtait là. L'illusion protégeait les SnowDancer depuis des années.

—Hawke, ouvre-nous ! lança Lucas d'une voix ferme.

Quelques secondes plus tard, une fente parut se dessiner comme par magic au pied de la montagne. La « porte » s'entrebâilla juste assez pour les laisser entrer.

Le hoquet de surprise de Sascha se réverbéra sur les parois du couloir tandis que des lampes s'allumaient tout autour d'eux, éclairant un élégant tunnel magnifiquement pavé de galets. Quant aux murs, ils étaient ornés de peintures qui en soulignaient la texture ; l'artiste y avait représenté des loups courant à travers la forêt. C'était d'une beauté fascinante et dangereuse.

—Bienvenue ! commença Hawke en sortant de l'ombre. Faut-il que je laisse entrer tes sentinelles ?

—Pas la peine.

Lucas sourit car Vaughn et Clay étaient déjà à l'intérieur. Dorian resterait dissimulé dans les arbres. Lucas savait combien cela rendait Hawke furieux, même si celui-ci n'en montrait rien.

— Mais encore ?

— Tout le monde a ses secrets. Ne me dis pas que tes hommes ne peuvent pas se glisser dans nos refuges.

— C'est ça, la confiance ?

Sascha éclata de rire et les deux hommes se tournèrent vers elle, leurs bêtes fascinées par la fraîcheur de ce son. Lucas s'aperçut alors que c'était la première fois qu'il l'entendait rire et il en ressentit une tendresse presque douloureuse. Jamais il n'avait autant tenu à quelqu'un. Si elle mourait, il y perdrait son cœur.

— Vous êtes comme deux fauves pas trop sûrs de croire aux offres de paix de l'adversaire. Je me demande combien de temps encore vous allez vous tourner autour avant de prendre une décision.

Ses yeux scintillaient d'une malice toute féminine. Elle était en ce moment tout ce que la bête en Lucas convoitait : femme et passion, rire et jeu, sensualité et désir.

Lucas entendit Hawke prendre une profonde inspiration. Lorsqu'il regarda le loup, il put lire sur son visage ce simple message : « Si elle n'était pas tienne… »

— Elle l'est, lui assura-t-il.

De prédateur à prédateur.

De chef de meute à chef de meute.

Absorbée par la contemplation d'une peinture, Sascha n'entendit pas.

— Que c'est joli, Hawke ! s'écria-t-elle. L'artiste est un membre de ta meute ?

L'expression du loup se durcit.

— Elle l'était. Bien, allons-y.

Sascha leva un regard gêné sur Lucas lorsque celui-ci vint lui prendre la main. Il fit « non » de la tête : il ne savait rien de cette artiste. Alors qu'ils s'enfonçaient dans le tunnel, elle finit par demander :

— Ils vivent sous terre ?

— Certains oui. Ici c'est leur quartier général, en quelque sorte.

Avant de former ce peuple redoutable, les SnowDancer avaient été pourchassés par toutes sortes de groupes et d'armées, en vain. Jusqu'à DarkRiver. Non seulement Lucas et ses sentinelles avaient découvert leur tanière mais ils s'y étaient aussi introduits. Avec pour seul objectif de laisser un simple message.

« Ne nous faites pas de mal et nous ne vous en ferons pas. DR. »

Le lendemain, Lucas avait trouvé la réponse dans son repaire.

« Compris. SD. »

Parfois, être un animal avait ses avantages. Dans le monde des Psis, et même dans celui des humains, de telles négociations auraient pris des mois. Au cours des années qui avaient suivi ce contact initial, leurs relations avaient évolué. Mais cette simple règle dominait tout le reste : « Ne nous faites pas de mal et nous ne vous en ferons pas. »

Hawke vira vers le couloir de droite.

— Qu'est-ce qu'il y a à gauche ? demanda Sascha.

— Des habitations.

En s'introduisant pour la première fois dans les tunnels, DarkRiver s'était arrangé pour faire savoir aux SnowDancer qu'ils s'étaient approchés de leurs louveteaux avant de repartir sans leur faire de mal. Il n'existait pas de plus claire démonstration d'amitié.

Quelques minutes plus tard, ils atteignirent un autre embranchement. Les corridors partaient dans plusieurs directions. Hawke les entraîna jusqu'à une porte close.

—Je sens…, dit Sascha paisiblement. Qu'est-ce qu'il y a là-dedans ?

—Tu verras bien, dit le loup en entrant dans la maison.

Encore une fois, Lucas passa devant elle. Vaughn et Clay rôdaient dans les parages, sous forme humaine, et vêtus d'habits volés afin de masquer leur odeur. Il serait difficile de sortir de là si un événement inattendu se produisait. Difficile mais pas impossible. Sinon Lucas n'y aurait jamais emmené sa compagne.

Cependant, ce qui les attendait dans cette pièce le laissa interdit. Cinq personnes, d'âges divers, siégeaient autour d'une grande table circulaire. Elles ne sentaient pas le loup. L'une d'elles leva la tête et posa ses yeux de firmament sur Lucas.

—Seigneur !

Il fit entrer Sascha mais laissa la porte ouverte.

Celle-ci les reconnut immédiatement : Nikita lui en avait parlé.

—La famille Lauren, murmura-t-elle.

Elle ignorait les âges des cinq Psis qui avaient disparu sur le territoire des SnowDancer mais elle ne s'attendait pas à ce que trois d'entre eux soient des enfants. Malgré tout ce qu'elle avait appris, elle n'aurait jamais cru que son peuple pouvait tourner le dos aux plus innocents d'entre les innocents.

Les plus âgés étaient deux hommes, l'un blond foncé, d'une quarantaine d'années, l'autre aux cheveux acajou, plutôt de l'âge de Sascha. Tous deux avaient des yeux humains. Ensuite venait une adolescente rousse aux prunelles de cardinale, assise à côté d'un petit garçon qui lui ressemblait en tous points. Enfin, une gamine d'une dizaine d'années était installée entre les deux hommes, avec sa chevelure blond vénitien, son allure de puissante Psi et ses iris vert pâle.

—Comment ?

Comment avaient-ils survécu déconnectés du Net ? ou tout simplement survécu ?

—Nous ne sommes pas des meurtriers insensibles, gronda Hawke. Au contraire des Psis.

Il s'assit et Lucas la poussa à s'installer également.

L'adolescente avait levé vivement la tête, prise d'une fureur que Sascha sentit aussitôt.

—Tu généralises encore une fois ! C'est pareil que de dire que tous les loups sont mauvais.

Au lieu de s'emporter, Hawke parut quelque peu s'apaiser.

—Sascha Duncan, je te présente Sienna Lauren. À côté d'elle, c'est son frère, Toby.

Il désigna les deux hommes. Ce fut le blond qui se leva, raide comme un soldat.

—Walker Lauren, Sienna et Toby sont les enfants de ma sœur disparue. Et voici ma fille, Marlee.

Il désigna l'enfant près de lui. Celle-ci glissa sa petite main dans celle de son père, et il la serra entre ses doigts.

—Je suis Judd Lauren, dit l'homme aux cheveux acajou. Le frère de Walker.

—Je ne comprends pas, souffla Sascha, assaillie d'idées contradictoires. Sur le Net, vous êtes considérés comme morts.

Or le Gardien du Net ne commettait par d'erreur.

—C'est vrai en ce qui concerne le Net, lui assura Walker.

Malgré la tendresse qu'il venait de témoigner à l'égard de Marlee, Sascha ne percevait rien de lui. Rien. Pas plus que de Judd Lauren. Les deux plus jeunes, Marlee et Toby, émettaient bien des émotions mais Sienna était plus difficile à déchiffrer.

—Vous êtes tous des E-Psis ?

— C'est quoi ? demanda Sienna.

Walker lui jeta un regard sévère :

— Sienna !

L'adolescente se rassit sans rien dire. Sascha savait que les deux hommes se demandaient si elle allait les trahir, étant donné qu'elle était toujours connectée au Net.

— Comment se fait-il que vous soyez entrés sur le territoire des SnowDancer ? Vous deviez savoir que vous y risquiez votre vie.

Walker et Judd se regardèrent et, quand le premier reprit la parole, elle sut que c'était au nom de tous.

— Nous nous sommes enfuis.

— Quoi ? s'écria Sascha, si choquée qu'elle ne put s'empêcher d'attraper la main de Lucas sur la table.

— Toute la famille allait être envoyée en rééducation après le suicide de notre sœur.

Le ton calme de Walker ne laissait rien paraître mais Sascha sentait le chagrin, l'angoisse qui habitait Marlee et Toby. Instinctivement, elle fit ce qu'elle put pour les apaiser.

— Qu'est-ce que tu fais, Sascha ? demanda Sienna en écarquillant les yeux.

Walker et Judd s'immobilisèrent.

— Je croyais qu'on pouvait lui faire confiance, s'emporta ce dernier contre Hawke.

— Vous pouvez, lui assura le loup. Sascha, mon cœur, dis-leur à quoi tu joues.

Lucas se hérissa.

— Attention, toi !

Le loup lui sourit d'un air satisfait. Sienna semblait paralysée sur son siège, interrogeant ses oncles du regard.

— Désolée, dit Sascha. Je ne contrôle pas encore bien mes pouvoirs. Je suis une E-Psi, une empathe.

— Ça n'existe pas, maugréa Walker.

— Ça existait avant Silence. Les E-Psi sont les guérisseurs de l'esprit. Nous sommes censé aider ceux qui se noient sous le poids de leurs émotions. Mais j'imagine que notre existence faisait obstacle à l'établissement du protocole.

Ainsi avaient-ils été discrètement supprimés. Malgré tout ce qu'elle savait sur son peuple, admettre cette abjecte trahison lui fendait le cœur.

— Je crois qu'on a des choses à se dire, déclara Walker.

— Oui. On a tous des choses à se dire.

Elle sentait les instincts animaux de Lucas se réveiller à l'idée qu'elle puisse se retrouver seule en tête à tête avec un autre homme.

— Tous, en effet, approuva Walker.

— Pourquoi la famille entière a-t-elle été condamnée à la rééducation ? reprit-elle en contemplant les visages innocents des enfants.

Quel esprit cruel pouvait vouloir les priver de leur personnalité avant qu'ils aient eu la chance de se développer ? Elle n'était pas naïve au point de croire qu'ils étaient les premiers, mais rien ne l'avait préparée à envisager de telles horreurs.

— Ma mère s'est suicidée d'une façon très bizarre pour une Psi… une Psi cardinale, dit Sienna. Elle s'est déshabillée et téléportée du pont du Golden Gate en hurlant qu'elle était enfin libre.

CHAPITRE 23

S ascha avait envie de conseiller à la jeune cardinale de laisser éclater sa colère et son chagrin. À les garder au fond de soi, on se condamnait à une mort lente. Elle ne le savait que trop bien.

— Nous avons aussi connu quelques… incidents par le passé, enchaîna Judd. Le Conseil a décidé de «purger» notre arbre généalogique de certaines caractéristiques indésirables. Les membres non biologiques se sont vu offrir le choix entre renoncer à toute relation familiale ou partir en rééducation.

Sascha lut entre les lignes et ce qu'elle en comprit était si horrible qu'elle en resta muette. La mère biologique de Marlee avait abandonné son enfant, la livrant à la torture. La nature bouleversante d'une telle trahison serait incompréhensible pour un cœur humain ou changeling. Et pourtant Sascha n'avait plus un cœur de Psi, si ça avait jamais été le cas.

Lucas lui baisa doucement la main. Elle savait qu'il ne cherchait pas à marquer son territoire, juste à lui témoigner son affection. Mais tous les Psis virent ce geste et se posèrent des questions.

— Comment se fait-il que vous soyez encore vivants? demanda-t-il. D'après Sascha, si vous vous déconnectez du Net, vous perdez l'énergie psychique nécessaire au bon fonctionnement de vos esprits.

—C'était ce que nous pensions, acquiesça Walker. Quand nous avons décidé de fuir, nous nous sommes rendus sur le territoire des SnowDancer à cause de leur réputation auprès des Psis. On les prend pour des brutes qui tuent sans état d'âme. Cependant, nous avions fait des recherches sur eux à l'époque où le Conseil nous avait autorisés à mettre de l'ordre dans nos affaires. Nous savions qu'ils n'élimineraient pas Marlee et Toby à vue.

Sascha fronça les sourcils.

—Il vaudrait peut-être mieux que les enfants n'assistent pas à cette conversation.

—C'est aussi ce que je leur ai dit, indiqua Hawke, un tic au coin de la bouche. On ne parle pas de ce genre de choses devant des louveteaux.

—On aurait dû les confier à vos bons soins peut-être ? demanda Judd.

—Sienna, emmène les enfants ! ordonna Hawke.

À la surprise de Sascha, l'adolescente rebelle obéit et prit Toby par la main.

—Allez, viens, Marlee.

La petite fille lança un regard interrogateur à son père. Lorsque celui-ci eut hoché la tête, la petite courut jusqu'à Sienna et glissa sa minuscule main dans celle de la jeune fille rousse. Apparemment, les plus jeunes s'étaient habitués au contact physique au cours des quelques mois qu'ils avaient passé chez les loups. Les Psis adultes semblaient essayer de s'en accommoder pour le bien des enfants.

—Je fais ça pour Toby et Marlee, pas pour toi, lança Sienna d'un ton de défi.

Hawke fit mine de la saluer.

—Je me doute bien que tu ne feras jamais rien sous prétexte que je te le demande !

— J'ai le droit de savoir ce qui se passe, dit-elle à ses oncles. Je ne suis pas une enfant.

— Garde le contact par télépathie.

Impossible de dire d'après le ton de Walker ce qu'il pensait du fait que sa nièce venait d'obéir à un loup. Plus personne n'ouvrit la bouche jusqu'à ce que la porte se soit refermée sur les jeunes. Après quoi, la conversation reprit.

— Ainsi, vous vous attendiez à mourir, dit Sascha.

— Bien sûr, acquiesça Walker. Mais nous voulions donner une chance à Marlee et Toby. Ils peuvent encore apprendre à changer de vie, leurs esprits sont malléables. Nous espérions qu'ils trouveraient le moyen de survivre déconnectés du Net. Leurs chances de survie restaient faibles mais c'était toujours mieux que de ne rien tenter.

— Et Sienna?

— Elle avait seize ans à l'époque.

Les yeux de Walker paraissaient si froids et si inexpressifs que Sascha fut choquée de constater qu'ils étaient du même vert que ceux de Marlee.

— Nous partions du principe que les loups verraient en elle une menace et l'élimineraient.

— Pourtant, vous l'avez amenée? assena Lucas. Vous avez guidé cette jeune fille vers une mort certaine?

— Nous n'avions pas le choix, rétorqua Judd en réprimant sa fureur. Sienna aurait préféré mourir plutôt que de partir en rééducation. Si nous ne l'avions pas emmenée, elle nous aurait suivis de toute façon.

Sascha caressa Lucas grâce à cette partie secrète de son esprit qu'elle commençait tout juste à comprendre.

— Ils ont raison. Ce traitement est pire que la mort, pire que tout ce qu'on peut imaginer.

Lucas la laissa l'apaiser, l'entourer de son affection.

— Pourquoi ne pas les avoir tués? demanda-t-il à Hawke.

— Nous ne sommes pas des crétins… Il était évident qu'ils étaient venus se faire tuer par des changelings, un suicide déguisé. (Il serra le poing.) Nous les avons capturés dans l'intention d'obtenir une rançon.

— Nous lui avons alors expliqué que ce serait le Conseil qui paierait, et pourquoi, dit Judd. Ce qui l'a mis en mauvaise posture. Il ne pouvait garder sur son territoire cinq Psis toujours connectés au Net et, comme il a une conscience, il ne pouvait pas non plus nous exécuter ni nous livrer au Centre de rééducation. Alors, il nous a demandé de nous déconnecter.

— Nous avons toujours su que si nous survivions aux SnowDancer nous devrions en passer par là pour assurer notre sécurité, ajouta Walker. Une fois que le Conseil aurait découvert que nous nous étions enfuis, ils nous auraient exterminés par le biais de notre lien avec le Net. Personne ne quitte ainsi les Psis.

— C'est Sienna qui a trouvé cette idée, renchérit Judd.

Sascha s'aperçut soudain que celui-ci était d'une beauté parfaite, à la mode des Psis.

— Laquelle?

Les Lauren fascinaient Sascha. À l'évidence, les deux petits commençaient à bien s'adapter, leurs esprits intégraient le mode de vie des changelings. Alors que Judd et Walker, ayant vécu trop longtemps dans le mensonge, restaient bloqués dans le monde des Psis.

Contrairement à elle, les deux hommes n'avaient pas été forcés, de par la nature de leurs pouvoirs, à affronter leurs émotions. Et puis il y avait Sienna, tiraillée entre les deux. À seize ans, son esprit était presque complètement façonné, elle avait été prête à fonctionner comme un rouage de la machine Psi.

— Celle d'un PsiNet familial, dit Walker. Elle a proposé que nous quittions le Net l'un après l'autre, à quelques millièmes de seconde près.

— Comme si nous étions en train de les massacrer, précisa Hawke.

Les yeux du loup étaient du bleu glacial de l'Arctique. Sascha dut lutter contre l'impulsion de lui tendre la main ; il la mordrait à coup sûr. La femme qui séduirait ce loup devrait être soit très courageuse soit très bête.

— Exactement, approuva Walker. Ce faible intervalle nous garantissait également que personne n'aurait le temps de nous prendre pour cible. Nous devions nous raccrocher à l'esprit d'un membre de la famille dès que nous nous déconnections du Net. Le premier à le quitter devait donc être quelqu'un d'assez puissant pour servir de point d'attache, quelqu'un qui puisse survivre à la séparation initiale, à l'isolation.

— Sienna ? demanda Sascha.

— Non. C'est une cardinale mais elle ne contrôlait pas assez ses pouvoirs. C'est Judd qui l'a fait. Moi j'ai été le dernier… Je devais guider les enfants.

Sascha comprit que Judd devait être juste en dessous du niveau cardinal pour prendre le rôle de point d'attache.

— Ça a marché ?

— Oui. Nous avons créé un cercle fermé qui se nourrit constamment de l'énergie générée à l'intérieur de la boucle.

La nouvelle galvanisa Sascha.

— Et si… ?

Mais Walker l'interrompit avant de la laisser aller au bout de sa question.

— Non, je suis navré, lui assura-t-il presque gentiment. C'est une question d'équilibre du cercle. Avec trois esprits immatures, il nous faut toute notre énergie, à Judd et à moi-même, pour l'alimenter. Tant que Sienna ne sera pas assez forte pour nous aider, nous sommes les seuls à pouvoir contrôler les tentatives instinctives de Marlee et de Toby pour rejoindre le PsiNet.

— À l'instant où l'on ouvrirait le cercle, murmura-t-elle, ils essaieraient de se reconnecter au PsiNet.

— Oui. Ils n'y peuvent rien. Chacun d'entre nous est né avec ce besoin de faire partie du Net. Nous sommes tous deux assez vieux et assez puissants pour refréner cet instinct, mais Sienna éprouve encore des difficultés. Nous ne pouvons prendre le risque de les perdre pour t'accueillir.

— Je comprends.

À côté d'elle, Lucas se manifesta.

— Protéger vos enfants est votre priorité.

Il n'y avait aucune agressivité dans sa voix et elle savait qu'il aurait agi de même. Pourtant, elle sentait aussi son agacement, son besoin de la protéger. Elle comprenait qu'en cas de nécessité son compagnon sacrifierait sans hésiter tous les Lauren pour la sauver. Ç'en devenait presque terrifiant d'être adorée à ce point.

Les deux autres Psis le regardèrent.

— Oui.

— Mais, ajouta Judd, nous pouvons créer la diversion dont vous avez besoin. Sienna et moi sommes télépathes avec pas mal de… d'autres talents. Nous avons trouvé un moyen de nous reconnecter au Net par le biais d'un esprit Psi un peu faible.

» Nous comptons l'utiliser comme conduit pour nos pouvoirs pour déranger quelques-unes de leurs principales lignes de communication. Ce sera plutôt rudimentaire… Un sabotage indirect dépend du rang de l'esprit utilisé, et notre type ne dépasse guère les 4,5.

Sascha savait qu'ils avaient l'intention de prendre le contrôle de cet esprit, démarche à la fois illégale et immorale.

— Si vous faites ça, nous ne vaudrons pas mieux qu'eux.

Judd jeta un regard à Hawke, puis revint sur Sascha.

— Nous ne comptons utiliser que sa connexion avec le Net. Aucun de nous n'a intérêt à examiner de près l'esprit embrumé par la drogue de notre volontaire. À vous de voir.

Sascha se demandait à quel point il était acceptable d'enfreindre certaines règles pour en respecter d'autres. La vie de Brenna contre l'invasion d'un esprit. Elle finit par se décider en voyant les ombres douloureuses massées autour de Hawke. Il mourait un peu plus à chaque seconde que la jeune louve passait aux mains du tueur. Son cœur de chef était étouffé par la culpabilité et le chagrin.

— Un volontaire ?

— On achète tout avec de l'argent, commenta Hawke. Il ne sait même pas pour quoi il s'est porté volontaire.

— L'intrusion ne durera qu'une minute, reprit Judd. Nous ne pouvons risquer qu'on repère notre présence dans l'esprit d'un autre. C'est la raison pour laquelle aucun d'entre nous ne peut jouer ton rôle. À l'instant même où ils commenceront à se douter que nous sommes vivants, ils lanceront la chasse.

— Une minute devrait suffire, dit Sascha. Les effets secondaires du sabotage auront des répercussions sur le Net pendant un moment. Le tueur devrait détecter la nature changeling de mon odeur psychique avant que les autres commencent à s'intéresser à moi.

» Et, là encore, ils risquent de ne pas comprendre tout de suite… La plupart des Psis n'ont jamais vu un esprit changeling de l'intérieur. Il n'y a pas de raison pour que ça ne marche pas.

À moins que tout parte de travers et que les premiers à se rendre compte de sa présence soient les Conseillers.

La peur au ventre, elle serra la main de Lucas. Elle ne voulait pas mourir, elle ne voulait pas quitter cet homme qu'elle venait de rencontrer après vingt-six ans de solitude. D'un autre côté, elle se sentait incapable de passer un seul jour supplémentaire à l'aimer alors que Brenna était menacée de mort. Sa mère avait trempé dans ces atrocités, Sascha se devait de sauver au moins une vie.

Même si ce n'était pas la sienne.

Cette injustice la faisait trembler... Comment supporter d'apercevoir seulement cette vie merveilleuse avant de se la voir arracher des mains ? Encore que cette vie n'aurait pu être la sienne. Abreuvé du poison de Silence, son esprit s'effondrait déjà depuis longtemps quand elle avait rencontré son léopard.

— Chaton, lui souffla Lucas, arrête de te faire du mal.

Sans lui laisser le temps de répondre, il agit d'une manière qui, quelques jours auparavant, aurait profondément choqué Sascha. Repoussant sa chaise, il la prit sur ses genoux. Cette insolente démonstration de force lui rappela leurs différences, ses découvertes et toutes ces choses qu'elle n'aurait jamais l'occasion d'explorer pleinement.

Sans chercher à lui résister, elle posa la tête sur son épaule et huma son odeur. Lucas essaierait certainement de l'empêcher de mettre son plan à exécution mais elle irait jusqu'au bout. Elle allait mourir. Restait à déterminer ce qu'elle accomplirait avant. Aussi comptait-elle vivre au maximum les moments qu'elle aurait encore. Elle rirait et caresserait et embrasserait et ne rougirait pas de le faire en public.

— Bien que le tueur ne risque pas de s'intéresser à des hommes, Walker et moi avons réfléchi à la manière dont nous pourrions exécuter le plan à ta place, puisque nous sommes déjà déconnectés du Net. (Judd observa leur étreinte pleine de complicité.) Malheureusement, ça impliquerait de commencer par l'informer qu'au moins l'un d'entre nous est encore vivant.

— Ce qui laisserait entendre que vous l'êtes tous, conclut Sascha. Je comprends, Judd. Ne culpabilise pas de faire passer les enfants avant tout le reste. J'aurais fait la même chose à ta place.

— Les Psis ne culpabilisent jamais.

— Bien sûr que non, répondit-elle avec un demi-sourire.

— Sauf la mienne ! intervint Lucas en lui embrassant le bout du nez.

— Et il n'est pas question de la perdre, décréta Hawke.

Lucas soutint son regard. Sascha ne comprenait pas jusqu'où étaient capables d'aller les changelings prédateurs pour protéger leurs compagnes, ne comprenait pas qu'il lui appartenait comme jamais à personne auparavant.

— Pas question, renchérit-il.

— Ils ne veulent pas croire que je ne peux pas vivre déconnectée du PsiNet, soupira-t-elle à l'adresse de Walker. Dis-le-leur, toi.

— Elle a raison. Elle a besoin d'un autre réseau mental auquel se rattacher quand elle coupera la connexion. Sinon, elle mourra d'une sorte de déshydratation psychique, en quelques minutes.

— Même si nous trouvions un moyen de l'arracher au Net, poursuivit Judd, elle serait prisonnière comme Toby et Sienna. Nous, nous pouvons altérer notre apparence et nous promener à l'extérieur, mais on ne camoufle pas des yeux de cardinal.

— Elle ne se cachera pas. Ma compagne vivra auprès de moi.

Lucas n'avait aucune intention de l'enterrer : elle avait déjà passé trop de temps à se cacher.

— Le Conseil trouvera un moyen de la supprimer.

— C'est notre affaire, trancha Hawke. Contentez-vous de faire votre travail, à savoir trouver un moyen de garder Sascha vivante au moment où elle se déconnectera du PsiNet.

Un lourd silence tomba sur la pièce. Lucas caressait le dos de Sascha tout en imaginant ce qu'il ferait au Conseil s'ils osaient porter la main sur elle. Sans doute n'éprouvaient-ils pas d'émotions mais tout le monde avait peur de mourir.

Le regard de Judd se perdit dans le vague, rapidement imité par celui de Walker. Lucas eut la chair de poule et en déduisit que tous deux étaient en pleine séance d'échanges télépathiques. Comme si elle avait senti sa gêne, Sascha se rapprocha de lui et passa les bras autour de son cou. Il se prit à goûter la légèreté de son corps, sa chaleur, sa vie, se réjouit d'avoir trouvé son âme sœur. Jamais il ne la laisserait lui échapper.

— Il y aurait bien un moyen, annonça Walker. Sienna a tenté de nous convaincre que nos esprits avaient besoin d'énergie psychique, pas forcément d'énergie Psi.

— L'ennui, c'est qu'on ne peut pas le vérifier sans se déconnecter, ajouta Judd avec véhémence comme s'il s'adressait encore à sa nièce.

Sascha se rembrunit.

— Comment pourrai-je obtenir l'énergie nécessaire si je n'ai plus de lien avec des esprits Psis ?

— En te liant aux esprits changelings. Nous avons des raisons de croire que ça ne fonctionnerait pas avec des esprits humains.

Lucas l'étreignit si violemment qu'elle protesta.

— Pardon, chaton. Est-ce réalisable ?

—Sûrement pas, rétorqua-t-elle en se remettant derrière l'oreille une mèche tombée de sa natte. Comment établir une connexion sans un pouvoir Tp des deux côtés? Tous les Psis naissent avec un minimum de dons télépathiques.

La bête de Lucas perçut son désespoir, comprenant qu'elle leur cachait encore quelque chose.

—Laisse-les continuer, Sascha.

—Pourquoi? cria-t-elle. Pour qu'ils puissent nous faire avaler leurs mensonges?

—Chut! Tu as tellement hâte de me quitter?

Comment pouvait-elle refuser de se battre pour tous les jours qu'il leur restait à passer ensemble?

Avec un sanglot rageur, elle se cacha la tête dans les mains.

—Je ne pourrai pas supporter de reprendre espoir si c'est pour le perdre aussitôt!

Si seulement il pouvait capter son chagrin, si c'était lui l'empathe et non sa vulnérable compagne…

—Sienna est certaine que ça va marcher, soutint Walker. Elle dit que le lien qui unit deux compagnons équivaut à une sorte de lien psychique. Ça devrait garder Sascha en vie au moment où elle se déconnectera du PsiNet.

Celle-ci sursauta.

—Vous croyez que je n'y ai pas pensé?

—Quoi? gronda Lucas. Pourquoi ne me l'as-tu pas dit?

—Demande-leur, éructa-t-elle. (Jamais il ne l'avait vue dans un tel état.) Parce qu'un seul esprit ne peut pas suffire à fournir toute l'énergie qu'il me faut sans dépérir lui-même. Si j'utilisais notre lien, je t'entraînerais dans une mort lente.

—Oui, dit Walker. Notre réseau familial fonctionne comme le PsiNet mais à un degré moindre… L'énergie s'y accumule. Cela dit, nous sommes tous Psis, nous fournissons autant d'énergie que nous en consommons, ce qui crée cet effet de démultiplication.

» Dans ton cas, cet effet n'existerait pas et un seul esprit partenaire ne suffirait pas. Il faudrait que tu te lies à d'autres membres de la meute de ton compagnon. Avec trois ou quatre esprits, une réserve d'énergie se formerait et tu ne prendrais plus le risque d'épuiser quelqu'un.

— Impossible, dit Sascha. Je reconnais que la connexion entre deux compagnons est quasi psychique, mais, pour moi, ce lien n'existe avec personne d'autre. Comment pourrais-je m'unir avec plus d'un léopard ?

— Il n'en est pas question, corrigea Lucas. Tu m'appartiens. Point final.

Elle le regarda de travers.

— Je le sais, votre altesse, je voulais juste souligner que la proposition de Walker était impossible. Je ne vois pas comment j'établirais un lien avec quelqu'un d'autre que toi.

La bête de Lucas ne pouvait supporter une telle idée mais lui comprenait que le seul moyen de la garder vivante consistait à la partager. Cela lui mettait le cœur en miettes, néanmoins il devait accepter. Jusque-là il ne s'était pas rendu compte que ses sentiments étaient forts au point de lui faire tolérer une telle chose.

— Quelqu'un a une autre idée ? demanda Hawke.

Silence.

Le loup se leva.

— Dans ce cas, préparons-nous à déclencher une guerre.

Sur le chemin du retour, Sascha ne cessa de s'emporter.

— Tu vas laisser mourir des centaines de gens pour pouvoir me garder en vie quelques jours de plus ?

— Une heure de ta vie vaut plus que mille personnes pour moi.

—Et Julian et Roman? Et Kit? Et Rina? Tu acceptes de les perdre?

Ces questions le touchèrent au cœur.

—Ils ne mourront pas.

—C'est toi qui le dis! Si le Conseil décide d'éliminer ta meute, vous serez tous supprimés jusqu'au dernier. Même si ça doit leur prendre des années.

—Ainsi, tu veux que j'abandonne et te laisse te suicider?

Il avait parlé avec une telle véhémence qu'elle reçut ces paroles comme une gifle.

—Non. Je veux que tu m'aides à sauver une vie. Que tu me rendes ma fierté.

—Quand est-ce que tu l'as perdue? railla-t-il.

—Quand j'ai découvert que ma mère soutenait des meurtriers.

Il voulut lui prendre la main, mais elle la lui arracha.

—Non! je ne te laisserai pas faire ça!

—Tu as besoin de ma coopération si tu veux que ton plan fonctionne. Personne n'osera t'aider dans mon dos.

Tous savaient qu'il les étriperait, les mettrait en miettes. Un chef ne restait pas gentiment dans son coin quand on attaquait sa meute. Alors sa femme? Il sèmerait la mort et la destruction pour la sauver.

—Sûrement pas, répliqua-t-elle. J'essaierai sans l'aide de personne. Mes boucliers cèdent l'un après l'autre… Je serai vite découverte. Ils me trouveront en quelques jours et là je devrai de toute façon me déconnecter du Net pour échapper à la rééducation.

Alors il comprit.

—Tu le feras avec ou sans mon aide.

Il arrêta la voiture dans la cour du refuge.

CHAPITRE 24

— Q ue ferais-tu à ma place? demanda-t-elle en posant sur lui des yeux devenus totalement noirs. Que te dicterait ton sens de l'honneur?

—Tu es ma compagne. L'honneur n'a rien à y voir.

Elle ouvrit la portière et sortit. Il resta derrière le volant jusqu'à ce qu'elle arrive à sa hauteur.

—Menteur, murmura-t-elle. L'honneur compte par-dessus tout. Sinon, on devient exactement comme eux.

À son tour, il sortit et la prit dans ses bras.

—Alors je serai ton point d'attache.

Il se demandait si elle comprenait qu'il venait de s'arracher le cœur pour le jeter à ses pieds.

—Non, dit-elle. Je refuse de t'infliger ça.

—Ce n'était pas une question, chaton. Je vais te servir de point d'ancrage et, ensuite, tu te lieras psychiquement à moi. Arrête de refuser notre union. Seules tes réticences nous séparent encore… Dès que tu accepteras, le lien se mettra en place.

Elle le repoussa violemment.

—Non!

—Si.

—Que deviendra DarkRiver sans toi? Tu y as réfléchi? Tu ne tiendras pas plus de deux mois si je me lie à toi… Je vais drainer toutes tes forces. Ne me demande pas de te détruire.

— Vaughn est assez fort pour prendre le commandement jusqu'à ce que Kit soit en âge.

— Non, Lucas, non !

Elle tremblait de tout son corps.

— C'est la seule solution si tu veux que je te laisse y aller.

De par son seul ton, il lui rappelait avoir les moyens de l'en empêcher, ne serait-ce qu'en la frappant. Il n'avait plus envie de se comporter de manière civilisée quand il était question de Sascha.

Muette, elle secoua la tête.

— Promets-le-moi, chaton.

Elle courut vers la maison pour lui échapper. Lucas ne la poursuivit pas et attendit plutôt que Vaughn, qui avait assisté à la scène depuis les bois, le rejoigne.

— Elle a raison, dit celui-ci. DarkRiver a besoin de toi.

— Et moi j'ai besoin d'elle.

Lucas avait déjà vu mourir une femme qu'il aimait. Il ne pourrait le supporter une seconde fois.

— Si je lui survis, je ne serais pas mieux qu'un mort-vivant de toute façon.

Consciente qu'elle ne s'était pas encore remise d'avoir hanté l'esprit de Henry, Sascha décida de mettre son plan à exécution la nuit suivante. Par ailleurs, cela lui donnerait le temps d'étudier en détail les processus mentaux qu'elle allait devoir imiter. Rina s'était portée volontaire pour lui servir de modèle car il s'était avéré qu'elle avait le même profil que les autres victimes du tueur.

Sascha avait fixé la date pour des raisons logiques. Cependant, même si ça pouvait sembler égoïste, elle l'avait aussi choisie afin de pouvoir passer une autre nuit avec son amant. Dans l'obscurité de leur chambre, elle se blottit contre lui.

Elle sentit immédiatement qu'il écumait de rage, bien qu'il la caresse avec une infinie tendresse. Elle finit par s'endormir dans la sécurité de son étreinte. Raison pour laquelle, lorsque son cauchemar commença, elle ne put en croire l'horreur.

— Au secours ! criait une voix affolée. Aidez-moi !

Mise au supplice par la pure souffrance qu'elle percevait dans son appel, Sascha tenta d'apaiser la malheureuse mais celle-ci recula comme si elle venait de se brûler.

— Non !

— Laisse-moi t'aider, implora Sascha.

— Tu es une Psi, rageait l'autre malgré sa douleur.

— Je ne suis pas comme lui.

Sascha se servit de son pouvoir pour essayer de l'apaiser, échangeant la douleur contre du bien-être. Les émotions de l'autre femme étaient si tourmentées qu'elles blessèrent Sascha. Mais celle-ci continua à les absorber encore et encore.

— Tu es forte, fit-elle remarquer.

— J'ai pleuré, confia la voix apaisée comme malgré elle. Je l'ai supplié d'arrêter.

Sascha s'efforçait de restaurer la fierté en lambeaux de cette femme.

— Tu as tenu le coup et tu as réussi à le chasser de ton esprit. Tu n'as pas cédé. C'est le plus important.

— Je ne sais pas combien de temps je vais encore tenir.

— Nous arrivons. Tiens le coup pour nous.

— Tu n'es pas de ma meute. Tu sens le félin.

— Nous sommes tous unis contre l'ennemi.

La psyché de la jeune femme avait subi de violents dégâts mais le seul fait qu'elle soit parvenue à tenir le tueur éloigné des profondeurs de son esprit prouvait son incroyable force de volonté.

— Nous arrivons, Brenna. Nous arrivons.

— Vite, alors, je vous en supplie.

En s'éveillant, à l'aube, Sascha se dit qu'ils ne pouvaient attendre davantage. Elle retrouva Lucas dans le séjour, en compagnie de Hawke, de ses léopards et de deux autres mâles. La présence des loups ne surprit pas la jeune femme : les deux chefs de meute s'apprêtaient à déclarer la guerre aux Psis.

— On y va maintenant. On ne peut pas laisser Brenna plus longtemps avec lui.

Lucas fit sortir tout le monde de la pièce. Sans un mot, ils fermèrent la porte derrière eux. Seul Hawke resta.

— À quelle heure dois-je avertir les Lauren ?

— Dans cinq minutes, répondit Sascha.

— J'appelle Judd. On te protégera, mon cœur, dit Hawke en lui effleurant la joue avant de se retirer également.

L'espoir était une dangereuse faiblesse à laquelle elle ne devait pas céder. Elle alla se planter devant Lucas et croisa son regard.

— Je ne veux pas que ce soit toi, l'implora-t-elle encore.

— Il le faut. Je t'appartiens.

Il l'embrassa passionnément, mettant tous ses sentiments dans ce baiser. La force de ses émotions brisa le cœur de Sascha.

— On y va, dit-elle, incapable d'en supporter davantage.

Mieux valait qu'elle ne réfléchisse plus trop à ce qu'elle devrait faire sinon elle risquait de tout abandonner, laissant Brenna être torturée, violée puis assassinée. Le simple fait d'y avoir songé la fit craindre pour son âme.

Elle sentit l'esprit de Lucas l'accueillir. Même s'il n'était pas Psi, elle eut l'impression qu'il abaissait ses boucliers. Elle n'avait pas besoin d'entrer totalement pour avoir accès à ce dont elle avait besoin, et préféra nouer un lien superficiel qui lui permettrait de transmettre des informations à Lucas tout en se servant de son odeur psychique pour appâter le tueur.

— Ne t'expose pas plus que nécessaire.

Elle acquiesça. Elle finirait de toute façon par se déconnecter du Net, mais elle préférerait éviter de révéler son esprit d'empathe. Afin de protéger ceux qui lui ressemblaient… s'il en existait…

— Si ce leurre est assez tentant pour qu'il approche, je n'en aurai pas besoin. Mais, s'il hésite, je devrai peut-être lui fournir une victime plus intéressante.

Lucas préféra ne pas s'y opposer ; il commençait à comprendre qu'elle ne supportait pas de recevoir des ordres.

— Reviens-moi, Sascha. Promets-moi d'établir la connexion entre nous.

Le souvenir des cris de Brenna résonna dans son esprit, la faisant se dépêcher.

— Promis, dit-elle en le gratifiant d'un baiser. Merci de m'avoir rendu le goût de vivre.

Encore une heure, encore une minute, encore une vie…

Il la saisit soudain par la nuque, la dévorant du regard.

— Si tu veux me remercier, reste en vie. Tiens ta promesse.

« *Établis la connexion.* »

— Nous devrions commencer, dit-elle en le conduisant vers le canapé.

Il s'assit et étendit les jambes devant lui. Sans émettre d'objection, elle s'installa sur ses genoux, posa la tête sur son torse et l'entoura de ses bras.

Elle entendait battre son cœur, sa vie. Comment pouvait-il l'obliger à l'en priver ? Comment pouvait-il forcer la meute à continuer sans son chef ? Elle ne valait pas un tel sacrifice, elle, la femme issue d'une espèce dépourvue de toute humanité depuis un siècle.

Il passa doucement la main dans ses cheveux.

— Prête ?

Jamais elle ne serait prête à les tuer tous les deux. Seulement, l'autre possibilité était pire encore.

— Oui. Judd et Sienna vont lancer la diversion dans une minute.

Prenant une longue inspiration, elle ferma les yeux et trouva Lucas.

Sa flamme n'était que chaleur et lumière. Il lui confiait son esprit, mais elle n'y entra pas, de peur de ce qu'elle pourrait y voir. Ce qu'il ressentait pour elle risquait de la détruire. Elle préféra demeurer à fleur de pensée, jusqu'à ce que ses processus mentaux se calquent sur ceux de Lucas d'une manière si subtile qu'ils n'en étaient pas changés mais que simplement leur apparence psychique était altérée.

Les battements de cœur de Lucas l'apaisèrent et elle s'immergea dans le Net. Ses boucliers tenaient bon, son esprit d'empathe était toujours à l'abri. Si elle l'avait voulu, elle aurait pu se retirer à cet instant sans se trahir.

Les cris de Brenna se réverbérèrent dans son esprit.

Non, impossible de reculer. Elle commença par s'assurer que son esprit arc-en-ciel restait bien dissimulé derrière une première couche de boucliers, puis fabriqua une faille aussi naturelle que possible dans la couche extérieure. Dans un sens, son plan était brillant de simplicité... pour une E-Psi cardinale forcée de devenir un génie des boucliers superposés et capable de se lier aussi facilement à des esprits changelings.

Elle s'était aperçue la veille que cette deuxième capacité prenait également sa source dans son don. Car il était impossible à un empathe de devenir mauvais et de faire du mal à un esprit ouvert. En détruisant les empathes, les Psis avaient également anéanti leur conscience.

— *Pour nous*, dit-elle mentalement.

Pour tous ces E-Psis morts sous la torture au cours de la période transitoire, tous ceux que Silence avait rendus fous et tous ceux qui avaient enfoui leur don si profondément qu'ils se croyaient handicapés.

Après une vie passée à croire qu'elle avait échoué en tant que Psi, elle triomphait en devenant tout ce qu'elle avait toujours eu le potentiel d'être. Et si les changelings devaient en être les seuls témoins, cela lui convenait à la perfection. Car eux, au moins, se souvenaient. Au contraire des Psis qui éliminaient systématiquement ceux qui n'entraient pas dans le moule.

Grâce à la faille qu'elle venait de créer, elle laissa passer de vagues fragments des processus mentaux de Lucas. Puis elle façonna ces murmures sur l'exemple de Rina. Rebelle, butée, loyale, indépendante et sensuelle. Traits de caractère communs à toutes les victimes. Sascha avait soigneusement créé cette signature psychique pour séduire le tueur.

La plupart des Psis n'auraient pas la moindre idée de ce qui la rendait si particulière. Ceux qui s'en apercevraient, voyant l'étoile de cardinale de Sascha, l'attribueraient à un quelconque talent bizarre. Seul un Psi qui aurait déjà violé un esprit changeling reconnaîtrait véritablement la signature.

« *Cinquante opérateurs connus.* »

Elle refusa de songer à l'échec. Elle devait faire confiance au destin et compter sur l'attirance du tueur pour ce genre de proie.

Elle laissa les processus mentaux continuer de filtrer, s'éclipsa par une porte dérobée ménagée dans son bouclier externe et sortit dans le ciel étoilé du PsiNet. Elle utilisait la même astuce pour talonner quelqu'un. Mais là, c'était encore plus dangereux.

Son esprit allait rester entre ses boucliers pour maintenir le contact avec Lucas et alimenter l'illusion. Quand elle talonnait un esprit, elle laissait derrière elle un esprit factice tandis que sa conscience, son être, voyageait à travers le Net. Dans un sens, elle se divisait entre corps et esprit.

Dans le même ordre d'idées, la même chose se produisait lorsqu'elle rencontrait quelqu'un sur le PsiNet. Comme elle avait habituellement besoin de continuer à fonctionner sur le plan physique, elle n'envoyait qu'une partie d'elle-même. Tout le temps qu'elle restait sur le Net, cette partie fonctionnait comme un individu distinct, un peu comme si elle s'était dédoublée. Le procédé n'était pas sans danger car l'esprit principal restait connecté à la partie mobile, cependant la plupart des Psis ne s'en inquiétaient pas, les risques de piratage par cette voie étant minimes.

Toutefois, la partie d'elle qui se trouvait hors des boucliers était connectée directement au noyau de son esprit. Impossible d'utiliser une partie mobile comme dans les autres cas car le Gardien du Net aurait pu le remarquer, de même que d'autres Psis. Pour donner l'impression qu'elle n'était pas du tout immergée dans le Net, elle devait rester hors des boucliers tout en demeurant connectée au noyau de son esprit. Cependant, si quelqu'un parvenait à la piéger sur le Net, il aurait alors libre accès à son cerveau et pourrait contrôler son esprit de la plus intime des manières.

Inutile de se tourmenter pour ça, elle avait déjà bien assez de sujets d'inquiétude. Les courants du Net commençaient à répandre son leurre ; il ne lui restait qu'à attendre. Cachée derrière son propre esprit, sa présence était à peu près impossible à détecter. Une manœuvre tellement dangereuse que la plupart des Psis n'y auraient même pas songé, mais elle devait rester hors de ses boucliers pour apercevoir le visage mental du tueur.

Qu'elle le reconnaisse ou non, cela lui suffirait pour l'identifier à partir des bases de données du PsiNet. Tant que l'arc-en-ciel de son véritable esprit demeurait caché, elle pourrait utiliser les ressources du Net.

Deux esprits curieux, haut gradés, passèrent dans les parages sans s'arrêter. Elle perçut des bribes de conversation où il était question de « cardinal ». Ils ne s'aperçurent de rien. Leur arrogance les incitait à croire les changelings inoffensifs et donc indignes d'une étude approfondie, réservée aux vrais ennemis.

Elle se détendit quelque peu à ce premier succès, au point d'avoir envie d'abaisser ses boucliers le temps d'envoyer un baiser à Lucas. Elle avait tellement besoin de contact qu'il ne lui en voudrait pas de cette petite initiative.

Il lui appartenait autant qu'elle lui appartenait.

Néanmoins, ce serait le mettre en avant, peut-être révéler sa présence à quelque Psi qui pourrait l'atteindre à travers elle. Et Lucas ne devait pas mourir. Elle y veillerait.

Un signal d'alarme lui parvint depuis ses boucliers extérieurs. Ceux-là n'étaient pas de véritables boucliers mais des balises secrètes de son invention. Sur ses gardes, elle scruta les alentours. Et zut! comment avait-elle pu oublier qu'elle attirerait inévitablement cet esprit-là ?

— Sascha.

— *Mère. Désolée de ne pas avoir répondu à ton appel… J'avais tellement de choses à faire…*

Elle répondit en utilisant les canaux habituels de télépathie, comme si elle ne se trouvait pas sur le Net. Pourvu que sa mère soit trop préoccupée par la chasse au tueur et la diversion des Lauren pour lui demander ce qui, au juste, pouvait la retenir à ce point.

—*L'un de tes boucliers présente une faille. Répare-le avant que quelqu'un en profite pour y glisser un virus.*

Évidemment, Nikita songeait d'abord aux virus.

—*Merci.*

— *Tes processus mentaux sont étranges. Tu devrais peut-être consulter.*

Une peur sourde prit Sascha à la gorge. Nikita devait savoir ce qui affectait sa fille, elle avait dû s'en apercevoir avant que celle-ci ait assez grandi pour se cacher. Pourtant, elle lui donnait un conseil qui l'amènerait fatalement à se trahir. Se doutait-elle à quel point Sascha s'était écartée de la voie des Psis ?

— *Tu crois ? Ça ne m'a pas l'air grave.*

—*En tant que chef de la famille Duncan, j'ai reçu un message de l'équipe médicale pour m'avertir que tu ne leur as pas rendu visite depuis que tu as atteint l'âge adulte.*

Sascha perçut une menace dans le ton de Nikita, même si celui-ci n'avait pas changé.

— *Il serait peut-être avisé de passer un scanner avant qu'ils t'imposent des examens.*

Sascha se sentit soudain soulagée. Quelles que soient ses intentions, au moins Nikita n'essayait pas de la livrer à la Sécurité. Ce n'était pas grand-chose mais c'était toujours mieux que rien.

— *Je le ferai dès que possible.*

— *Tu n'as plus communiqué d'informations sur DarkRiver depuis plusieurs…* (Nikita marqua une pause.) *Il faut que j'y aille. On a un souci avec deux des principaux points de relais. Ça commence déjà à créer des blocages.*

L'esprit de Nikita disparut aussi vite qu'il était apparu.

L'information se confirma rapidement et Sascha poussa un soupir. Sienna et Judd étaient entrés. Tous les Psis passant par là seraient entraînés dans cette direction pour trouver une solution à ce problème avant que ça dégénère.

Vraisemblablement, c'était déjà réglé, mais les répercussions risquaient de mettre des heures à se résorber. Dans le tumulte, son étrange signature psychique n'attirerait l'attention de personne… sauf celle d'un Psi très dangereux.

Toutes ces pensées provenaient de la partie cachée de son être, joyeux arc-en-ciel dissimulé derrière des murs imprenables. Hors de ces murs, elle se tenait tranquille, craignant toujours d'être découverte, là où la plupart des gens, y compris les Psis, se seraient considérés à l'abri.

Un violent courant d'air balaya les alentours. Tous les sens en alerte, elle sentit monter un grognement dans sa gorge. La personnalité de Lucas était trop forte. Elle n'aurait pas dû se manifester aussi ouvertement mais Sascha devrait faire avec. Elle intégra ces bribes de colère aux pensées qu'elle diffusait sur le Net. Ces femmes avaient certainement une aptitude à la colère. N'était-ce pas une forme de passion en soi ?

Son peuple avait tenté de l'éliminer, tout comme la rage et la haine, sans comprendre que la colère pouvait naître d'un profond amour, de cet impérieux besoin de protéger ceux qu'on aimait. Lucas était furieux parce qu'elle se mettait en danger, il enrageait à l'idée qu'elle puisse être blessée. Il n'y avait rien de négatif dans ces émotions.

Au contraire de celles qui se rapprochaient à présent lentement. Cette violence était rusée, fourbe à la manière du chacal ou du vautour. La plupart des Psis ne comprenaient sans doute pas pourquoi cet esprit en apparence « normal » les mettait si mal à l'aise, car la plupart des Psis n'avaient plus d'aptitude à reconnaître le mal. Un terrain de chasse idéal pour un tueur.

L'odeur de malveillance disparut brusquement. Sascha se rembrunit. Le meurtrier avait-il pris peur ? Une seconde plus tard, elle perçut une autre présence familière, et faillit pousser un juron. L'étoile cardinale d'Enrique était visible à des kilomètres à la ronde. Pas étonnant que le tueur se soit enfui.

Sascha eut envie de crier sa frustration. Au fond d'elle, quelque chose fit jouer ses griffes. Elle mourait d'envie de massacrer Enrique. Son arrogance risquait de coûter la vie à Brenna.

Cependant il ne contacta pas Sascha lorsqu'il parvint jusqu'à elle, semblant ne même pas détecter sa présence sur le Net, sans doute trop préoccupé par la faille qu'elle avait créée dans son bouclier. Il se mit à l'examiner avec attention. Sascha se demanda si seulement il comprenait ce qu'il était en train de regarder.

Elle aurait pu le soupçonner d'être le meurtrier, mais elle savait qu'il n'éprouvait aucune émotion. Il faisait partie des êtres les plus froids qu'elle ait jamais rencontrés, ce qui n'était pas peu dire pour un Psi. Rien en lui n'interpellait son empathie. Voilà sans doute ce qui la chiffonnait en permanence chez lui.

Sa mère aussi était froide, mais il émanait toujours d'elle – comme de beaucoup d'autres Psis d'ailleurs – une sorte de léger écho émotionnel. Les siens avaient peut-être enfoui leurs émotions, mais celles-ci étaient toujours là. Enrique, lui, semblait n'avoir jamais eu la capacité de ressentir quoi que ce soit.

— *Bonjour, Sascha*, lança-t-il poliment par télépathie.

— *Monsieur.*

— *Ton bouclier est fissuré.*

— *Merci, monsieur. J'ai commencé à le réparer. Rien de grave.*

378

Pourquoi le Conseiller avait-il pris la peine de le lui signaler ? Sa mère, encore, elle comprenait. Nikita avait tout intérêt à s'assurer que le secret de Sascha était bien gardé… de peur que sa propre position soit menacée si ça venait à se savoir.

D'ailleurs, Sascha se demanda pourquoi elle avait été autorisée à vivre. N'aurait-il pas été plus simple de l'éliminer une fois son handicap découvert ? À moins que même les Psis ne soient en fait pas capables de tuer leurs jeunes ? Puis elle se rappela Marlee et Toby et ce dernier espoir s'envola.

— *Tu as de très étranges processus mentaux.*

CHAPITRE 25

— *C*ertains de mes talents sont assez inhabituels, monsieur.

Elle ne lui révélait pas grand-chose. Elle pouvait parfaitement disposer d'un don de clairvoyance que sa famille aurait caché à ses concurrents, ou mille autres choses.

— *Je t'ai toujours considérée comme une femme intéressante, mais je ne t'aurais jamais crue si parfaite.*

Sascha en eut des frissons. « *Parfaite* » ? En quoi était-elle parfaite ?

— *C'est un très grand compliment, monsieur.*

Elle ne pouvait plus bouger. Le pouvoir d'Enrique s'étendait partout, il l'avait encerclée aussi furtivement qu'un léopard en chasse.

— *Je croyais que tu étais comme moi*, déclara-t-il avec une politesse tellement exagérée qu'elle en devenait moqueuse. *Mais tu es aussi tout autre chose.*

Si elle n'avait pas eu l'intention de se déconnecter du Net, elle se serait affolée en voyant que les boucliers d'Enrique s'étaient étirés car c'était un piège. Nikita le lui avait enseigné depuis bien longtemps. Parfois, il était utile d'avoir une mère dont le pouvoir reposait sur le meurtre et le poison.

Enrique pensait qu'elle était en communication télépathique. Une fois qu'il aurait fini d'encercler son étoile, il comptait l'attirer sur le PsiNet et refermer un bouclier sur l'être partiel qu'elle enverrait à sa rencontre. Durant les premières microsecondes après lesquelles un Psi se manifestait sur le PsiNet, il ou elle était vulnérable, le temps que ses boucliers mobiles se mettent en place. Personne, ou presque, n'avait le pouvoir de déclencher un piège durant cet intervalle infinitésimal.

Cependant, Enrique n'étant pas un Psi ordinaire, il en avait la capacité. S'il réussissait, il déconnecterait la partie mobile du psychisme de Sascha du reste de son esprit. Cette technique comptait parmi les plus brutales pour neutraliser le corps physique d'un Psi. Si la paralysie qui en découlait durait trop longtemps, la connexion entre être et esprit se brisait, entraînant la mort.

La partie mobile de la conscience de la victime disparaissait alors dans l'immensité du PsiNet. Certains prétendaient d'ailleurs que le Gardien du Net était né de ces débris d'esprits perdus.

—*Je ne suis pas sûre de comprendre, monsieur.*

—*Je pense qu'il est temps d'en discuter, Sascha.*

Il était partout à la fois. Froid et concentré comme le plus fin laser.

—*Je suis en pleine réunion.*

—*Annule.*

—*Ma mère m'a donné pour instruction de conclure l'affaire.*

Tout cela ne sentait pas bon. Elle ne comprenait pas où Enrique voulait en venir.

Il n'y avait rien de vraiment «incorrect» dans les processus mentaux qu'elle diffusait. Seulement des traces légères provenant des profondeurs d'une conscience changeling qu'un Psi normal n'aurait pas dû reconnaître à moins d'avoir déjà violé un de leurs esprits.

—*J'en ai assez de t'attendre sans arrêt. Si tu ne veux pas être convoquée par le Conseil, je te conseille de venir me voir. Immédiatement.*

—*Pour quelle raison le Conseil me convoquerait-il?* demanda-t-elle en y mettant toute l'arrogance d'une cardinale.

—*Tu es impure, Sascha. Tu penses comme eux. Comme ces animaux avec qui tu t'entends si bien.*

Prise de cours, elle faillit se trahir. Elle ignorait qu'Enrique ait jamais entretenu le moindre contact avec les changelings. Comment en avait-il reconnu la signature psychique?

—*Vous faites sûrement erreur.*

—*Je suis entré dans leurs esprits. Je sais exactement à quoi ils ressemblent.*

Son piège mental semblait se matérialiser. Jamais elle n'aurait pu le briser, même si elle en avait eu l'intention. Enrique était beaucoup plus puissant qu'elle l'avait imaginé, sans doute le plus puissant des cardinaux du Net.

—*Comment ça?*

Elle se débattait entre effroi et désespoir. L'envie de meurtre naissait de la rage, de la fureur, de la jalousie… Enrique n'éprouvait jamais rien. Comment pouvait-il être le monstre qui avait volé tant de vies?

—*Le Conseil aime connaître ses ennemis. Nous avons utilisé des volontaires pour étudier leurs processus mentaux.*

Il appuya sur la faille dans le bouclier de Sascha comme on enfoncerait un couteau dans une plaie.

—*Monsieur, que faites-vous?*

—*Je n'aime pas attendre, Sascha.*

Mais il aimait s'écouter parler.

—*Je termine cette réunion. Si je m'en vais tout d'un coup, ça compromettra tout ce qu'on a mis en place jusque-là. Je ne savais pas que le Conseil avait entrepris de telles recherches.*

—*Disons qu'il s'agit d'intérêts privés. Leurs femmes font les meilleurs sujets… Elles présentent une sorte de perfection.*

« *Je ne vous aurais jamais crue si parfaite.* »

—*Elles sont faibles. Elles éprouvent des sentiments. Tandis que les Psis sont parfaits.*

L'énergie d'Enrique tourbillonnait autour d'elle tel un vent froid et menaçant tandis qu'elle battait en retraite vers la porte dérobée de son bouclier extérieur. Elle devait rejoindre le reste de son esprit avant de se déconnecter du PsiNet. Si Enrique parvenait à infiltrer ses défenses, il détruirait Lucas en même temps qu'elle. *Non !* se dit-elle, furieuse. Son compagnon ne mourrait pas.

La forêt murmura dans son esprit. Le léopard tapi en elle était satisfait par ses pensées mais il garda son attention rivée sur Enrique, sur la menace qu'il représentait. Le léopard sortit les griffes et Sascha sentit un léger picotement dans le bout de ses doigts.

—*Les Psis ont dû supprimer toute émotion pour survivre, tandis que les changelings sont devenus plus forts sous la pression. Je dirais que ça en fait l'espèce la plus puissante.*

Lorsqu'il marqua une pause, Sascha s'immobilisa. Elle n'était pas encore entièrement rentrée dans ses boucliers.

—*Tu es prête, oui ou non ?*

—*Oui, monsieur.*

Elle laissa une très légère intonation de peur filtrer dans sa voix, le laissant repérer son émotion.

Les parois de l'esprit d'Enrique se teintèrent du bleu des profondeurs de l'océan. C'était effroyablement beau.

—*Sascha, Sascha. Tu es vraiment extraordinaire.*

Elle ne répondit pas, tout occupée qu'elle était à retourner dans son esprit. Le discours d'Enrique l'avait convaincue qu'elle avait affaire au tueur, pour l'en détromper une seconde plus tard. Comment aurait-il pu ? Ces femmes avaient été déchiquetées, leur esprit annihilé. Enrique ne ressentait aucune émotion négative. Ni rage. Ni colère. Ni haine.

Et s'il n'était là qu'à cause de cette faille sur son bouclier ? Et s'il avait bel et bien fait fuir le véritable tueur, celui dont la violence avait corrompu le Net peu avant son arrivée ? La déception lui nouait les entrailles. Elle ne pouvait se permettre d'échouer. Ne pouvait laisser son désir de vengeance plonger DarkRiver et les SnowDancer dans une guerre sanglante. Ils étaient son peuple à présent.

— *Tu es même encore plus parfaite que les femmes changelings.*

— *Qui étaient ces femmes ?* demanda-t-elle, presque arrivée devant la porte. *J'aimerais bien leur parler aussi. Les léopards ne me racontent rien.*

— *Je crains que ces expériences n'aient été un peu ardues. Ces femmes n'aiment pas laisser entrer les Psis dans leur esprit. J'ai dû les casser un peu pour me faire comprendre.*

Horrifiée, elle se figea.

— *Vous les avez tuées ?*

Lucas se jetait contre les parois de l'esprit de Sascha, prêt à sauter à la gorge d'Enrique.

— *Les animaux de laboratoire meurent souvent.*

Si elle avait été dans son corps physique, elle aurait vomi sur place. Il devenait clair comme de l'eau de roche qu'Enrique était ravi de tout lui raconter – à elle, son seul public – car il croyait l'avoir prise au piège, la tenir dans ses tenailles géantes.

— *Je sens comme une pression sur mon esprit*, murmura-t-elle.

Elle le sentait déjà. Mais ce n'était pas dangereux. Pas encore.

— *J'atteins les limites de ma patience. Soit tu me parles, soit je t'exécute. Je t'assure que le Conseil me soutiendrait totalement en apprenant que je l'ai débarrassé d'une Psi défectueuse.*

Ce fut le mot «défectueuse» qui la décida. Elle n'était pas défectueuse et les changelings n'étaient pas des animaux de laboratoire. C'étaient les êtres les plus beaux, les plus vivants, les plus passionnés qu'elle ait jamais rencontrés. Mais, avant de se retirer derrière ses boucliers, elle devait s'assurer qu'elle tenait bien le tueur.

— *Pourquoi soixante-dix-neuf?* demanda-t-elle doucement.

— *Mille neuf cent soixante-dix-neuf, Sascha, 1979. C'était ma façon de célébrer ce que je considère comme la véritable naissance de notre espèce.* (Il marqua une pause.) *Comment sais-tu cela?*

Il immobilisa pour un instant les murs qui menaçaient d'écraser l'esprit de Sascha.

Celle-ci en profita pour pousser la porte dérobée de son bouclier et la fermer derrière elle. Une seconde plus tard, elle entendit un claquement: l'esprit d'Enrique qui tentait d'enfoncer le sien, de le détruire. Des fissures se formèrent sur les boucliers extérieurs déjà endommagés.

— *C'est très malin, Sascha!* dit-il. *Depuis combien de temps te cachais-tu là?*

Elle ne répondit pas, essayant de réparer la porte juste assez pour se laisser le temps de passer au travers de sa deuxième couche de boucliers. Même d'aussi près, elle ne parvenait pas à détecter le sentiment de rage profonde qu'elle s'était attendue à trouver chez le tueur. Enrique ne ressentait rien. Pourtant, il tuait.

« Vous n'êtes qu'une race de psychopathes ! »

L'accusation de Dorian ressortit de quelque cavité oubliée de son esprit.

« Pas de conscience, pas de cœur, pas de sentiments ! Tu as une autre définition de "psychopathe" ? »

Lorsqu'elle comprit la véritable horreur de Silence, le choc fut si violent qu'elle en sentit frémir ses murs intérieurs. Mais ce n'était pas le moment de réfléchir. Enrique était sur le point de franchir ses boucliers extérieurs. Bloquant momentanément l'accès à son esprit, elle se précipita vers la deuxième couche au moment même où la première cédait.

Il était dans son esprit.

Sa puissance la submergea, une onde de douleur traversa chacun de ses synapses. Tremblante, elle renforça ses boucliers intérieurs avec toute la force qu'il lui restait et s'éloigna encore, jusqu'à se retrouver derrière une troisième couche. Enrique ne pourrait les forcer aussi aisément. C'étaient les murs naturels de l'esprit : ceux qu'il avait violés chez les femmes changelings qu'il avait enlevées. Elle ne doutait pas un instant qu'il finirait par les déchiqueter aussi si elle lui en laissait le temps.

Poussée par l'adrénaline, elle retrouva son lien mental avec le PsiNet. Même le piège d'Enrique n'aurait pu briser une connexion si profonde, si instinctive. Elle toucha le lien pour la dernière fois et murmura :

—Adieu.

Enrique lui envoya une nouvelle vague de douleur au moment même où elle se déconnectait. Tout s'arrêta. Le silence se fit dans l'esprit de Sascha. Elle était seule. Plus d'étoile dans l'obscurité, rien que le vide.

La mort était prête à l'accueillir.

Elle s'éveilla en hurlant dans les bras de Lucas. Une insupportable souffrance lui vrillait les nerfs et elle sentait son esprit qui essayait vainement de se reconnecter au Net. S'obligeant à penser malgré la douleur, elle cautérisa la plaie et cessa ces tentatives instinctives. Ça faisait mal. Autant que se prendre une balle à bout portant.

Comme si on l'écorchait vive. Son esprit ne cessait de hurler, réclamant l'énergie dont il avait tant besoin pour survivre. Incapable de respirer, elle s'agrippait au torse de Lucas, prise de claustrophobie, encore plus oppressée par l'obscurité que par les attaques d'Enrique. Elle allait mourir étouffée. Seule. Elle se sentait tellement seule.

Solitude. Ténèbres. Froid.

Ce que voyait Lucas dans les yeux de Sascha le terrifiait. Toutes les étoiles avaient disparu en un clin d'œil et, à présent, ne restait que l'ébène des profondeurs éternelles.

—Sascha!

Il la secouait, sans se préoccuper de tous ceux qui venaient de se précipiter dans la pièce au son de ses cris. Il ne se rendit même pas compte qu'il connaissait le nom du tueur, qu'il pouvait lancer la chasse. Seule Sascha comptait.

—Sascha!

Elle ne répondait pas. Ne semblait pas le voir.

Il n'était pas Psi, il ne pouvait entrer dans son esprit. Mais il pouvait l'ancrer d'une autre façon. La tenant par la nuque, il l'embrassa. Intensément. Impitoyablement, d'un baiser brutal et sauvage dans lequel se mêlaient tous les sentiments qu'il avait pour elle. Elle desserra son étreinte tout en restant accrochée à lui, comme si elle voulait se faufiler jusque dans son âme.

Seule. Si seule.

Il avait l'impression d'entendre ces mots dans son esprit. Avait-elle établi la connexion? Avait-elle tenu sa promesse? Était-ce pour cette raison qu'il sentait tant d'obscurité en elle? Il repoussa cette noirceur de tout son enthousiasme, de toute sa chaleur, serrant le corps de Sascha contre lui.

Quand il cessa de l'embrasser, le temps de la laisser respirer, elle gémit.

—Non, non, non, non.

Alors il l'embrassa encore et encore. L'obscurité semblait diminuer mais ne disparaissait pas. Pourquoi? Sascha était connectée à lui. Elle n'était plus seule. Plus jamais.

De nouveau, il se redressa et elle prit une longue inspiration.

—C'est le Conseiller Santano Enrique, dit-elle. Il ne ressent rien. Il ne sait pas pour nous. Il croit que je suis juste défectueuse.

Elle énonça cela d'un ton saccadé, comme si elle voulait cracher les informations avant de les perdre à jamais.

Lucas leva la tête vers Hawke, qui était arrivé le premier dans la chambre.

—Allez-y. Dorian. Vaughn.

Il croisa le regard du jaguar. Celui-ci hocha légèrement la tête. Il savait ce qu'il avait à faire: protéger Dorian de sa propre rage. Lucas ne pouvait pas les accompagner, pas alors que Sascha s'affaiblissait de seconde en seconde entre ses bras.

Hawke la regardait tâcher de reprendre sa respiration, comme si elle était chaque fois sur le point d'expirer.

—Qu'est-ce qui lui arrive?

Il tendit le bras pour empêcher les deux frères de Brenna de quitter la chambre pour se lancer à la poursuite de leur proie. Sa puissance était telle qu'ils s'arrêtèrent net alors même que leurs bêtes affleuraient la surface.

— Elle est mourante, dit Tamsyn en les bousculant pour venir lui caresser la joue.

Sascha sursauta.

— Enrique vit dans… euh…

Elle se mit à claquer des dents.

— Nous avons l'adresse, marmonna Hawke, ivre de fureur. Je m'en occupe, ajouta-t-il pour Lucas.

Il était temps à présent que le léopard fasse confiance au loup.

— Tu agis comme prévu.

Ils avaient mis leur plan au point le matin même, dans le but de protéger Sascha… pour toujours.

— Vas-y.

Il lui confiait la vie de sa compagne. En principe, cette partie du plan aurait dû incomber à Lucas mais, dans ces circonstances, celui-ci ne quitterait Sascha pour rien au monde.

— Ta Psi nous appartient aussi. On ne la laissera pas tomber.

Hawke se dirigea vers la sortie, suivi de Dorian, Vaughn et quatre loups.

Tamsyn jeta une couverture sur le corps tremblant de Sascha.

— Ça n'a pas de sens. Ton esprit devrait alimenter le sien.

C'est alors que Lucas comprit.

— Sascha, tu n'as pas établi la connexion, c'est ça?

Terreur et fureur se mêlaient pour mieux lui glacer le cœur.

Elle sourit et hocha la tête.

— Tu dois vivre.

— Tu avais promis! cria-t-il.

Sa compagne ne pouvait pas mourir… Cependant son beau regard se ternissait.

— Désolée…

— Non! Non! Le lien, bon sang! Connecte-toi!

Elle lui posa une main sur le cœur.

— Je t'aime.

Une seule larme coula de ses yeux qui viraient au gris.

— Tammy, fais quelque chose!

Les joues humides, la guérisseuse tremblait.

— Je ne peux pas, Lucas. Elle doit…

— Allez, Sascha! lui ordonna-t-il en l'écrasant contre lui. Ne me laisse pas tomber.

Dans un soupir, elle crispa les doigts. Néanmoins, elle ne rejoignit pas son esprit, n'effectua pas le geste qui achèverait la danse nuptiale.

— Sinon, menaça-t-il, je m'en prendrai directement aux Conseillers. Ils me pourchasseront et finiront par me tuer.

Mais sa compagne ne l'entendait déjà plus, les paupières closes, l'expression presque apaisée.

— Non! hurla-t-il de rage. Je ne te laisserai pas mourir! Tu m'appartiens et je ne te laisserai pas me quitter. Tu es à moi. À moi!

Le léopard émergea en rugissant.

Ce fut alors qu'il le perçut. Cette connexion entre eux qui s'établissait. La bête la reconnut bien qu'elle ne l'ait jamais ressentie auparavant. Elle en fut assez apaisée pour laisser Lucas réfléchir, tenir le choc tandis que le pouls de Sascha ralentissait. Fermant les yeux, il entreprit de l'alimenter. Sans savoir ce qu'il faisait vraiment, simplement attaché à maintenir ce lien qui garderait sa compagne en vie.

Au bout d'une longue minute, elle battit des cils. L'anthracite de ses iris faisait de nouveau place à l'ébène.

— Lucas? Qu'est-ce qui se passe?

— Tu vas vivre, décréta-t-il.

Il la sentit qui cherchait puis trouvait le lien, la sentit essayer de le briser – il en eut le souffle coupé – mais elle n'avait pas ce pouvoir. Ce lien n'était pas Psi, il était changeling, incassable. Le félin sourit : désormais, il pourrait lui-même assurer sa protection.

— Arrête, murmura-t-elle. Ne fais pas ça ! C'est ta force vitale que tu me donnes. C'est encore pire que si je ne faisais qu'accepter le lien pour qu'il me garde en vie.

— Alors accepte, parce que je ne vais pas arrêter.

Il continua de déverser en elle sa force vitale.

— Quelle tête de pioche ! s'emporta-t-elle.

— Accepte.

Elle laissa retomber les barrières qu'elle avait érigées afin d'éviter leur union. Elle devenait soudain un arc-en-ciel en lui, fontaine jaillissante d'une telle beauté qu'il se sentit bienheureux d'avoir été élu. Un instant, leurs esprits ne firent plus qu'un et il put constater avec quel désespoir, quelle violence, quelle passion elle l'aimait ; assez pour briser une promesse, pour choisir la mort afin de le sauver.

Elle vit combien son léopard l'adulait, que son cœur ne battait que pour elle, que sa vie ne serait plus que mort si elle venait à disparaître. La bête lui en voulait d'avoir tenté de le refuser comme compagnon, et l'homme en était encore plus furieux mais, au-delà de la fureur, il y avait le désir, le besoin, l'amour. Un amour si intense, si farouche qu'il n'avait ni début ni fin.

Elle recula dans un soupir, laissant leurs deux esprits se séparer, reprendre le cours de leurs propres pensées. Quelque part, Lucas savait que, s'il parvenait jamais à le lui demander, elle s'ouvrirait de nouveau à lui. Elle était sienne, il était sien. Tous deux avaient le privilège du contact fusionnel.

Elle leva de grands yeux noirs en larmes sur lui.

— Je t'ai tué! Je t'ai tué! Je t'ai tué!

Sascha savait à quel point Lucas lui en voulait, mais elle-même était hors d'elle. Comment avait-il osé lui forcer ainsi la main? Peu importait que leur union soit incontrôlable, en ce qui la concernait, s'il avait accepté de la laisser partir, comme elle le voulait, le lien ne se serait pas établi. Elle se nourrissait de la vie de Lucas afin de reprendre des forces, au risque de la lui ôter. Maudit soit-il!

Dix heures s'étaient écoulées depuis l'exécution du plan. Épuisé par ses tentatives de prendre Sascha au piège, Enrique n'avait pu déployer assez de puissance pour résister aux changelings. Si bizarre que cela puisse paraître, il avait gardé Brenna dans son grand appartement insonorisé. Enrique y avait été en sécurité car aucun Psi n'aurait pu ressentir la douleur de la jeune louve. Elle était vivante. Les soldats de DarkRiver et SnowDancer s'étaient aussi assurés que Sascha ne risquait rien. Nul n'irait la prendre en chasse, ni elle ni les changelings.

— Nous lui avons fait payer, lui dit Hawke dans le séjour du refuge. (Son regard incluait Dorian.) Et nous leur avons laissé un message. S'il devait t'arriver quoi que ce soit, nous nous en prendrions à chaque membre du Conseil, que ce soit lui ou non qui ait lancé ses chiens. Ce que nous avons fait à Enrique prendrait alors des allures de plaisanterie.

Sascha ne connaissait que trop bien les Conseillers.

— Comment peux-tu affirmer qu'ils se tiendront tranquilles?

— Tatiana Rika-Smythe a trouvé dans sa chambre un coffret de velours contenant notre message agrafé à la langue d'Enrique. Le reste de la tête est revenu à Nikita. (Le souffle court, Sascha en resta muette.) Chaque Conseiller recevra en cadeau personnel une partie d'Enrique… Je songe à les faire déposer sur leur oreiller.

Sascha saisit la main de Lucas.

—Comment as-tu pu…?

—Nous ne lui avons rien fait de plus que ce qu'il avait fait à ces femmes, grinça Dorian. Et encore, il avait violé leurs esprits.

Elle perçut alors son angoisse, que la vengeance n'avait pas apaisée, et comprit qu'il avait besoin de savoir qu'elle approuvait cet acte. Elle était la compagne d'un chef de meute et, pour la première fois, elle comprenait ce que cela impliquait. Sans trop savoir ce qu'elle faisait, elle traversa la pièce et prit le visage de Dorian entre ses mains. Il se calma. Et quand elle déposa un très léger baiser sur ses lèvres, il poussa un profond soupir.

CHAPITRE 26

Lucas ne grogna pas, ne manifesta aucune jalousie. Elle ne faisait qu'agir au nom de la meute, pour apaiser et témoigner son affection. Parfois le meilleur moyen de rassurer les mâles les plus puissants consistait en un simple baiser, qu'ils pouvaient accepter beaucoup plus sûrement que des paroles amicales. Elle se demandait juste d'où elle le savait.

En reculant, elle ressentit un coup au cœur. Dorian la contemplait comme si elle faisait partie de la meute, sans l'ombre d'un doute. Et c'était désormais le cas. Pour les deux mois à venir. Jusqu'à ce qu'elle entraîne Lucas dans l'inconscience et la mort.

— Ce n'est pas tout, intervint Hawke. Ils savent que nous sommes au courant du taux de violence dans la population Psi. Enrique a fait des aveux complets devant la caméra. Il ne s'est pas fait prier.

— Jamais ils ne laisseront filtrer une telle information. Ce serait reconnaître que Silence a échoué.

Sascha regarda son compagnon se rapprocher d'elle et sentit un élan de passion brûlante s'éveiller au fond d'elle-même. Même si elle lui en voulait, elle ne pouvait nier la puissance de son désir pour lui.

— Ce qui ne serait pas une mauvaise chose, dit Tamsyn.

— Seulement si on peut mettre autre chose en place. Il ne faut pas commettre la folie de répandre de telles nouvelles sans en gérer les retombées. L'onde de choc serait telle qu'elle paralyserait des milliers d'innocents. Ce genre d'événement se produit peut-être au plan psychique, mais a d'incommensurables effets physiques.

Elle ne le savait que trop. Rien ne l'avait préparée à la souffrance qu'elle endurait. Lucas vint la prendre dans ses bras.

— Je me demande comment ils vont justifier ton absence.

— Nous leur avons suggéré, dit Hawke, d'expliquer qu'une différence dans ces processus mentaux l'a poussée à s'unir avec un changeling, d'où sa déconnexion du Net. (Il haussa les épaules.) Qu'ils en pensent ce qu'ils veulent du moment qu'ils ne la touchent pas.

— Ça va faire bouger pas mal de choses quoiqu'ils fassent.

Lucas la serra dans ses bras musclés. Rien ne lui avait jamais paru aussi agréable.

Léopards et loups venaient d'accomplir l'impossible : mater le Conseil. Mais pour Sascha la victoire était douce-amère.

Trois jours plus tard, les loups demandèrent à Sascha de venir leur rendre visite dans leur tanière quelques minutes à peine après qu'elle se fut entretenue avec Nikita. Celle-ci venait de lui annoncer qu'elle était officiellement évincée de la famille Duncan.

— Tu n'es plus une Psi. Ton esprit est trop défectueux. Il ne supporterait même plus la connexion avec le PsiNet. Il est clair que tu n'as jamais été destinée à en faire partie.

C'était donc ainsi que le Conseil allait gérer ça.

— Non, mère, je suis parfaite.

Nikita n'avait pas tiqué.

— Notre projet avec DarkRiver... nous aimerions le mener à terme. C'est à cause de ton étrange... connexion avec Lucas Hunter que nous t'avons autorisée à quitter le Net. Nous n'allions pas détruire nos relations d'affaires avec les félins et les loups à cause d'une Psi défectueuse.

Sascha comprit le message. Tout Psi connaissait l'importance des affaires.

— Le marché sera respecté, rassure-toi.

Sascha avait coupé la communication avant de se mettre à pleurer.

Lucas était venu la consoler et, lorsque les loups lui avaient demandé de venir, il n'avait pas essayé de l'en empêcher.

— Brenna est mourante, annonça Hawke dès leur entrée dans les tunnels.

Sascha songea aussitôt à cette extraordinaire force de caractère qu'elle avait un jour croisée dans l'obscurité. Une telle lumière ne pouvait s'éteindre.

— Non! Je veux la voir.

Brenna gisait sur un lit sous une couverture d'un bleu céruléen. Tamsyn et une autre femme, sans doute la guérisseuse des SnowDancer, s'entretenaient à voix basse dans un coin de la pièce. La jeune louve avait les cheveux presque rasés, comme si on avait cherché à la priver de sa féminité, le visage et le cou couverts de bleus. Mais ce n'était pas ce qui navrait Sascha. Elle ne voyait que la lueur vacillante dans l'esprit de la malheureuse.

Elle mit ses mains autour de la flamme.

— *Ne lâche pas, Brenna.*

Silence.

— *Tu me connais. Je ne te ferai pas de mal.*

— *Tu as menti.*

Accusation à peine murmurée.

— *Quand?*

— *Tu as dit que la meute allait venir me sauver.* (Souffrance et trahison.) *Mais je suis seule.*

Clignant des yeux, Sascha se tourna vers Hawke.

— Était-elle consciente quand vous l'avez trouvée ?

— Non. Les médecins humains ont dit qu'ils ne pouvaient rien faire pour elle, alors nous l'avons ramenée ici.

Des médecins humains car plus personne ne faisait confiance aux M-Psis.

— Elle ne sait pas qu'elle est rentrée chez elle, leur assura Sascha. Il faut lui parler. La toucher.

Sans émettre d'objection, le loup se dirigea vers le lit et se mit à caresser le visage tuméfié de Brenna avec une douceur inattendue, qui rappelait les attentions d'un père envers sa fille. Les deux frères de Brenna s'approchèrent à leur tour, l'un lui prit la main, l'autre s'agenouilla pour mieux lui caresser les cheveux. Il y avait quelque chose de déchirant à regarder ces mâles prédateurs, habitués à protéger leurs femmes, qui s'efforçaient de rester forts alors qu'ils avaient le cœur brisé.

Dans l'obscurité de l'esprit de Brenna, Sascha murmura :

— *Tu es chez toi, là.*

— *Menteuse.*

— *Tu ne les sens pas ? Hawke, Riley, Andrew… ils sont là, ils t'attendent.*

S'ensuivit un silence tellement plein d'espoir terrifié que Sascha frissonna.

— *Ils t'ont trouvée. Ils ont vengé ton honneur.*

Elle était unie à un chef Chasseur. Elle connaissait la valeur de la vengeance, l'importance de l'honneur, le pouvoir de la loyauté.

— *Ne les fais pas attendre plus longtemps… sinon leurs cœurs vont exploser.*

—Je n'en peux plus. (Les larmes lui brisaient la voix.) *Et si ce n'était qu'un rêve, si tu n'étais qu'un rêve, si je me réveillais devant lui ? Je ne pourrais plus jamais lui échapper et je suis tellement fatiguée…*

Sascha repensait à ce qu'avait été Brenna avant Enrique, à ce qu'elle était restée au fond d'elle-même. Elle songeait à Rina et à Mercy, à leur volonté, à leur fierté.

— Tu as un grand cœur et tu t'es battue avec courage. Si tu veux glisser dans le sommeil éternel, personne ne te jugera, tu as gagné la paix.

—Je ne veux pas mourir.

—Alors vis.

Sascha ne plaisantait pas. Elle ne lui disait que la pure vérité : Brenna avait gagné le droit de mourir.

— Tu nous manqueras.

— Qui es-tu ?

—Je suis Sascha, la compagne de Lucas Hunter, une des guérisseuses de DarkRiver.

Elle n'était plus une femme sans attaches, elle n'appartenait plus à un peuple qui la punissait pour ses dons. Elle parlait avec fierté. Acceptée, plus qu'acceptée, par sa nouvelle famille, elle ne regretterait jamais ce qu'elle avait été.

—Sascha, je suis brisée.

—Moi aussi je l'étais, Brenna. (Ce disant, elle étreignait son esprit submergé.) *On peut soigner ce qui est brisé.*

—Aide-moi. (La voix était résolue, la flamme vacillante se redressait.) *Je ne céderai pas à la mort. Aide-moi à revenir à la réalité… la pure réalité.*

Si elle admirait le courage de la jeune femme, Sascha ne pouvait s'empêcher de redouter qu'elle ne puisse assumer tant de douleur. Néanmoins, elle ne lui montra que son admiration.

—Je suis là.

Lentement, elle guida son esprit brisé à travers les décombres de sa lucidité.

— *On peut en sortir un jour ?* demanda Brenna, consciente des dégâts qui lui avaient été infligés.

— *J'ai pour mission de te guérir, je suis née pour ça.*

Elle y passerait le reste de sa vie s'il le fallait, mais elle guérirait Brenna.

— *Ramène-moi chez moi, Sascha.*

Celle-ci rouvrit les yeux environ une heure après avoir parlé avec Hawke, pour se retrouver sur le lit, assise à côté de Brenna, serrant la main de la jeune femme. Elle ne se rappelait pas être venue là, ni avoir posé son autre main sur celle de Lucas. Hawke et les frères de Brenna se tenaient autour du lit.

— Réveille-toi, répéta-t-elle en lui embrassant le front.

La louve battit des paupières puis finit par ouvrir les yeux, arborant une expression méfiante.

— Salut, belle endormie ! s'écria Sascha en souriant.

Brenna cilla. L'un de ses frères étouffa ses pleurs et vint lui embrasser le visage.

— Bren ! Bon sang, Bren, tu nous as fait une de ces peurs !

Sascha se releva. Il était temps de laisser les loups partager leur joie et s'occuper de Brenna, lui prodiguer tout leur amour. Elle reviendrait plus tard l'aider dans sa convalescence, mais elle en avait assez fait pour la journée.

— On rentre, dit-elle à Lucas.

Il l'embrassa sur le nez.

— Toujours furieuse, ma chérie ?

— Oui.

Elle l'étreignit avec vigueur, plus affectée que jamais de l'avoir condamné à mort.

Sascha attrapa Julian pour lui gratter le ventre. Le jeune léopard ronronnait, en demandait plus et elle continuait en riant. C'était une semaine après sa rencontre avec Brenna. Tammy était partie pour la journée et, quand elle avait demandé à Sascha de garder les petits, celle-ci avait sauté sur l'occasion. Dans le repaire de Lucas, elle avait accueilli d'adorables garçonnets en jean et tee-shirt mais, quelques minutes plus tard, elle avait trouvé deux petits léopards en train de mâchonner ses bottes.

— On dirait que vous vous amusez bien, lança Lucas depuis l'entrée avec un sourire forcé.

Une certaine tension régnait entre eux. Elle lui en voulait toujours autant de lui avoir rendu la vie au prix de la sienne. Elle le regarda soulever Roman et le laisser lui griffer son tee-shirt, tout en se disant qu'elle allait devoir changer d'attitude.

Combien de temps leur restait-il à vivre ? Un mois, peut-être deux. Son homme était extraordinaire et il savait aimer, ressentir, se battre pour sa compagne de toute la force de ses émotions. S'il n'avait pas tant lutté, s'il ne lui avait pas forcé la main, ce ne serait pas l'homme qu'elle adulait si désespérément.

— Je t'aime, Lucas, murmura-t-elle.

Il posa son regard vert sur elle.

— Alors fini les coups de griffe, chaton ?

— Je suis tellement heureuse de t'avoir.

Il avait l'air de vouloir se jeter sur elle et l'embrasser jusqu'à ce qu'elle crie grâce. Mais c'était impossible avec ces deux petits léopards qui gigotaient dans leurs bras. Ils échangèrent un regard et cela les fit éclater de rire. Vivre enfin.

Cette nuit-là, elle lui demanda de changer de forme pour elle. Sans un mot, il se déshabilla et le monde se métamorphosa en un chatoiement multicolore. C'était beau à couper le souffle. Et soudain, un énorme félin se retrouva près d'elle sur le lit.

Elle avait beau savoir que c'était Lucas, cela lui fit un peu peur. Mais pas assez pour laisser passer une telle occasion. Lentement, elle tendit la main vers lui pour caresser sa fourrure noire. Jamais elle n'avait rien éprouvé de semblable. Grâce au lien qui les unissait, elle l'avait senti courir, elle avait perçu sa joie dans le vent de la forêt, elle l'avait vu vivre sa vie, tout simplement. Mais c'était la première fois qu'elle pouvait toucher ce félin qui l'habitait.

Quand il émit un son qui ressemblait étrangement à un ronronnement, elle se mit à rire.

— Tu aimes les câlins, sous ta forme d'homme autant que d'animal.

Le léopard lui montra les dents et elle fut de nouveau éblouie. Elle demeura parfaitement immobile jusqu'à revoir Lucas nu à côté d'elle. Seul le tatouage sur son épaule évoquait encore sa nature animale.

— Waouh!

— Eh oui! Je suis la plus belle bête que tu aies jamais vue, dit-il avec un sourire plein de suffisance.

Riant, elle le laissa la taquiner, lui apprendre à vivre dans l'instant présent, à aimer sans crainte ni remords, à vivre, tout simplement.

— Il y a quelque chose qui ne va pas, lui dit-elle un mois plus tard.

Il posa la main sur sa poitrine et passa une jambe sur ses genoux.

— Quoi? demanda-t-il tranquillement.

Déjà, elle sentait son corps fondre de désir.

— Je ne me suis jamais sentie mieux. Tu n'as pas bougé. Tous mes symptômes physiques ont disparu et je ne crois pas qu'ils vont revenir.

— Et ça te tracasse ?

— Non, je ne plaisante pas. Normalement, tu ne devrais pas pouvoir alimenter mon esprit tout en continuant à si bien fonctionner toi-même.

Cessant de la caresser, il glissa une paume sur ses côtes. Elle savait très bien qu'il avait perçu son inquiétude.

— Tu crois que c'est le calme avant la tempête ?

— Non. Ça devrait commencer par une petite pluie.

Elle regardait le plafond couvert de feuilles. Ça ne gênait pas Lucas de voir les arbres envahir peu à peu sa demeure et elle-même commençait à l'accepter, même si de temps à autre, elle était prise d'une furieuse envie de tout nettoyer.

— Ça t'ennuierait si je fouillais un peu dans nos esprits ?

C'était la première fois qu'elle lui demandait ça depuis leur union.

— Tu sais tout ce qu'il y a à savoir, chaton.

— Je ne regrette pas que Tammy me l'ait dit, le taquina-t-elle.

Ils avaient fini par évoquer la famille de Lucas quelques jours auparavant. Elle l'avait serré contre elle tandis qu'il faisait remonter les souvenirs à la surface. Il portait les cicatrices de cette ancienne blessure sur son âme, comme des marques laissées par les êtres chers qu'il avait perdus.

— Je m'en doutais. Vous êtes beaucoup trop proches toutes les deux, dit-il sans colère. Mais vas-y. Fouille.

Elle ferma les yeux et, instinctivement, se blottit contre lui afin de se sentir encore plus proche, par le corps autant que par l'esprit. Son regard mental ne la ramena pas vers le niveau étoilé auquel elle était habituée, pas plus que vers le vide obscur. Elle découvrit une toile au centre de laquelle brillait la lumière de Lucas, aussi brillante que celle d'un cardinal quoique plus pure, plus intense, chaude et non froide.

Sa lumière était arrosée d'étincelles arc-en-ciel qui ne pouvaient provenir que de Sascha. Cela lui arracha un sourire. À présent qu'elle était libérée, elle éclaboussait tous ceux qui l'entouraient, exactement comme elle l'avait imaginé. Cependant, elle comprenait désormais que ces éclats d'arc-en-ciel guérissaient. C'était leur absence sur le PsiNet qui avait rendu les Psis si cruels, incapables de différencier le bien du mal.

Toute la toile scintillait de couleurs.

La toile.

—Comment peut-il y avoir une toile avec seulement deux personnes ? lança-t-elle à haute voix.

Lucas l'embrassa dans le cou et fit courir ses doigts le long de son corps, l'ancrant dans le monde physique par son simple toucher. Elle-même traçait sur la peau soyeuse du dos de Lucas ses déplacements à travers les fils de la toile.

Au bout d'une de ces fibres scintillait une lumière à la fois féminine et empreinte d'une force martiale. Deux autres s'achevaient en ardentes étoiles viriles.

L'une de ces étoiles dessinait un nouveau sillage qui courait vers une belle et douce flamme brûlant du plus pur amour. Cette lumière se répartissait elle-même en deux petits phares dont les faisceaux se rejoignaient sur l'étoile mâle.

Un autre fil menait de Lucas à une lueur brisée, martyrisée mais peu à peu ranimée par l'arc-en-ciel qui se glissait dessus lorsque l'esprit ne regardait pas. Quant à la dernière lumière, elle était unique en son genre, dorée, puissante, pure comme celle de Lucas quoique terriblement différente.

—Tu es connecté à cinq autres, murmura-t-elle.

— Bien sûr, lui chuchota-t-il dans le cou. Les sentinelles ont prêté serment avec leur sang.

Elle en rouvrit brutalement les yeux. Mercy, une femme soldat, Clay et Nate, la force à l'état pur. C'était la ligne de Nate qui se rattachait à une autre, Tamsyn, sa compagne. Dorian, brisé mais en rémission, Vaughn, jaguar et non léopard. Elle chercha ensuite sa propre étoile cardinale.

Et la trouva, mêlée à la lumière de Lucas, ces jaillissements arc-en-ciel qui le traversaient de toutes parts sans l'altérer ; au contraire, ils semblaient plutôt le renforcer, comme s'ils en comblaient la plus petite fissure. Non pas qu'il ne ressente aucune émotion négative, mais il parvenait à regarder au-delà.

— Lucas !

Elle le bouscula jusqu'à ce qu'il se redresse et pose sur elle son regard de félin en chasse.

— Qu'est-ce qu'il y a ? s'inquiéta-t-il.

— Rien, murmura-t-elle en se mettant à trembler. Rien. Tout est parfait !

— Chaton, tu me fais peur. (Il l'embrassa.) Qu'est-ce que tu as vu ?

— Tu fais partie d'un réseau, Lucas. L'énergie que tu me donnes est renforcée par les sentinelles et Tamsyn.

Il réfléchit un instant.

— Le serment de sang nous lie, les sentinelles et moi, au plan psychique ?

— En quelque sorte. Je ne comprends pas comment… Personne n'a jamais vu ça… Les Psis ignorent que les changelings peuvent se connecter ainsi.

Quelque part, elle avait envie de partager cette extra-ordinaire découverte, mais d'un autre côté elle savait qu'il fallait la garder secrète, telle une arme incomparable.

— Tu ne savais pas ? reprit-elle.

— Non. Je savais que les sentinelles m'accordaient leur loyauté, mais nous ne sommes pas Psis.

— Vous avez le potentiel de développer des pouvoirs Psis. C'est le cas de tout le monde. N'oublie pas que nous sommes tous partis du même point. Finalement, Sienna Lauren avait raison.

— Pourquoi Tamsyn apparaît-elle dans la toile ? (Il trouva la réponse de lui-même.) Parce qu'elle est liée à Nate par l'union. Et les petits ?

— Ils sont là aussi.

— Pourquoi pas les parents et les frères et sœurs ?

— Je suppose que nous nous détachons des parents en grandissant. Nous les aimons sans y rester inextricablement liés. Les petits finiront aussi par s'éloigner le moment venu. Quant aux frères et sœurs, leurs attaches ne sont peut-être pas assez fortes. D'après ce que je vois, seules les unions amoureuses et les serments de sang fonctionnent comme des liens psychiques.

— Je comprends. L'union d'un couple est en partie psychique. Quant au serment de sang… je suppose que ce n'est pas sans raison que la tradition a été transmise à travers les siècles…

Alors qu'elle examinait de nouveau la toile, elle lui agrippa soudain la main.

— Quoi ?

— C'est fabuleux ! Moi, la Psi solitaire, je produis aussi un effet multiplicateur. Notre toile explose d'énergie.

Elle n'était pas capable de l'expliquer mais, désormais, elle avait toute la vie pour chercher.

Tous deux restèrent un moment silencieux.

— Sascha, qu'est-ce que ça signifie ?

— Que nous sommes sauvés, articula-t-elle, encore à demi-incrédule. Sept esprits adultes qui alimentent la toile… pour me donner ce dont j'ai besoin. C'est plus que suffisant.

Lucas la serra contre sa poitrine et roula sur le dos.

— Tu es sûre ?

— Oui, dit-elle en lui baisant le torse, le cou, le menton. Oui ! Merci d'être têtu comme une bourrique !

Il ne lui rendit pas ses caresses mais la tenait si serrée qu'elle pouvait à peine respirer.

— Tu as failli te suicider pour rien.

— Non, Lucas. J'ai survécu grâce à toi. Et je ne me souviendrai que de ça.

— Il va me falloir longtemps pour te pardonner.

Elle eut envie de crier de joie.

— On a tout le temps.

ÉPILOGUE

Cette même semaine, ils organisèrent une réunion avec les sentinelles et Tamsyn. Les léopards se prélassaient dans le séjour du repaire.

— Tu peux entrer dans nos esprits ? demanda Mercy.

— Seulement si vous m'y autorisez. Je ne le ferais jamais sans votre accord… Je ne peux pas.

Elle savait qu'elle s'adressait aux membres les plus indépendants de DarkRiver. Ils seraient furieux de présenter une quelconque vulnérabilité.

— Mais je sais que tu fais quelque chose pour moi, déclara tranquillement Dorian. Je me demandais ce que c'était. Ça me donne la même impression qu'avant… quand j'avais envie de te sauter à la gorge.

— Désolée, Dorian. Là, je n'y peux rien.

Pourtant, la sentinelle lui adressa un demi-sourire.

— Ça ne me dérange pas quand tu m'embrasses.

Elle espéra rougir.

— Ça ne se passe pas comme ça.

— Un câlin alors… Ça fait du bien.

Dans un silence gêné, ce fut Clay qui prit la parole :

— Moi, je ne sens rien du tout.

Sascha se demandait quoi répondre mais Dorian le fit à sa place.

— Parce que tu n'as pas besoin d'être rafistolé. N'est-ce pas, Sascha ?

— En quelque sorte, soupira-t-elle. Dorian est un peu plus abîmé que vous autres. Une fois qu'il sera remis sur pied, mes dons d'empathie ne l'affecteront pas davantage que vous.

Les étincelles guérissaient, mais au degré de l'inconscient. Dorian ne les ressentait que parce qu'il était encore profondément meurtri.

Lucas, qui se tenait derrière elle dans le petit couloir menant à la cuisine, lui serra les épaules.

— Maintenant, annonça-t-il, nous vous donnons le choix. Sascha dit qu'elle peut libérer certains d'entre vous de la toile, sans difficulté.

— Dis-moi, s'enquit Tamsyn, c'est facile de se glisser dans nos esprits et d'en sortir ?

— Non, chacun a ses boucliers naturels de protection. Sur le PsiNet, les seuls esprits ouverts appartenaient aux exhibitionnistes. Vos esprits sont tous fermés. Pour y entrer sans votre consentement, je devrais vous ouvrir en deux.

— Et donc nous tuer, dit Vaughn, les yeux brillants.

— Oui. (Elle refusait de leur mentir, de leur faire croire qu'elle ne pouvait pas les atteindre.) Mais je suis empathe. Si je vous fais du mal, ça me reviendra par ricochet.

— En passant ce serment de sang, dit Vaughn, j'ai juré de sacrifier ma vie pour Lucas. En tant que sa compagne, tu as droit à la même promesse.

Elle s'était pourtant attendue à la révolte du jaguar, du solitaire.

— Oui, Sascha chérie, dit-il en la toisant de toute sa dangereuse splendeur. Ma vie est à toi.

Elle en eut le souffle coupé lorsqu'il déposa un léger baiser sur sa bouche avant de sortir, forme floue et dorée bondissant de la plate-forme du repaire.

Abasourdie, Sascha s'adossa contre Lucas tout en regardant Dorian s'approcher.

— Je t'appartiens depuis le jour où tu as partagé ma peine.

Il lui prit la main, lui baisa les doigts avant de partir à son tour, dans la même direction que Vaughn.

Mercy se détacha de ses coussins pour venir se planter devant elle ; son beau visage restait sévère mais une lueur rieuse illuminait son regard.

— Et si tu me révélais ce que certains mâles ont derrière la tête ?

— Le seul que je connaisse assez pour cela, dit Sascha en souriant, c'est celui-ci. (Elle se tourna vers Lucas pour l'embrasser.) Et je garde ses secrets pour moi.

Mercy la serra dans ses bras en riant.

— Je suis une sentinelle. J'ai juré de me battre pour Lucas jusqu'à la mort. S'il te fait confiance, moi aussi. À plus tard, je vais rattraper Dorian.

C'était le tour de Clay, la plus distante des sentinelles, celui qui ne la touchait jamais, celui dont elle craignait qu'il accepte son offre. Elle en avait discuté avec Lucas et tous deux avaient décidé d'attendre sa réaction avant de tirer des conclusions négatives.

L'homme à la peau sombre se plaça devant elle.

— Mon esprit n'est pas à un endroit qui te plairait, laissa-t-il tomber.

Elle ressentait sa froideur, sa maîtrise, se demandait ce qu'il y avait derrière.

— Je ne viendrai que si j'y suis invitée.

Il lui toucha la joue et elle comprit qu'il acceptait. Il disparut quelques instants plus tard. Ne restaient que Nate et Tamsyn. La guérisseuse souriait.

—Tu sais que je ne dirai jamais « non », et Nate t'est aussi dévoué. Je crois qu'il aime notre chef plus que moi.

—C'est faux, grommela celui-ci. J'aime peut-être le football plus que toi, mais sûrement pas la sale gueule de Lucas.

Sascha éclata de rire ; pas un instant elle ne doutait que ces deux-là étaient fous l'un de l'autre. La toile parlait d'elle-même. Elle brillait de lumière, d'arcs-en-ciel, d'amour.

—La Toile céleste, souffla-t-elle.

—C'est à ça que ça ressemble ? ronronna Lucas à son oreille.

—Oui.

Le PsiNet semblait lugubre et désert comparé à la Toile céleste, déflagration de couleurs et d'émotions, issue non de la simple nécessité mais de nombreux choix. Le choix de la loyauté, le choix de l'émotion…

—J'ai tant de choses à apprendre, soupira-t-elle.

Ses pouvoirs grandissaient, changeaient, évoluaient.

—Nous avons toute la vie.

Faisant volte-face, elle l'entoura de ses bras, rejeta la tête en arrière tandis qu'il la faisait tournoyer. Son rire éclata à travers la Toile céleste, reflétant une joie qui s'empara de tous les esprits présents. Une petite toile, mais en cet instant elle était infiniment plus puissante que le PsiNet ne pourrait jamais espérer le devenir.

Découvrez un extrait
de *Visions torrides*
tome 2 de **Psi-changeling**

(version non corrigée)

Traduit de l'anglais (Nouvelle-Zélande)
par Claire Jouanneau

PROLOGUE

DÉMENCE

L'aliénation mentale.

La première cause de mortalité chez les C-Psis avant Silence.

Mourir de folie ? Une dure réalité, pour les C-Psis. Ils s'abîmaient dans les visions du futur créées par leurs esprits, au point qu'ils en oubliaient de manger, de boire et, dans les cas extrêmes, de faire battre leurs cœurs. Les Psis étaient définis par leurs esprits, et une fois que ceux-ci étaient perdus, leurs corps ne pouvaient plus fonctionner.

Mais le sort des défunts était enviable. Ceux qui avaient plié sous la pression des visions et pourtant survécu n'étaient plus doués de sensations, ils n'éprouvaient absolument plus rien, leurs esprits emprisonnés dans un monde où le passé, le présent et le futur entraient en collision et volaient en éclats dans un cycle qui se répétait sans fin. Le temps se fissurait et ils se brisaient avec lui.

Étrangement, les C-Psis avaient été partagés quant à la mise en œuvre du protocole Silence. Certains avaient pensé que ce serait un cadeau précieux de ne pas éprouver d'émotions, que cela les mettrait à l'abri de la démence, à l'abri des illusions hideuses produites par leurs esprits… *à l'abri*. D'autres avaient considéré Silence comme une trahison de leurs propres dons. Les C-Psis avaient arrêté d'innombrables massacres, sauvé d'innombrables vies et plus généralement fait le bien autour d'eux, mais ils avaient accompli tout cela avec leurs émotions. Sans elles, leurs aptitudes bien qu'estropiées devenaient contrôlables.

Cela avait pris dix ans, mais les partisans de Silence avaient remporté la bataille mentale qui avait fait rage sur le PsiNet, opposant des millions d'esprits. En conséquence, les C-Psis avaient cessé de prédire la noirceur humaine de l'avenir et s'étaient retirés derrière les murs rassurants du monde des affaires. Au lieu de sauver des innocents, ils étaient devenus les outils les plus puissants de nombreuses entreprises Psis. Le Conseil Psi avait déclaré que leurs services étaient trop précieux pour qu'on les partage avec les autres races, et progressivement, les C-Psis avaient disparu de la sphère publique.

On dit qu'ils préfèrent rester loin du feu des projecteurs.

Ce que très peu savent, ce que le Conseil cache depuis plus d'un siècle, c'est que même s'ils sont riches et choyés, les C-Psis, qui étaient autrefois résilients, sont devenus les plus fragiles des créatures. Quelque chose dans leur capacité à entrevoir les fils enchevêtrés des avenirs possibles les rend incapables de fonctionner véritablement dans le monde réel ; ils ont besoin d'une surveillance et de soins de tous les instants.

Les C-Psis se déplacent rarement, se mêlent rarement aux autres, agissent rarement à un niveau autre que mental. Certains d'entre eux sont presque muets, capables de communiquer leurs visions, et seulement leurs visions, grâce à un ensemble de sons inarticulés ou, dans les cas les plus sévères, par le dessin ou le mime. En dehors de cela, ils restent enfermés dans leur monde de Silence.

Et pourtant, le Conseil affirme que tel était leur destin.

Chapitre premier

Faith NightStar, du clan NightStar, était consciente qu'on la considérait comme la C-Psi la plus puissante de sa génération. À vingt-quatre ans seulement, elle avait déjà gagné plus d'argent que la plupart des Psis au cours d'une vie entière. Mais naturellement, elle travaillait depuis ses trois ans, lorsqu'elle avait enfin trouvé sa voix. Cela lui avait pris plus longtemps qu'à la plupart des enfants, mais c'était prévisible : elle était une C-Psi cardinale aux dons extraordinaires.

Si elle n'avait jamais parlé, cela n'aurait surpris personne.

C'était pour cette raison que les C-Psis appartenaient à des clans qui se chargeaient de toutes les tâches dont les clairvoyants ne pouvaient s'occuper eux-mêmes : investir leurs millions, surveiller leur état de santé, s'assurer qu'ils ne se laissaient pas mourir de faim. Les C-Psis n'étaient pas très doués pour tout ce qui était pratique. Ils oubliaient. Même après plus d'un siècle à prédire évolutions du marché boursier plutôt que meurtres et accidents, catastrophes et guerres, ils oubliaient.

Faith avait oublié beaucoup de choses dernièrement. Par exemple, elle avait négligé de s'alimenter pendant trois jours d'affilée. Les employés de NightStar étaient alors intervenus, alertés par l'ordinateur Tec 3 sophistiqué qui contrôlait toute la maison. Ils ne laissaient jamais passer plus de trois jours car il arrivait que les C-Psis entrent en transe. Si cela s'était produit, les M-Psis l'auraient mise sous perfusion.

— Merci, dit-elle au responsable de l'équipe médicale. Tout ira bien, maintenant.

Xi Yun hocha la tête.

— Termine tout le repas. Il te fournira le nombre exact de calories dont tu as besoin.

— Naturellement.

Elle le regarda partir à la suite de son équipe. Il tenait à la main une petite trousse médicale dont elle connaissait le contenu : un produit destiné à la sortir d'un état de transe catatonique, et un autre conçu pour l'assommer si elle devenait trop frénétique. Aujourd'hui, le M-Psi n'avait eu besoin d'aucun des deux. Elle avait simplement oublié de se nourrir.

Après avoir mangé toutes les barres protéinées et bu toutes les boissons énergétiques que Xi Yun avait laissées, elle se rassit dans le grand fauteuil inclinable dans lequel elle passait généralement le plus clair de son temps. Destiné à lui servir aussi de lit, il était relié au Tec 3 et fournissait à ce dernier un flux constant de données sur ses fonctions vitales. Un M-Psi se tenait prêt à intervenir jour et nuit si elle avait besoin d'assistance médicale. Même pour les précieux C-Psis, c'était inhabituel, mais Faith n'était pas une C-Psi ordinaire.

Elle était la meilleure.

Toutes les prédictions que Faith avait effectuées s'étaient réalisées, à l'exception bien sûr de celles qu'on avait délibérément empêchées de se produire. Pour cette raison, elle valait des millions… peut-être même des milliards. NightStar la considérait comme son bien le plus précieux. Comme tous les biens, on la maintenait dans une condition optimale pour qu'elle soit la plus performante possible. Et comme tous les biens, s'il s'avérait qu'elle était défectueuse, elle serait démantelée pour être utilisée en pièces détachées.

À cette pensée fugitive, Faith ouvrit les yeux. Elle contempla le plafond vert pâle et lutta pour calmer les battements de son cœur. Sinon, le M-Psi risquait de revenir, et elle ne souhaitait pas que quiconque la voie en cet instant. Elle n'était pas certaine de ce que raconteraient ses yeux. Parfois, même les yeux de firmament d'une Psi cardinale révélaient des secrets qu'il valait mieux taire.

— En pièces détachées, murmura-t-elle.

Naturellement, on enregistrait ses paroles. De temps à autre, les C-Psis effectuaient des prédictions pendant qu'ils étaient en transe. Personne ne voulait en rater un seul mot. Peut-être était-ce pour cela que ses semblables préféraient demeurer silencieux lorsqu'ils le pouvaient.

Utilisée en pièces détachées.

Cela paraissait illogique, mais plus elle y pensait, plus elle s'apercevait qu'une fois encore, son don lui avait annoncé un avenir qu'elle n'aurait jamais pu imaginer. La plupart des Psis défectueux étaient rééduqués, leurs esprits rasés par une purge mentale qui leur permettait de se rendre utiles comme travailleurs manuels. Mais pas les C-Psis. Ils étaient trop rares, trop précieux, trop uniques.

Si elle perdait la raison au-delà d'un niveau acceptable – celui auquel elle pouvait encore effectuer des prédictions –, les M-Psis s'assureraient qu'elle soit victime d'un accident qui n'affecte pas son cerveau. Et ensuite, ils utiliseraient ce cerveau corrompu pour mener des expériences scientifiques et l'analyseraient en détail. Tous voulaient comprendre la mécanique mentale des C-Psis. De tous les types de Psis, ils étaient les moins connus, les plus mystérieux ; ce n'était pas facile de trouver des sujets d'expérimentation, sachant qu'ils représentaient à peine plus d'un pour cent de la population.

Douloureusement consciente que sa respiration était de plus en plus irrégulière, Faith enfouit ses mains dans l'épais tissu rouge du fauteuil. Sa réaction n'était pas encore alarmante au point de nécessiter l'intervention des M-Psis, car il n'était pas inhabituel que les C-Psis manifestent un comportement étrange pendant leurs visions ; cependant, elle ne pouvait pas prendre le risque d'être aspirée par un vortex.

Alors qu'elle tentait de calmer son corps, son esprit lui envoya des images de son cerveau, posé sur une balance de précision, tandis que des yeux Psis glaciaux l'étudiaient sous toutes les coutures. Elle savait que la vision était absurde. Rien de ce genre ne se produirait jamais dans un laboratoire. Sa conscience essayait simplement de donner un sens à quelque chose qui n'en avait aucun. Exactement comme les rêves qui l'avaient tourmentée ces deux dernières semaines.

Au début, il n'y avait eu qu'un vague pressentiment, une noirceur qui malmenait son esprit. Elle avait songé qu'il s'agissait peut-être du signe annonciateur d'une future vision à propos d'un krach boursier ou d'une faillite imprévue, mais jour après jour, la noirceur avait grandi jusqu'à l'écraser, sans rien lui révéler de concret. Et elle avait *ressenti*. Alors qu'elle n'avait jamais rien éprouvé, dans ces rêves, la peur l'avait submergée, le poids de la terreur l'avait fait suffoquer.

Heureusement qu'elle avait demandé depuis longtemps qu'aucun instrument de mesure ne soit installé dans sa chambre. Quelque chose en elle avait su ce qui se préparait. Quelque chose en elle savait, toujours. Mais cette fois, elle n'était pas parvenue à comprendre la laideur brute d'une rage qui lui avait presque coupé le souffle.

Lors des premiers rêves, elle avait eu l'impression que quelqu'un essayait de l'étouffer jusqu'à ce qu'elle ne soit plus que terreur. La nuit dernière avait été différente. La nuit dernière, elle ne s'était pas réveillée au moment où les mains se refermaient autour de sa gorge. Malgré tous ses efforts, elle n'avait pu se libérer de l'horreur, n'avait pas réussi à s'ancrer dans la réalité.

La nuit dernière, elle était morte.

Vaughn D'Angelo sauta au bas de la branche qu'il avait arpentée et atterrit avec grâce sur le sol de la forêt. Dans la lumière argentée qui avait transformé les ténèbres en crépuscule, sa fourrure orange et noir aurait dû briller de mille feux, mais il était invisible, un jaguar qui savait se dissimuler au milieu des ombres nocturnes. Quand il ne souhaitait pas être aperçu, personne ne voyait Vaughn.

Au-dessus de lui, la lune luisait dans le ciel, un disque visible même à travers l'épaisse canopée. Pendant un long moment, il se tint dans l'ombre et l'admira à travers l'entrelacs sombre des branches qui se rejoignaient au-dessus de sa tête. L'homme et la bête étaient attirés par la beauté scintillante, même si aucun des deux n'aurait su expliquer pourquoi. Cela n'avait pas d'importance. Ce soir, le jaguar était aux commandes, et il acceptait simplement les pensées de l'homme.

Dans la brise, un très léger fumet lui fit lever le nez. *Meute.* Un instant plus tard, il reconnut Clay, l'une des autres sentinelles. Puis l'odeur disparut, comme si le léopard mâle avait compris que Vaughn s'était déjà adjugé ce territoire. Ouvrant la bouche, Vaughn émit un doux grondement et étira son puissant corps félin. Ses canines mortellement pointues étincelaient à la lueur de la lune, mais ce soir, il n'était pas sorti pour chasser et capturer une proie, pour délivrer une mort charitable d'une unique morsure fatale.

Ce soir, il voulait courir.

Sa foulée vigoureuse lui permettait de couvrir de vastes distances, et généralement, il préférait s'enfoncer profondément dans les forêts qui s'étendaient sur une grande partie de la Californie. Mais ce jour-là, il partit en direction du lac Tahoe et de la station balnéaire densément peuplée qui le bordait. Même sous sa forme féline, il n'éprouvait aucune difficulté à évoluer parmi les humains et les Psis. Il n'était pas sentinelle pour rien ; il pouvait infiltrer les citadelles les mieux gardées sans se faire repérer.

Cependant, cette fois il ne pénétra pas dans la ville, attiré par quelque chose d'inattendu à sa lisière. Établi à quelques mètres seulement de l'étendue vert foncé de la forêt, le petit complexe était protégé par des grillages électrifiés et des caméras activées par des détecteurs de mouvement, entre autres dispositifs. La maison qu'il contenait était dissimulée derrière plusieurs rideaux de végétation, et peut-être même d'autres clôtures, mais Vaughn savait qu'elle était là. Ce qui le surprenait était qu'il pouvait sentir la puanteur métallique caractéristique des Psis tout autour de l'enceinte.

Intéressant.

Les Psis préféraient vivre entourés par les gratte-ciel et la ville, chaque individu adulte dans sa petite boîte. Et pourtant, caché au cœur de ce complexe se trouvait un Psi, et quelle que soit son identité, il était protégé par ceux de sa race. Un tel privilège était normalement réservé aux membres du Conseil. Curieux, il longea tout le périmètre, hors de portée des dispositifs de surveillance. Il ne mit que dix minutes à découvrir un moyen d'entrer ; une fois de plus, l'arrogance des Psis les avait conduits à mépriser les animaux avec qui ils partageaient la Terre.

Ou peut-être, songea l'homme à l'intérieur de la bête, que les Psis n'étaient tout simplement pas capables de comprendre les facultés des autres races. Pour eux, les changelings et les humains n'étaient rien parce qu'ils ne pouvaient accomplir les mêmes choses que les Psis avec leurs esprits. Ils avaient oublié que l'esprit faisait avancer le corps, et que les animaux étaient particulièrement doués pour utiliser celui-ci.

Le cœur battant d'excitation, il grimpa sur la branche qui le mènerait au-dessus du premier grillage, à l'intérieur du complexe. Mais même le jaguar savait qu'il ne pouvait pas faire cela. Il n'avait aucune raison de pénétrer dans cette propriété, de prendre ce risque. Ni l'homme ni la bête ne craignaient le danger, mais la curiosité du félin était bridée par une émotion plus puissante encore : la loyauté.

Vaughn était une sentinelle de DarkRiver, et ce devoir l'emportait sur toutes les autres envies, tous les autres besoins. Plus tard dans la soirée, il devait garder Sascha Duncan, la compagne de leur chef de meute, pendant que Lucas assistait à une réunion à la tanière des SnowDancer. Vaughn savait que Sascha n'avait accepté de rester à la maison qu'à contrecœur, et seulement car elle comprenait que Lucas pouvait se déplacer plus vite sans elle. Et Lucas ne s'absentait que parce qu'il avait confiance en la capacité de ses sentinelles à la protéger.

Avec un dernier regard s'attardant sur le complexe et ses gardes, Vaughn redescendit le long de la branche, bondit au sol et commença à se diriger vers le repaire de Lucas. Il n'oublierait pas, et n'abandonnerait pas. Le mystère d'un Psi vivant si près d'un territoire changeling serait résolu. Personne n'échappait au jaguar quand il tenait une piste.

Le regard de Faith se perdit par la fenêtre de la cuisine, et même si elle n'y vit que les ténèbres, elle ne put se défaire de l'impression qu'on l'épiait. *Quelque chose de très dangereux rôdait le long des grilles qui l'isolaient du monde extérieur.* Frissonnant, elle serra ses bras autour d'elle. Puis elle se figea. Elle était Psi ; pourquoi réagissait-elle ainsi ? Étaient-ce les visions sinistres ? Perturbaient-elles ses boucliers mentaux ? Elle se força à relâcher sa prise et voulut s'éloigner de la fenêtre.

À sa grande surprise, elle en était incapable.

Au lieu de se détourner, elle se rapprocha et leva un bras, plaçant sa paume contre le verre, comme si elle souhaitait tendre la main vers l'extérieur. L'*extérieur*. Un monde qu'elle connaissait à peine. Elle avait toujours vécu derrière des murs, y avait été obligée. À l'extérieur, le risque d'une désagrégation psychique lui martelait le crâne, un écho assourdissant qu'elle ne pouvait bloquer. À l'extérieur, les émotions la frappaient de tous côtés, et elle voyait des choses inhumaines, sauvages, terribles. À l'extérieur, elle était menacée. Elle était bien plus en sécurité à l'abri derrière ces murs.

Sauf qu'à présent, les murs se lézardaient. À présent, le monde la rattrapait, et elle ne pouvait lui échapper. Elle le savait, avec la même certitude qu'elle savait qu'elle ne pouvait échapper à la créature qui rôdait autour de sa propriété. Le prédateur qui la chassait ne serait pas satisfait tant qu'il ne la tiendrait pas entre ses griffes. Elle aurait dû avoir peur, mais bien sûr, elle était Psi. Elle ne ressentait pas la peur… sauf lorsqu'elle dormait. Alors, ses sensations étaient si intenses qu'elle craignait que les boucliers qui l'isolaient du PsiNet cèdent, la révélant ainsi au Conseil. Elle en était parvenue au point où elle ne voulait même plus s'endormir. Et si elle mourait de nouveau, et cette fois, pour de bon ?

Le tableau de communication brisa le silence sans fin qui était sa vie. Aussi tard le soir, l'interruption était imprévue ; les M-Psis lui avaient prescrit certaines heures de sommeil.

Elle se détourna enfin de la fenêtre. Tandis qu'elle se déplaçait, le sentiment d'un désastre imminent l'envahit, une impression sinistre perdue à mi-chemin entre une véritable prémonition et l'image fugitive d'un futur possible. Cela, aussi, était nouveau, cette conscience écrasante d'une présence malfaisante qui attendait seulement qu'elle baisse sa garde quelques instants pour frapper.

Maîtrisant son expression pour ne rien dévoiler de sa confusion, elle appuya sur une touche de la tablette tactile afin de décrocher. Le visage qu'elle découvrit à l'écran la surprit.

— Père.

Anthony Kyriakus était à la tête de leur famille. Vingt-cinq ans plus tôt, il avait signé un contrat de fécondation avec Zanna Liskowski, et Faith avait été placée sous leur tutelle conjointe jusqu'à ce qu'elle atteigne officiellement l'âge adulte à vingt ans. Ses parents avaient tous deux eu leur mot à dire dans son éducation, même si ses jeunes années n'avaient eu d'enfance que le nom. Trois ans après sa naissance, on l'avait soustraite à leurs soins avec leur entière coopération, et placée dans un environnement contrôlé où son don pouvait être développé et exploité pour qu'il atteigne son plein potentiel.

Et où on pouvait essayer d'enrayer la progression des griffes envahissantes de la folie.

— Faith, je dois te faire part d'une nouvelle regrettable concernant notre famille.

—Oui?

Soudain, elle eut l'impression que son cœur allait exploser dans sa poitrine. Elle mobilisa toute son énergie pour maîtriser sa réaction. Non seulement c'était inhabituel, mais cela pouvait annoncer une vision, et elle ne pouvait pas se le permettre en cet instant. Pas avec le type de visions qu'elle avait eu ces derniers temps.

—Ta sœur, Marine, est décédée.

Elle eut un instant de flottement.

—Marine?

Marine était sa sœur cadette, qu'elle n'avait jamais vraiment connue, mais dont elle avait suivi l'évolution de loin. Télépathe cardinale, Marine avait déjà grimpé haut dans la hiérarchie familiale.

—Comment? Était-ce une anomalie physique?

—Non, heureusement.

Heureusement, car cela signifiait que Faith n'était pas menacée. Même si posséder deux des rares cardinales avait permis à NightStar d'acquérir un pouvoir considérable, il était indiscutable que Faith représentait l'atout principal de la famille. C'était elle qui apportait au clan assez d'argent et de contrats pour le placer au-dessus des masses. Seule la santé de Faith comptait véritablement; la mort de Marine n'était qu'un léger désagrément. *Si froid, si brutalement froid*, songea Faith, bien qu'elle sache qu'elle-même était tout aussi froide. C'était une simple question de survie.

—Un accident?

—Elle a été assassinée.

Vide quelques instants plus tôt, son esprit était à présent saturé de bruit blanc, mais elle refusa d'y prêter attention.

—Un meurtre? Un humain ou un changeling?

Les Psis ne comptaient pas de tueurs dans leurs rangs, pas depuis une centaine d'années, depuis la mise en place du protocole Silence.

Celui-ci avait effacé la violence, la haine, la rage, la colère, la jalousie et l'envie chez les Psis. Mais cela avait aussi eu pour effet secondaire la perte de toutes leurs autres émotions.

— Bien sûr, même si nous ne savons pas encore qui. La Sécurité mène l'enquête. Repose-toi.

Il hocha brusquement la tête, mettant ainsi fin à l'entretien.

— Attends.

— Oui ?

Elle se força à poser la question.

— Comment a-t-elle été tuée ?

Sans même broncher, Anthony répondit :

— On l'a étranglée à mains nues.

Achevé d'imprimer en avril 2013
Par CPI Brodard & Taupin - La Flèche (France)
N° d'impression : 72963
Dépôt légal : avril 2013
Imprimé en France
81120626-2